Fairyland

Alysia Abbott

Fairyland

Traduit de l'anglais (États-Unis)
par Nicolas Richard

11, rue de Sèvres, Paris 6ᵉ

ISBN : 978-2-211-22123-8

à ma mère et mon père
et à Annabel,
pour qu'elle puisse un jour
savoir où sa mère «en était».

*J'aurais voulu montrer aux enfants ces dorades
Du flot bleu, ces poissons d'or, ces poissons chantants.*
Arthur RIMBAUD, « Le Bateau ivre »

NOTE DE L'AUTEUR

Pour écrire ce livre, je me suis appuyée sur mes souvenirs personnels, des entretiens avec ma famille et des amis, des articles et des livres d'histoire, et tout particulièrement sur les documents que mon père a laissés : son journal intime, ses poèmes, ses textes, sa prose, et des lettres d'où j'ai extrait des citations. Me fondant sur les écrits de mon père, mes propres souvenirs et d'autres recherches, j'ai parfois recréé des scènes et des dialogues, qui sont pour ainsi dire une extension de ce que rapporte mon père dans ses documents. Cependant, j'ai également inventé des dialogues et modifié le nom de quelques personnes dans le livre, mais uniquement lorsque cela n'affectait pas la véracité et la substance de l'histoire.

PROLOGUE

C'est un après-midi de fin d'été. J'observe les mains de mon père sur le couvre-volant en caoutchouc de notre Coccinelle Volkswagen de 1972 alors que nous arrivons sur le Golden Gate Bridge. Entre son pouce et son index, une cigarette est allumée : la cendre est longue, il faudrait la secouer. Mon père redresse le volant, la cendre tombe, et il me redit le nom de l'endroit où nous allons, un endroit que je n'ai encore jamais vu : Sausalito. En entendant ce nom, je pense à des soucoupes volantes qui décollent et atterrissent, et j'imagine que cette soirée aura lieu dans une soucoupe volante*. J'ai cinq ans.

Nous arrivons à une grande maison rose en pisé. Un gars aux cheveux bouclés vient nous ouvrir ; il porte des lunettes de soleil et un fin peignoir rose et mauve. Il donne une franche accolade à mon père et nous fait entrer. En nous guidant d'une pièce à l'autre, l'homme de grande taille me montre les objets que je peux casser et ceux qu'il ne faut surtout pas que je casse car c'est de l'art ancien. Puis il nous conduit au bord d'une piscine spacieuse où un grand saladier de punch, des chips et des petits sandwichs sont disposés sur des tables en verre et en osier. De la musique sort d'enceintes aussi hautes que moi. Il n'y a pas d'autres enfants.

---

* En anglais, «soucoupe» se dit *saucer*, d'où l'amalgame de la jeune Alysia avec la municipalité de «Sausalito» à la sonorité proche. *(Toutes les notes sont du traducteur.)*

Je ne sais pas encore nager, mais j'ai envie d'être dans l'eau. Sous la surface lisse, je vois les carreaux bleu-vert qui étincellent au fond du bassin, en reflétant le soleil. Je supplie mon père, si bien qu'il finit par me déshabiller et me placer sur la deuxième marche qui s'enfonce dans l'eau. Il me donne pour instruction de ne pas bouger de mon perchoir en béton. Je regarde les amis de mon père faire les fous à divers stades de nudité. De jeunes hommes dansent tout près les uns des autres autour de la piscine. Debout, tout en observant ce qui m'entoure, j'avance subrepticement le pied droit jusqu'à la marche suivante. Je me rétablis dessus et, ensuite, j'avance à nouveau le pied sous l'eau pour trouver une marche plus basse. Je prends appui sur cette marche, la tête et les épaules encore en sécurité hors de l'eau. Mon père, en pleine conversation avec notre hôte, ne regarde pas. Alors, en tendant la pointe des pieds, je trouve une autre marche, je me tiens en équilibre, tout en flottant. L'eau chaude monte sur ma peau sèche et j'ai la sensation d'avoir découvert un passage secret qui mène à un endroit magique, une mer pour sirènes.

Bercée par les jets qui pulsent maintenant dans le bassin, le puissant boum-boum de la musique et la lumière dorée de la fin d'après-midi, je m'avance encore, trouvant chaque fois une marche sur laquelle me rattraper. Puis je tends le pied pour atteindre la suivante et me rends compte qu'il n'y en a pas : en un clin d'œil, l'eau tiède de la piscine m'engloutit, emplit ma bouche, mon nez, mes oreilles. Je me débats frénétiquement pour rester à la surface, j'essaye d'appeler à l'aide, mais, comme je n'arrive pas à garder la tête au-dessus de l'eau assez longtemps pour prononcer le mot entier, je lance juste des cris inintelligibles.

Installée dans un transat, une jeune femme m'aperçoit, appelle mon père en me montrant du doigt : «Steve, ce n'est pas ta fille qui gigote dans l'eau?» Mon père se précipite vers moi et hurle : «Donne-moi la main», puis me sort du bassin, mon corps frottant au passage contre le bord rugueux ; je recrache de l'eau et le goût amer du chlore me pique le nez et la gorge. Il me faudra des années avant d'apprendre à nager, et – au même titre que de ne pas avoir appris à faire du vélo avant l'université et que la sexualité de mon père – ce sera pour moi une source de honte secrète.

Mon père note ce jour-là dans son journal intime : «Accident d'Alysia à la piscine» et, dessous, un petit dessin gribouillé montre mon bras frêle qui s'agite au-dessus du clapotis de l'eau. Quand plus tard je découvre ce passage dans son journal, je souris de plaisir.

J'ai trouvé les journaux intimes de mon père dans notre salle à manger quatre mois après sa mort, survenue à la suite de complications liées au sida. Je savais depuis toujours que papa tenait un journal. En regardant par la porte-fenêtre qui séparait ma chambre du séjour où il dormait, je l'apercevais perché sur le bord de son futon avachi, jambes croisées, pieds ballants – il griffonnait dans son carnet à spirale posé en équilibre sur ses genoux. Quand j'étais petite, j'avais coutume d'attendre qu'il sorte de la maison pour fouiller dans ses étagères construites à partir de casiers à bouteilles de lait, et j'en tirais les deux carnets à couverture noire de son journal dans lequel il avait consigné notre vie au milieu des années 1970. Accroupie par terre, je passais en revue des pages et des pages, à la recherche du A majuscule, pour Alysia, ou bien de A-R, mon sobriquet d'enfance, les initiales de Alysia-Rebeccah. Je me régalais des passages qui parlaient de moi toute petite – quand il racontait que, de façon inexplicable, je m'étais mise à l'appeler «mon pauvre petit Da-Da», ou la fois où j'avais fait pipi dans son lit. Cela me consolait de savoir qu'en dépit de mon jeune âge j'avais déjà une histoire qui m'était propre, et que j'avais changé par rapport à celle que j'étais naguère.

Je n'avais plus lu son journal depuis de nombreuses années et je ne m'attendais pas à trouver quoi que ce soit de nouveau quand j'ai décidé de vider le placard de la salle à manger en cet après-midi du printemps 1993. J'avais vingt-deux ans, je venais de passer une année au chevet de mon père jusqu'à assister à son dernier souffle, au centre de soins palliatifs de Maitri House, dans le quartier du Castro, et je pensais que plus rien ne pouvait me blesser. Ce que j'avais craint le plus durant toute ma vie, la mort de mon père, mon unique parent, était déjà arrivé.

Je pensais également que plus aucune surprise ne m'attendait. Depuis l'accident de voiture de ma mère – j'avais alors deux ans –, mon père m'avait élevée tout seul, en m'imposant peu d'interdits. Après presque vingt ans de vie commune en tant que père unique et enfant unique, j'avais le sentiment de le connaître aussi bien que je me connaissais moi-même. Son odeur chaleureuse, teintée de cigarette, le tressaillement de son pied lorsqu'il était en pleine réflexion, son goût pour les bonbons et les chocolats Kisses chaque fois qu'il essayait d'arrêter de fumer… Dans la forme de ses mains et la longueur de ses doigts, je voyais les miens. Ces derniers mois, rester paisiblement assise à côté de lui dans la solitude de sa chambre à l'hospice m'avait semblé aussi simple et naturel que respirer.

C'est donc sans vergogne que je me suis immergée dans son journal intime, exhumant une dizaine de carnets de sous une boîte de disques poussiéreux de Billie Holiday et de David Bowie, recouverts de périodiques jaunis. Ces journaux allaient de 1971, époque où mon père était étudiant en troisième cycle, à 1991, quand une rétinite à CMV liée au sida a commencé à lui faire perdre la vue et la capacité d'écrire. Je me suis concentrée sur trois carnets portant sur 1971-1973, que je n'avais encore jamais remarqués. Ces années correspondaient à la brève période durant laquelle ma mère, mon père et moi formions une famille, et ils m'ont séduite. C'était la première fois que je faisais l'expérience de ma mère au temps le plus excitant : le présent.

En feuilletant certains passages, j'ai soudain réalisé que ce n'était pas bien de lire ça, que je m'immisçais dans son intimité. Mais, après notre dernière année passée ensemble, et sans autre membre de la famille pour m'aider à trier tout ce qui s'était accumulé dans notre appartement pendant quatorze ans, j'ai aussi eu le sentiment que ce n'était que justice. En outre, en poursuivant ma lecture, j'ai appris que mon père avait envisagé la possibilité que je trouve ses carnets :

9 septembre 1973 : Veux me remettre à écrire. Plus que jamais ! Mais pour qui écrirai-je ? Pour John — ce rêve déchu ? Pour moi, j'imagine. Peut-être pour Alysia, qu'elle sache un jour où en étaient ses parents.

Le journal intime de mon père révélait en effet où en étaient mes parents. Le problème était que sa version de notre histoire familiale différait de celle avec laquelle j'avais vécu toute ma vie. Voici ce que je savais :

Mes parents s'étaient rencontrés alors qu'ils étaient étudiants de troisième cycle à l'université Emory d'Atlanta. Objecteur de conscience, Stephen Eugene Abbott s'était opposé à la guerre du Vietnam et s'était inscrit à Emory afin de poursuivre une maîtrise de littérature anglaise. Barbara Louise Binder, marxiste autoproclamée, était quant à elle en maîtrise de psychologie. Leur passion pour le mouvement anti-guerre et le SDS* les rapprocha. L'année suivante, un juge de paix les mariait et neuf mois plus tard, en décembre 1970, je naissais. Nous vécûmes heureux jusqu'à ce que, une nuit, vers la fin de l'été 1973, ma mère sorte au volant de sa voiture et que l'arrière de son

---

* Le SDS, *Students for a Democratic Society* (littéralement « Étudiants pour une société démocratique »), est un mouvement contestataire de gauche qui s'est développé aux États-Unis au milieu des années 1960.

véhicule soit brutalement embouti. Elle fut projetée en pleine rue, percutée par une voiture et tuée sur le coup.

Ma version de cette histoire faisait la part belle au tragique. Ma mère, photogénique, qui avait terminé le lycée major de sa promo, à Kewanee, dans l'Illinois, qui avait obtenu sa licence avec mention au Smith College, qui aimait les chiens et les causes perdues et qui cuisinait un délicieux *cacciatore* au poulet, n'avait que vingt-sept ans. Mon père était éperdument amoureux d'elle et fut tellement bouleversé par sa disparition brutale qu'il devint homosexuel et nous emmena à San Francisco. À partir de ce moment-là, il sortit exclusivement avec des hommes, rendant impossible l'éventualité d'un remariage et l'arrivée pour moi de frères et sœurs. Toutes les souffrances que j'avais endurées petite et adolescente, de ma difficulté à m'intégrer à ma solitude persistante en passant par ma propension à garder des secrets, avaient pour origine cette nuit en voiture. C'était un accident. On ne pouvait en vouloir à personne.

Et puis j'ai lu le journal intime de mon père. Et une tout autre histoire a émergé.

> *Voyage à Atlanta. Vais voir un avocat. En attendant, l'avocat parle de ses projets d'écriture. Je suis nerveux et fume un max. Ai l'idée d'un roman intitulé « La Fille du gitan », à propos d'Alysia. Ça commence sur mon lit de mort – elle se souvient comment ç'a été de grandir avec moi comme père, de mes petits copains – mon journal intime, etc., flash-backs, allers-retours présent-passé.*

Mon père a rédigé ces mots en 1975, deux ans après la mort de ma mère, qui avait fait de lui le parent unique d'une fillette ayant énormément besoin d'attention. Dix-sept ans plus tard, j'étais à son chevet lorsqu'il est mort. Trente-cinq ans plus tard, je raconte finalement son histoire, une histoire dont il a eu la vision, mais à ma façon.

PREMIÈRE PARTIE

CONTES DE FÉES

*Je sentais que nos excès nous mèneraient
à la mort – simplement, je pensais que ce
serait moi qui mourrais.*

Steve ABBOTT

1

Chaque fois que mon père décrivait le deux pièces qu'il partageait avec ma mère sur Peachtree Street, il me parlait des poissons. Lorsqu'ils emménagèrent ensemble, ils avaient peu d'argent pour la décoration. Tapis orientaux curieusement tachés, buffets ayant jadis eu fière allure et différentes parties de canapés furent récupérés lors de ventes-liquidations et rapportés à la maison dans un pick-up emprunté. L'argent dont ils disposaient, donné par les parents de ma mère, ils le consacrèrent à des poissons tropicaux qu'ils achetèrent un beau jour d'enthousiasme romantique. Dans l'entrée de leur appartement se trouvait un aquarium imposant, au verre épais, dans lequel ils avaient mis des scalaires. On passait un rideau de perles qui tintaient, et, une fois dans le bureau, il y avait deux autres aquariums. Dans le premier, des gouramis embrasseurs nageaient aux côtés de minuscules guppys bleu et vert autour d'arbres en plastique et d'une petite figurine de Neptune recouverte d'algues. Dans l'autre, sur le mur d'en face, évoluaient des piranhas d'Amérique du Sud, à qui mes parents donnaient de la viande à hamburger crue chaque soir avant de se coucher.

Quand mes parents se sont rencontrés pour la première fois, à une fête du SDS, et que mon père a appris à ma mère qu'il était bisexuel, elle a répondu : «Ça signifie que tu peux aimer l'humanité entière et pas seulement une moitié.» On était en 1968, et tout le monde parlait de révolution. Mon père revenait tout juste d'un été passé à Paris ; la ville bouillonnait encore des révoltes du mois de mai, quand les étudiants clamaient : « Soyez réalistes, demandez l'impossible ! » Maintenant, dans les halls des universités américaines, les étudiants qui s'opposaient à la guerre du Vietnam faisaient fermer les campus de Berkeley et de Columbia.

Ma mère était intriguée par l'ouverture d'esprit de mon père en matière de sexualité. Elle ne s'est jamais formalisée de ses béguins pour des garçons, contrairement aux autres petites amies que mon père avait eues. Elle était uniquement jalouse des relations qu'il pouvait avoir avec des femmes et, selon papa, elle allait jusqu'à apprécier les garçons par qui il était attiré. Les week-ends, ils allaient au Cove ou dans d'autres bars gays et mixtes disséminés en périphérie d'Atlanta. Là, ma mère choisissait des jeunes hommes que mon père n'aurait jamais attirés à lui tout seul – des hommes qui n'envisageaient pas une relation homosexuelle, mais qui pourraient être partants pour une aventure à trois alcoolisée. Dans ces premières années de la révolution sexuelle, il était de bon ton chez les jeunes gens de tenter de nouvelles combinaisons. Il arrivait que ma mère s'habille en homme lorsqu'ils sortaient. Papa disait qu'il la trouvait charmant garçon.

Certains week-ends, mes parents organisaient des fêtes à la maison, ils recevaient leurs amis pacifistes et étudiants de troisième cycle, leur servaient des spaghettis, du vin rouge bon marché et l'on jouait à se faire deviner des mets. Papa a écrit sa satisfaction à la fin de ces soirées ; ils se voyaient, lui et ma mère, comme chefs de file d'un salon d'étudiants intellectuels et engagés. Tandis qu'ils rangeaient, un soir, à la fin d'une de ces soirées, ma mère a suggéré qu'ils se marient : « Les propriétaires d'appartements ne nous enquiquineront plus autant, fit-elle valoir. On pourra équiper la cuisine et la maison grâce aux cadeaux de mariage. Mes parents nous donneront plus d'argent.

À part ça, notre vie ne changera pas vraiment.» Mon père a écrit qu'elle s'est mise à balayer le lino, élimé, «comme si toutes les questions en suspens dans notre vie pouvaient être rassemblées dans une pelle à poussière et jetées à la poubelle».

Mes parents se sont mariés le 20 février 1969 dans le bureau d'un juge de paix du centre-ville d'Atlanta. Aucun membre de la famille ne fut invité. Aucune photo de mariage ne fut prise. Au début, ils ont apprécié la nouveauté de la vie matrimoniale. «C'était comme un jeu, ou une sitcom», a écrit mon père. Mes parents disaient en plaisantant qu'il était comme un pionnier, tout de flanelle vêtu, qui rentrait à la maison après sa longue journée de cours, pour retrouver une femme bienveillante, qui préparait à dîner ou faisait la vaisselle pendant qu'il se consacrait au travail sérieux d'étudiant de maîtrise et d'aspirant écrivain. Mais, quelques mois seulement après leur mariage, leur vie a néanmoins changé. Leurs amis étudiants ont pris leurs distances, décidant peut-être que maintenant que mes parents étaient mariés ils préféraient être seuls. Ma mère commençait à être agacée par la scène gay, à s'en lasser, tandis que mon père, lui, s'ennuyait dans la vie domestique.

Ils étaient mariés depuis quatre mois quand mon père eut vent de perturbations dans Greenwich Village, à New York. Dans la nuit du 28 juin 1969, une foule d'homosexuels hommes et de travestis s'opposèrent à une descente de police de routine au Stonewall Inn, un bar gay tenu par la mafia, sur Christopher Street. Les nuits suivantes, de violents affrontements et des manifestations marquèrent le début du mouvement en faveur des droits des homosexuels.

Inspiré par cet événement et par sa découverte du périodique culturel *Gay Sunshine*, mon père, qui était alors président du Conseil des étudiants d'Emory, rédigea pour le journal étudiant un article dans lequel il faisait publiquement son coming-out, expérience qu'il commenta par écrit ultérieurement :

Comme j'avais une femme, personne ne pouvait remettre en cause ma virilité. À l'évidence, je n'étais pas gay, pour cause de complexe sexuel vis-à-vis des femmes. Assurément, cela m'a permis de faire mon « coming-out » de manière bien plus publique et agressive que je ne l'aurais fait sinon. Et pourtant, on me l'a fait payer cher. J'ai perdu des amis. D'après Barb, le plus dur, a-t-elle dit, ce fut la « compassion » de ses amies hétéros. « Comment tu peux le supporter ? » demandaient-elles. Elles refusaient d'accepter que ça ne l'ennuyait pas tant que ça.

Au fil des deux années suivantes, mon père participa à l'organisation du Front de libération gay d'Atlanta, un mouvement parmi des centaines d'autres qui virent le jour sur les campus américains dans le sillage des émeutes de Stonewall. Il fut aussi nommé rédacteur spécialiste des questions homosexuelles dans *The Great Speckled Bird*, l'hebdomadaire alternatif d'Atlanta, tout en partageant sa vie et son lit avec sa femme.

Et puis, par une chaude soirée du printemps 1970 – mes parents étaient alors mariés depuis un an –, ma mère entra dans le bureau où mon père était assis et, avec une certaine sévérité et de manière inutile, se mit à réarranger les chaises, à mettre en tas bien nets les papiers étalés en désordre sur le bureau. Je l'imagine en chemisier mauve froncé et minijupe en velours côtelé brun, qui remontait le long de ses jambes nues chaque fois qu'elle se penchait pour ramasser une feuille éparse. Mon père admirait sa carrure compacte, féminine et efficace dans ses mouvements. Finalement, après avoir remis d'équerre un calendrier suspendu au mur, elle s'est campée face à lui.

Dans son journal intime, mon père se rappellera qu'ainsi éclairée par la lumière bleu-vert des aquariums qui les entouraient ma mère lui apparut comme une créature marine. Avec son eye-liner noir et du mascara qui mettaient en valeur ses grands yeux, on aurait dit une méchante sortie d'une tanière sous la mer.

«Je suis enceinte, lui annonça-t-elle.

— Je croyais que tu avais un stérilet.

— Je l'ai retiré. Tu ne t'en souviens pas?»

Il ne s'en souvenait pas. Au bout d'un moment, il a demandé : «Tu penses qu'on devrait garder le bébé? Je ne nous vois pas vraiment avec un bébé ici.» Il a indiqué d'un geste l'appartement, qui sembla rapetisser autour de lui.

«Je veux ce bébé.

— Je ne sais pas si nous sommes *prêts*... Et puis il y a l'aspect financier. Même avec ton salaire et l'argent de ma bourse, on arrive à peine à joindre les deux bouts. Je veux dire... si tu veux te faire avorter, tu sais, je serai avec toi.»

— Je veux ce bébé.»

Mon père s'est senti dans la peau de Flash Gordon, attaché sur une chaise dans les profondeurs sous-marines. Il a eu soudain très chaud, et du mal à respirer. Il a scruté la pièce à la recherche d'une échappatoire. Mais la sirène perfide a fait frétiller sa langue de serpent et réitéré sa demande :

Je veux ce bébé.

Cinq ans plus tôt, en hiver, durant sa première année universitaire, ma mère avait obtenu du Smith College une autorisation d'absence et avait emménagé à la Chandler House, une clinique d'accouchement pour jeunes filles enceintes, à Evanston, dans l'Illinois, à trois heures de voiture de chez mes parents, en direction du nord-est. Ce fut une période difficile. Mes grands-parents firent de nombreux efforts pour que la grossesse de ma mère demeure un secret, car, dans leur petite bourgade du Midwest, cela aurait jeté l'opprobre sur la famille. Ma mère fut admise au foyer de jeunes filles sous un faux nom et ne revint auprès de ses parents qu'après avoir accouché de son bébé. Les registres du foyer indiquent que ma mère était solitaire ; souvent, elle lisait ou se promenait par tous les temps sur les bords du lac

Michigan. Après la naissance de sa fille, en mai 1965, elle signa les papiers par lesquels elle donnait son enfant à des gens qu'elle ne rencontrerait jamais.

Durant les cinq mois de son séjour au foyer, ma mère appela ma grand-mère presque chaque soir. Mon oncle David, qui avait alors dix ans, se souvient avoir décroché le combiné et entendu ma mère pleurer. Les chambres étaient à peine chauffées, se plaignait-elle auprès de ma grand-mère. La directrice était brutale. Après cela, ma mère dormirait chaque hiver avec une couverture chauffante verte d'une texture douce mais granuleuse. Ma mère détestait avoir froid, m'a confié mon père.

Donc, en cette soirée du printemps 1970, ma mère déclara à mon père qu'elle voulait me garder. Peut-être pensait-elle que le fait d'avoir un bébé changerait mon père, le transformerait en un mari plus attentionné, ou bien lui ferait oublier son jeune amant, John Dale. Dans son journal intime, papa se souvenait qu'elle lui avait dit que, s'il voulait partir, il le pouvait.

J'imagine leur conversation, papa croisant et décroisant les jambes, faisant tomber la cendre de sa cigarette dans une oreille de mer qui servait de cendrier, sans piper mot. Elle a lu de l'hésitation et de la peur sur son visage, puis lui a proposé un compromis.

« Si j'ai ce bébé et que c'est trop pour toi, tu pourras t'en aller. Je ne te courrai pas après. Tu n'auras même pas à payer de pension alimentaire. J'en prendrai l'entière responsabilité. »

Ma mère a inspiré profondément, puis expiré. Elle a écarquillé ses yeux bruns avant de les plisser en regardant fixement mon père. Assis à côté d'elle, qui se tenait debout, il a eu l'impression d'être un petit garçon. Il n'avait aucun argument à faire valoir. « Nous sommes mariés, écrivit-il dans son journal. Elle est libre d'être elle-même. En quel honneur l'en empêcherais-je ? »

La nuit de ma naissance, John Dale m'a dit que la pluie tombait délicatement dans les rues bordées de platanes devant l'hôpital de l'université Emory. Il attendait avec mon père dans un couloir de la maternité. Mon père fumait une cigarette et parlait avec nervosité en attendant la naissance de son enfant.

«Parfois, je me surprends à vouloir que ce soit un garçon, et je me demande ensuite pourquoi je veux ça.» Mon père a croisé la jambe droite par-dessus la gauche, et son pied ballant était agité d'un mouvement fébrile. «Est-ce parce que… j'ai été *conditionné* pour vouloir un garçon? Ou bien parce que j'ai besoin de voir une version de moi-même dans ce bébé?» John a haussé les épaules, en se fendant d'un sourire pâle. Ils ont continué à parler jusqu'à ce qu'une infirmière apparaisse dans l'encadrement d'une petite porte. «Monsieur Abbott? Votre femme vient de donner naissance à une petite fille en bonne santé. Elle se repose pour l'instant, mais vous pouvez voir le bébé par la vitre de la nursery de l'aile sud, juste au bout du couloir.»

Mon père est venu se coller à la vitre de la nursery, si près qu'il y a eu de la buée. Il a scruté les nombreux visages à la recherche du mien. Dans une lettre qu'il m'adressa ultérieurement, il décrivit tous les nouveau-nés comme «autant de fruits sur un étalage». Quand il a trouvé le bébé correspondant à la fiche «Abbott», il a étudié les traits de mon visage en se demandant si je serais comme Angela Davis, l'activiste des Black Panthers fameuse pour sa coupe afro, le poing brandi en l'air au tribunal. «Mon espoir, écrivit-il, était que tu prennes le monde par les oreilles et que tu poursuives la révolution pour "Le Bien".»

Mais on ne m'a pas prénommée Angela. Mes parents voulaient un prénom composé, «comme une vraie beauté du Sud, expliquerait plus tard mon père, du genre Peggy-Sue ou Betty-Joe». Après avoir compulsé des livres de prénoms à la maternité, mes parents ont opté pour Alysia-Rebeccah, qui signifie «captivante conciliatrice». Ils utiliseraient l'abréviation A-R.

Plus tard, dans sa chambre de la maternité, ma mère était allongée, me tenant contre sa poitrine. Tout son corps était douloureux. En voyant mon père, elle a souri et m'a placée dans ses bras. J'étais plus petite que ce à quoi il s'attendait. Il ne savait pas me tenir, et ma mère a ri et lui a montré comment faire. Mon père a dit que je me tortillais dans sa main comme un petit reptile et que j'ai ensuite fait pipi sur son bras. Il était aux anges.

DIMANCHE
Alysia – 1 œuf, 1 petit pot céréales. 2 morceaux de pain. Un petit pot compote.
Barbara – 1 tartine beurrée – jus de fruits.
Steve – 2 tartines + confiture.

Steve – 3 tranches de bacon – 2 œufs. 4 tartines. 1 verre de jus de fruits.
Barbara – 1 tartine – fromage. Marshmallow. Jus de fruits. Une poignée de noix, noisettes et fruits secs.
Alysia – 6 cuillères à café de yaourt. ¼ petit pot pruneau. 1 marshmallow.

Ce message constitue une surprise au milieu du carnet de mon père daté de 1971. C'est la seule trace de l'écriture de ma mère. Contrairement aux pattes de mouches paternelles, son écriture à elle est soignée et contrôlée, penchée à droite, vers l'avenir. Elle écrit avec un stylo-feutre bleu à pointe fine. Peut-être la situation financière est-elle délicate. Peut-être s'inquiète-t-elle de notre ration alimentaire quotidienne. C'est d'une main soucieuse, d'une main maternelle aimante qu'elle dresse la liste des repas de la journée.

La semaine précédente, mon père avait perdu son poste au Centre pour malades et arriérés mentaux d'Atlanta – un boulot que ma mère l'avait aidé à décrocher. Si bien que durant cette période, pendant que ma mère poursuivait sa maîtrise de psychologie en travaillant tous les jours au centre médico-social, mon père s'employait à vendre ses bandes dessinées à des journaux underground. Il restait également à la maison avec sa fillette âgée de dix-huit mois, jouant le rôle révolutionnaire d'homme au foyer.

Chaque jour, après avoir passé des coups de fil et envoyé des lettres exposant ses projets d'écriture, papa me mettait dans une poussette et me promenait au Lullwater Park. D'un petit sac en papier, il sortait des morceaux de pain rassis qu'il rompait et me donnait afin que je les lance aux canards. J'adorais regarder les canards faire coin-coin et s'éclabousser tout en bataillant pour ne pas manquer une miette.

Pour des raisons d'argent, ma mère et mon père ont installé leur aquarium dans un appartement plus grand, qu'ils partageaient avec un colocataire, un étudiant pacifiste qui s'appelait Bill. En revenant du travail un après-midi, ma mère a trouvé mon père en compagnie de Bill et de ses amis Jeff et Phoenix sur le canapé pendant que je jouais sur le tapis oriental avec une girafe rose qui faisait de la musique quand on la remontait. Ma mère a annoncé qu'elle éprouvait «d'intenses sentiments d'amour pour tout le monde ». Mon père m'a raconté qu'elle se plaisait à imaginer chacun comme faisant partie d'une grande famille.

Ma mère m'a prise dans ses bras puis m'a assise sur le canapé tandis que mon père, interrompu par son arrivée, reprenait sa discussion sur *Mort de la famille*, de David Cooper. «Cooper montre que la famille en tant qu'institution génère une violence subtile visant à détruire l'individu.» La sonnerie du téléphone a de nouveau suspendu leur conversation. Mon père a décroché. «C'est John!» Il a emporté le téléphone dans la pièce d'à côté mais, malgré sa voix basse, ma mère pouvait entendre à travers les portes-fenêtres combien il était excité. John rendait visite à sa famille à St. Louis pendant l'été.

«Comment va Alysia? a demandé John.

– Super bien. On communique par télépathie. C'est, genre, je sais sur quoi elle est branchée même quand elle ne dit pas un mot. Barbara pense que je la "néglige". Mais je pense que A-R sent la sécurité d'un amour profond avec moi.»

John lui a annoncé qu'il viendrait de St. Louis pour le week-end et mon père a eu toutes les peines du monde à contenir sa joie. «Vraiment? Vendredi?» Ma mère m'a prise de nouveau dans ses bras et a quitté la pièce en tapant des pieds. Papa s'est senti gêné, le téléphone coincé sous le menton comme pour se protéger. «Elle fait une scène dans la chambre d'Alysia. Il faut que je raccroche.»

Jeff et Phoenix avaient trippé à la mescaline pendant tout l'après-midi. Ma mère les a raccompagnés en voiture chez eux pendant que mon père me gardait en picorant des lasagnes dans la cuisine. Elle est revenue vingt minutes plus tard et a fondu en larmes, du mascara noir dégoulinait sur son visage.

«Pourquoi faut-il que tu déblatères comme ça sur les méfaits de la famille? Si on te pose problème, dis-le-nous.

– Ta réaction ne fait que confirmer ce que je disais! La structure familiale est corrosive. Elle alimente la paranoïa et l'hostilité.

– Boucle-la sur ce sujet, tu veux bien? l'a-t-elle coupé. Ça t'arrive, des fois, de songer à mûrir?

– Est-ce que je t'ai déjà rendue heureuse? Est-ce qu'il t'est déjà arrivé d'être pleinement satisfaite grâce à moi?» En s'entendant commencer à crier, mon père a essayé de se calmer. «Ou... en supposant que je sois tout ce que tu voudrais que je sois? Eh bien, tu serais quand même malheureuse. Tu es peut-être le genre de personne qui en veut toujours davantage.»

Ma mère s'est remise à pleurer et est allée se réfugier à l'autre bout de la maison en me tenant dans ses bras. Mon père l'a suivie.

«Ça chauffe trop par ici, a-t-il dit. Je pense qu'il serait préférable pour l'un et l'autre que je m'en aille un moment.

J'ai discuté avec Larry l'autre jour. Il a de quoi crécher à Frisco et il m'a invité. Je crois que je vais accepter son invitation.»

En janvier 1973, mon père m'a envoyé une lettre illustrée :

Ce que fait papa
Les pieds de papa sont grands. Les pieds d'Alysia sont petits.
Aujourd'hui papa a pris ses pieds pour se promener dans le parc.
En chemin, papa a parlé aux fleurs.
« Salut, Fleurs. »
Papa a vu un chien-chien. Le chien-chien a aboyé et remué la queue.
«Wouf ! Wouf ! »
Mais papa pense à Alysia et maman.
Quand Alysia sera endormie, papa lui fera un gros bisou.
Bientôt papa montera dans sa voiture et viendra à la maison.
Ensuite papa pourra rejouer avec Alysia.
« Salut, Bébé. » «Youp là ! »
Alors on retournera voir les canards. Alysia pourra donner à manger aux canards.
« Coin, coin ! »

Quand Alysia sera endormie, papa lui
fera un gros bisou – détail d'une lettre
de Steve Abbott [1973]

Mon père a fait Atlanta-San Francisco en voiture, et il est resté six mois à San Francisco. Il a exploré la ville et présenté ses bédés dans différents endroits et à différentes personnes, dont Last Gasp, les éditeurs de l'underground Zap Comix. S. Clay Wilson, le dessinateur de *Checkered Demon*, publié chez Zap Comix, avait été un ami de mon père dans le Nebraska et il lui avait fourni quelques contacts ici et là – mais Zap n'était guère intéressé par les bédés à thématique gay de mon père. Quand il ne travaillait pas, celui-ci se rendait dans les nombreuses librairies de la ville, ou dans des bars et des cafés d'où il écrivait des lettres à ma mère restée à Atlanta.

Un soir, il a téléphoné. « Je me sens en paix ici, tout seul, lui a-t-il révélé. Il m'est arrivé d'éprouver ça avec John. Mais avec toi il y a habituellement une ombre d'anxiété, des inquiétudes liées au passé ou à l'avenir. Il est difficile d'imaginer exister tout simplement – juste *ex-is-ter* avec toi. Il y a des fois où je me dis que tu ne peux pas laisser les choses suivre leur cours.

– J'ai simplement envie que les choses se passent bien entre nous.

– Je pense que les choses iront mieux entre nous si tu trouves davantage à t'épanouir de ton côté – et non pas systématiquement construire ta vie en fonction de moi. Peut-être que des vacances prolongées te feraient du bien. Je pourrais emmener A-R dans ma famille au Nebraska et tu pourrais te détendre un peu à Atlanta ?

– Non, a répondu ma mère. Je ne veux pas que vous voyagiez ensemble sans moi. Et s'il arrivait quelque chose ? Je me retrouverais toute seule. »

Peu après son retour de San Francisco, il était clair que les inquiétudes de mon père concernant son mariage demeuraient inchangées :

*6 juin 1973 : À Frisco, il était facile de renaître. Continuer à faire
ça en vivant au milieu de tracas si familiers, voilà le défi. Aller à
Stone Mountain [à Atlanta] avec Barb & Alysia était marrant, au
début, puis c'est devenu une corvée lassante qui s'est flétrie pour
se transformer en un sentiment d'oppression, d'être pris au piège
dans une situation qui me pompe toute mon énergie. Pourquoi
cela ? Est-ce que la folie dans ma tête est telle que je ne peux pas
être satisfait avec Barbara ? Donc, le soir, je sors au bar, où le halo
de fumée chichement éclairé sert de toile de fond aux sourires, à la
boisson, à la transpiration de la danse & à la recherche de sexe avec
un bel inconnu qui pourra peut-être me tirer de ce monde routinier
dans lequel je sombre.*

Un après-midi de ce mois de juillet, mon père est venu me
chercher à la crèche tandis que ma mère était au travail. En
rentrant à la maison, il est tombé sur le nouveau petit ami de ma
mère, Wolf. Dans le séjour, il s'apprêtait à se shooter avec ce qui,
selon mon père, était un comprimé de psilocybine, qu'il avait
pilé avec une cuillère. Wolf s'est enfoncé la seringue dans le bras.
Rien. Puis tout son corps a viré au rouge et il a trébuché dans la
pièce. Son visage a grimacé sous le coup de ce qui ressemblait
à une douleur féroce, les yeux exorbités.

« Il y avait de la strychnine là-dedans ? » s'est-il écrié dans
un râle.

Mon père s'est senti impuissant devant les crampes, les
contorsions et les tremblements de Wolf.

« Si je fais une overdose avec ce truc, lui a ordonné Wolf
à travers ses dents serrées, emmène-moi juste sur la route et
balance-moi.

– Qu'est-ce que je vais faire ? » L'esprit de mon père turbinait
à cent à l'heure. Il sentait son cœur battre la chamade. « Appelle
John, demande-lui de m'aider. »

Sur ce, Wolf s'est affalé sur le sofa, a levé une jambe et lâché
un pet, puis a souri. C'est à ce moment-là que ma mère est

revenue du travail et Wolf a essayé de faire passer toute l'histoire pour une plaisanterie. «Mais c'est une plaisanterie tout à fait macabre, a écrit mon père, comme nous le savons tous les deux.»

Wolf était un patient à tendances suicidaires, traité à l'hôpital régional de Géorgie où ma mère travaillait, et ils avaient commencé à sortir ensemble pendant que mon père était à San Francisco. Sa mère avait tué ses deux frères avant de se suicider. Avec sa longue chevelure terne et ses lunettes de soleil remontées sur la tête, Wolf ressemblait à Peter Fonda dans *Easy Rider*, écrivit mon père, lui aussi tombé sous son charme quand il le rencontra pour la première fois. Ma mère lui avait décrit Wolf comme «incroyablement réel». Il était effectivement ouvert d'esprit, vulnérable, et semblait être amoureux d'elle. Il avait assurément bien plus besoin d'elle que mon père.

Peut-être était-ce une bonne chose pour elle, a tout d'abord pensé mon père. Elle paraissait enfin développer une vie émotionnelle et des préoccupations qui lui appartenaient en propre. Si bien que, lorsque ma mère a proposé que Wolf s'installe à la maison, mon père s'est dit pourquoi pas? Il y avait toujours des colocataires qui allaient et venaient dans Adair Street, alors un de plus ou une de moins…

Mais Wolf n'était pas comme tout le monde. Il avait fortement et intensément besoin des autres. Il s'injectait de la drogue en intraveineuse, et Barbara s'était mise à faire pareil. Ils passaient leurs journées ensemble au lit. Elle a commencé à ne plus aller travailler et à perdre du poids. La maison, qui jusqu'alors était toujours rangée et impeccable, était maintenant un capharnaüm. Des ordures et des papiers jonchaient le sol. Des insectes rampaient dans l'évier sous la vaisselle sale. Les aquariums étaient troubles, remplis de tourbillonnants nuages d'algues. Des années plus tard, ma grand-mère se rappelait l'état de leur maison les yeux embués de larmes.

Deux semaines plus tard, mon père a reçu un coup de téléphone de ma mère, qui lui demandait de venir me chercher à la crèche parce qu'elle était en plein trip de MDA avec Wolf. Elle est revenue à la maison en pleurs sur le coup de une heure du matin. Mon père s'est dit qu'elle était épuisée à cause de la tension qui subsistait encore entre eux et de son «trop de drogue».

Tôt le lendemain, ma mère a réveillé mon père car elle avait fait un terrible cauchemar et voulait le lui raconter. Leur aquarium s'était brisé et tous les poissons s'étaient retrouvés à agoniser dans la rue. Personne ne voulait donner un coup de main pour les sauver. Après l'avoir écoutée et l'avoir calmée, mon père s'est rendormi, mais, une heure plus tard, il a de nouveau été réveillé : en traversant la cuisine, ma mère s'était écroulée et avait cassé un verre.

Dix jours plus tard, mon père était installé à sa machine à écrire quand Wolf s'est approché de lui et l'a invité à «se faire un trip à la MDA». Papa s'était déjà shooté une fois avec Wolf et maman, mais cela ne lui avait pas plu, et il avait demandé qu'ils ne le refassent plus en sa présence. Décontenancé par ce qu'il appelait «le toupet» de Wolf, mon père exigea qu'il arrête la drogue ou bien qu'il décampe. Pour bien mettre les points sur les «i», il lut à haute voix des extraits du *Festin nu*, de William Burroughs, espérant convaincre Wolf de prendre la décision d'arrêter la drogue par lui-même. Après des heures de silence attentif, le regard ébahi, Wolf a fini par promettre de renoncer pendant trois mois à la drogue, «sauf l'herbe».

Plus tard ce soir-là, John Dale a appelé mon père, qui lui a raconté ses ennuis avec Wolf. John lui a suggéré de déménager.

«Je ne peux pas, a répondu mon père, si ce n'est pas pour Barbara, au moins vis-à-vis de A-R.»

Huit jours plus tard, Wolf était arrêté dans le nord du Michigan pour trafic de drogue et d'armes à la frontière canadienne. Ma mère a annoncé qu'elle allait s'y rendre en voiture pour

31

payer la caution. «Combien de temps ça peut durer?» se lamenta mon père dans son journal.

Le lendemain, il recevait un coup de téléphone de ma mère depuis le Michigan: «Les inculpations contre Wolf ont été retirées. Il redescend en voiture à Atlanta avec moi. On devrait être là dimanche.»

Le 28 août 1973, il pleuvait sur Atlanta quand mon père a reçu un appel matinal qui l'a réveillé. L'hôpital de Knoxville cherchait à joindre le père de Wolf, pour lui faire savoir qu'il souffrait de «blessures multiples».

«Et Barbara Abbott?»

Mon père a été renvoyé sur l'hôpital de Sweetwater, dans le Tennessee.

«Et Barbara Abbott?» a-t-il répété.

Après moult tergiversations, l'administrateur de l'hôpital a déclaré que ma mère avait «expiré». Mon père s'est mis à trembler. «Qu'est-ce que je dois faire? Qu'est-ce que je dois faire?» Il a appelé les parents de Barbara à Kewanee, dans l'Illinois. C'est sa mère qui a décroché. Il a demandé à parler au père de Barbara, mais, avant que celui-ci ne prenne le combiné, mon père a dit: «J'ai une mauvaise nouvelle. Il y a eu un accident.

– Quoi comme accident?

– Barbara a expiré.

– Qu'est-ce que tu racontes? s'est écriée la mère de Barbara d'une voix perçante.

– Barbara est morte.

– Oh! mon Dieu, non.» Et elle a raccroché.

2

Je reçois l'article dans une simple enveloppe en papier brun. Pendant presque une semaine elle reste dans l'entrée de chez moi. Je ne veux l'ouvrir que quand j'aurai le temps de la lire et d'en digérer le contenu. Même lorsque j'ai du temps libre, je préfère ne pas y toucher, de peur que sa puissance ne se dilue. C'est mon histoire, mon propre secret. Je finis par ouvrir l'enveloppe, j'en sors et déplie une photocopie jaunie d'un article du *Sweetwater Valley News,* daté du 30 août 1973. Merci, Wanda, de la bibliothèque municipale de Sweetwater.

En prenant connaissance de l'article, je suis tout d'abord frappée par la photo qui l'accompagne : une Coccinelle Volkswagen démolie en ce matin brumeux du 29 août, prise en photo au moment d'être enlevée. L'avant de la carrosserie est tellement enfoncé qu'on ne dirait plus une voiture mais une plaie métallique qui suinterait. Que quelqu'un ait réussi à survivre, cela dépasse mon entendement.

Certains détails de l'article confirment ce que je sais : ma mère a été éjectée de son véhicule avant d'être percutée par une autre voiture. Il y a d'autres éléments que j'ignorais : la voiture a percuté un énorme camion qui transportait des grumes destinées à la fabrication de la pâte à bois. Et il y avait une personne en plus dans la voiture, quelqu'un dont les autorités médicales n'ont pu que constater le décès à l'hôpital de Knoxville : un gamin de dix-neuf ans du Michigan qui s'appelait

Thomas Hungerford. Était-ce un auto-stoppeur ? A-t-il joué un rôle dans l'accident ? Connaissait-il Wolf ? J'obtiens également le nom complet de Wolf : Jonathan Dennings Wolfe. C'est le seul qui a survécu, il a été envoyé à l'hôpital de Knoxville. Une brève recherche sur Internet ne révèle rien de plus à son sujet. Cependant, cette preuve existe désormais, je la tiens entre mes mains. Cela a vraiment 'eu lieu. Ces gens ont vraiment existé dans la réalité. Et non pas uniquement dans le journal de mon père et dans mon imagination.

L'accident a eu lieu à 6 h 30 du matin, mardi, alors que le brouillard était épais sur une ligne droite d'autoroute devant l'entrée de Lil' Daytona Speedway, à proximité de la East Tennessee Livestock Barn.

En poursuivant ma lecture, je suis alarmée par les erreurs factuelles accumulées dans l'article. « Barbara Bender Abbott » au lieu de « Binder ». « Son corps a été transféré au salon funéraire Kyker » au lieu du salon funéraire Piser. S'agit-il d'antisémitisme inconscient de la part des journalistes du *Sweetwater Valley News* ?

Une fois le brouillard matinal dissipé, quand tous les morceaux épars de la voiture accidentée furent ramassés et emportés (« Cela a pris plus d'une heure », d'après le *Sweetwater*) quand le sang par terre fut finalement nettoyé par les pluies de septembre, alors Barbara Binder Abbott n'était plus de ce monde. Il ne restait plus d'elle qu'une promesse. La major de sa promo au lycée, la diplômée de Smith qui jamais ne décrocherait sa maîtrise. Le succès futur prédit par sa prof de latin, Mme Carlotta, ne se réaliserait jamais. Elle qui aimait tant les enfants et les chiens n'aurait jamais de chien, n'aurait jamais nourri plus d'une seule enfant. Et cette enfant était désormais sans maman.

La sœur de mon père, Elaine, est arrivée à Atlanta peu après l'accident. Elle a sauté dans le premier avion au départ de

Lincoln, dans le Nebraska. Quand elle est entrée dans la maison, j'ai cru que c'était ma mère.

«C'est maman?

– Non, Alysia, a dit mon père. Maman n'est pas à la maison.»

Elaine se rappelle le peignoir blanc duveteux de ma mère, toujours accroché derrière la porte de la salle de bains, et le placard encore rempli de ses vêtements. «Il ne pouvait pas s'en séparer.»

Un soir, mon père avait prévu une virée dans les meilleurs bars d'Atlanta, et même d'aller à un spectacle de travestis, afin de choquer sa jeune sœur qui, jusqu'à cette visite, ignorait qu'il était gay. «Donc ça m'a fait un choc, un double coup dur», m'a-t-elle confié. Elaine n'ayant pas mis dans sa valise d'«habits de soirée», papa a fouillé dans les affaires de ma mère. «Prends ça», lui a-t-il dit en lui tendant un pantalon de tailleur à motif cachemire. Comme il allait à Elaine quand elle l'a enfilé, elle l'a gardé; elle se souvient cependant d'avoir trouvé ça très bizarre. Et puis ce soir-là, quand elle est rentrée et que papa a payé la baby-sitter, elle se rappelle que j'ai demandé (je n'avais pas tout à fait trois ans): «C'est maman? Ça y est, maman est rentrée à la maison?

– Non, ma chérie. Maman n'est pas là.»

Papa a fini par essayer de m'expliquer que maman ne reviendrait pas chez nous. Avec des petites voitures, il m'a mimé l'accident. Puis il a lu un extrait d'un livre de Babar pour essayer de me faire comprendre son décès: «La mère de Babar a été tuée par un méchant chasseur. Babar a pleuré.»

Mais je ne saisissais toujours pas. Chaque jour qui passait, je pensais que maman allait franchir le seuil de notre porte ou que j'allais me réveiller et qu'elle serait là, au lit, à côté de papa. Et puis, un beau jour, alors que papa était en train de m'habiller pour m'emmener à la crèche, j'ai craqué. Tout en me tordant les mains de désespoir, j'ai répété en hurlant: «Je veux maman! Je veux maman!»

Papa m'a calmée, il m'a prise dans ses bras et m'a expliqué de nouveau, en ressortant patiemment le livre de Babar : «La maman de Babar a été tuée par un méchant chasseur. Babar a pleuré.» Puis il a fini de m'habiller et m'a conduite en voiture à la crèche, comme chaque matin. Il a écrit que, à partir de ce jour-là, les choses se sont améliorées pour moi.

Elle a été éjectée par le pare-brise de la voiture. À un moment donné, mon père m'a sans doute fait part des circonstances de l'accident de ma mère, car ce détail a toujours fait partie intégrante de mon histoire familiale. Elle a été éjectée de la voiture… Enfant, je l'ai imaginée dans les airs, tel un fantôme, déjà dans une longue robe blanche.

La sœur de ma mère, Janet, dormait dans la chambre d'amis de mes grands-parents à Kewanee, dans l'Illinois, quand ils ont reçu le coup de fil de mon père. Elle habitait Evanston et leur rendait visite avec ses enfants Judson, cinq ans, et Jeremy – la veille de l'anniversaire de ses trois ans.

«Est-ce que je devrais ramener les enfants à la maison, Munca? a-t-elle demandé à ma grand-mère plus tard ce matin-là.

– Non, j'aime les regarder», a-t-elle répondu.

La nouvelle du décès de Barbara s'est vite répandue dans sa ville natale de quinze mille âmes. Le lendemain, le journal local, le *Star Courier*, a fait paraître un article à propos de l'accident et une brève notice nécrologique. À la nuit tombante, l'allée du garage en bitume de la maison de style ranch de mes grands-parents était encombrée de voitures. Mon oncle David, alors âgé de dix-huit ans et sur le point de commencer sa première année d'université, se souvient d'un flux constant de gens venant à la maison, repartant. Ils arrivaient avec des fleurs, des plats faits maison, qu'ils laissaient sur la table de l'entrée. Ils faisaient la vaisselle et parlaient à voix basse avec Munca, qui n'a pas enlevé ses lunettes de soleil une seule fois.

David se rappelle l'arrivée de Daisy Gerwig, franchissant le seuil et fonçant droit sur Munca, qui était assise sur une chaise devant la cuisine. Les bras tendus vers elle, Daisy a juste prononcé ces mots avant de la prendre dans ses bras: «Des otages! Des otages!»

C'est seulement plus tard que David a appris que Daisy faisait référence à une citation de sir Francis Bacon qui reviendrait souvent dans leurs conversations à propos de leurs enfants: «Celui qui a femme et enfants a donné des otages à la fortune.»

Deux jours durant, proches, voisins et amis sont venus soutenir la famille Binder dans son deuil et lui apporter à manger; mon grand-père, lui, un radiologue distingué qui n'avait jamais recherché le contact d'autrui, a fui leur compagnie. Au lieu d'accueillir les visiteurs dans l'entrée ou de prendre place dans la salle de séjour avec les amis, il s'est retiré dans sa chambre au fond de la maison. Derrière la porte close, il restait assis à une extrémité du canapé raide, sous la fenêtre, et il lisait un livre. Il laissait les stores tirés.

Il a ainsi passé des heures sans être dérangé par les nombreux visiteurs, jusqu'à ce que Munca entre, l'après-midi du deuxième jour. David se souvient de l'avoir vue à genoux par terre devant Grumpa, à taper des poings sur la moquette, hurlant: «Pourquoi ils ne m'ont pas prise moi? Prenez ma vie! Rendez-moi ma fille. Je m'en irai!» Barbara était la deuxième fille que Munca perdait; son aînée, Rozeanne, une fillette élancée aux yeux sombres, était morte d'une leucémie à l'âge de trois ans.

Millie Jensen, une amie de Munca, l'a entendue hurler depuis l'entrée et s'est précipitée pour la consoler. Elle s'est penchée pour la prendre dans ses bras. Mais grand-père l'a interrompue en tendant la main, paume en avant. Millie est retournée dans l'entrée, laissant Munca à son chagrin.

Barbara était morte tôt le mardi matin. La cérémonie funéraire s'est tenue le jeudi dans les faubourgs de Chicago.

Venant de Kewanee, mes grands-parents, ma tante et mon oncle ont mis trois heures pour arriver au salon funéraire Piser. Ils avaient prévu d'enterrer ma mère dans un caveau de famille à Westlawn, le cimetière juif de Chicago. Lorsqu'ils sont arrivés, mon père était là. J'étais venue avec lui, je n'avais pas encore trois ans. Son journal :

Je pleure quand A-R chante «Tous les petits enfants», et «Joyeux anniversaire, maman».

Janet, la sœur de Barbara, arrose les fleurs. La mère de Barbara se plaint d'avoir la gorge sèche. Le frère de Barbara demande si ses chaussures me plaisent. Le rabbin demande si j'aimerais que quelque chose de particulier soit dit au sujet de Barbara. Plus tard, je me dis que j'aurais aimé qu'il rappelle qu'elle avait consacré sa vie à aider les autres.

Le service est simple, digne. Le rabbin parle de psaumes et de poésie. C'est sans doute bien mais je ne me rappelle pas un mot de son oraison. La mère de Barbara trouve ça «impersonnel» et estime que c'est une bonne chose. Le sermon n'a pas duré plus de dix minutes. Seules les grands-mères pleurent, et la mère de Barbara quand je la croise. Nous nous étreignons. Pendant le service, pendant que j'étouffe mes pleurs en silence, le frère de Barbara parle de golf avec sa mère. Sur le chemin du cimetière, le père de Barbara plaisante en relevant que la voiture n'a pas été lavée et que c'est malpoli – il pense qu'il ne reviendra pas, dit-il.

Nous essayons de faire face à toute cette tension. Certains membres de la famille veulent blaguer et bavarder. Puis un nouveau groupe se joint à nous. Ils portent sur leurs visages le masque du chagrin. Oncle je-ne-sais-qui plisse les yeux comme si on venait de lui jeter du sable à la figure.

Enfin seul à la maison (A-R à la crèche), je lis. J'ai l'impression que Barbara pourrait arriver à tout instant, et emplir l'espace de sa présence enjouée, de son sourire, de son énergie. Je me demande si quelqu'un sait à quel point j'aimais Barbara. Combien j'avais besoin d'elle et comptais sur elle. Maintenant je suis libre, libre de ne plus être protégé. Mais je l'aimais.

J'ai l'impression que A-R & moi communiquons comme jamais encore nous n'avions communiqué. Une nouvelle conscience, une nouvelle découverte, un nouveau compagnonnage. Nous sommes désormais seuls au monde, elle et moi.

J'ai appris plus tard que, quelques semaines après la mort de ma mère, mon arrière-grand-mère maternelle a demandé à ma tante Janet si elle allait m'adopter. Elle a dit qu'elle pouvait, si Steve était d'accord. S'il avait accepté cette proposition, j'aurais grandi en banlieue avec une mère, un père, deux frères et un chien qui s'appelait Pokey. Mais mon père a très clairement fait comprendre à ma grand-mère qu'il tenait à m'élever, même s'il devait le faire tout seul.

De retour à Atlanta, papa s'est débattu comme il a pu. Embourbé dans son chagrin, il a recherché la compagnie et le soutien de John Dale. Mais John n'était plus attiré par l'intensité de papa, et il était trop jeune pour compatir à sa douleur. Et puis John s'était installé avec Susan, sa petite amie, et était maintenant en poste chez Southern Bell. Il a revu papa deux ou trois fois, mais n'a pas répondu à toutes ses lettres ni à tous ses appels téléphoniques. Plus rien ne retenait mon père à Atlanta, aussi a-t-il décidé de s'installer dans la ville qui l'avait si bien accueilli un an seulement auparavant, San Francisco.

En août 1974, un an après la mort de ma mère, mon père et moi franchissions en voiture le Golden Gate Bridge et pénétrions dans la ville qui allait devenir la nôtre. Les mains de mon père étaient agrippées au volant de notre Coccinelle Volkswagen, une cigarette aux lèvres. Sur la banquette arrière, il avait empilé des cartons et des valises, notre tapis oriental, ma petite chaise bleue préférée, et le moins grand de nos aquariums. Accrochée au pare-chocs arrière de la voiture, une Minnie Mouse pétulante se déhanchait dans une robe à pois. Installée à l'avant, j'ai admiré l'immensité de l'océan qui s'étalait en contre-bas. C'était la première fois que je voyais l'océan.

3

Quand je repense à papa aujourd'hui, c'est avant tout son inno-
cence qui me revient à l'esprit. Sa gentillesse. La douceur de
ses manières. Ce n'était pas un dur. Aucune des tragédies qu'il
avait vécues – la perte de sa femme, le fait de se sentir rejeté
par sa famille et ses amants – ne l'avait endurci de façon visible.
Ses mains étaient soyeuses. Il avait une peau pâle et des taches
de rousseur. Il prenait facilement des coups de soleil, et évitait
généralement de s'exposer.

Petite, je rentrais du CP et me résignais à m'installer devant
la télé pour avoir de la compagnie pendant que papa travaillait à ses poèmes et ses bandes dessinées. C'est ainsi que s'est
affirmé mon béguin pour Fred Rogers et sa fameuse émission*.
Il ressemblait tellement à mon père, avec ses épaules gracieuses,
ses cheveux bruns, ses yeux clairs, la délicatesse avec laquelle il
enlevait ses mocassins et laçait ses tennis, la distinction de son
parler et l'élégance avec laquelle il vous invitait à entrer dans sa
vie. Chaque jour il me chantait une chanson et chaque jour je
lui répondais : « Oui, je veux bien. Je veux bien être ta voisine. »

On entendait le Nebraska chaque fois que mon père
ouvrait la bouche. Ses conversations étaient émaillées de
dictons populaires et d'exemples de l'humour pince-sans-rire

* « Mister Rogers' Neighborhood », programme télé d'une demi-heure
diffusé à partir de la fin des années 1960, eut un grand succès auprès des enfants
américains.

qu'il admirait tant chez sa grand-mère Focht. Devenue veuve à un jeune âge et jamais remariée, elle s'était occupée de ses deux enfants avec un salaire d'enseignante et avait contribué à élever mon père jusqu'à ce que mon grand-père revienne de la Seconde Guerre mondiale. « Si tu te brûles, avait-elle coutume de lui dire, faudra que tu t'assoies sur la cloque. »

J'avais pris l'habitude de le taquiner sur sa manière de prononcer café « queue-FAY », sur sa manière d'appeler la télécommande la « zappette » ou sur le fait qu'il qualifiait n'importe quel plat de pâtes de « spaghettis », au lieu d'établir une distinction entre *linguine, fettucine* et vermicelle, comme j'avais appris à le faire en tant que jeune fille sophistiquée de San Francisco. Quand il disait « Okey dokey ! » et décochait son large sourire, cela paraissait désuet et bêta. Parfois, ses amis les plus intellos se moquaient de lui. Ils riaient quand, lors d'un dîner chic, mon père leur parlait du chien de son enfance, Sparky. Mais j'avais beau le taquiner sur la manière excentrique dont il s'exprimait, c'était la marque de fabrique du papa que j'aimais.

Sa gentillesse et ses manières raffinées charmaient les gens et les animaux. Quand nous étions à une fête ou chez quelqu'un pour dîner et qu'il y avait un chat dans la maison, il finissait sur les genoux de mon père, à ronronner, tandis que mon père caressait son pelage d'un air absent. À bon nombre de ces soirées, le chat, c'était moi, systématiquement attirée sur son giron, toujours apaisée par sa respiration, la vibration de sa poitrine, la douceur de sa voix. Et une fois que j'étais installée sur ses genoux, il me caressait langoureusement de ses mains aimantes.

J'ai des photos de mon père à l'âge de huit ans. Chaque été, ses parents le conduisaient en voiture, avec sa jeune sœur, de Lincoln à Denver, dans le Colorado. Au parc Estes, les visiteurs pouvaient nourrir de petits écureuils en leur donnant des cacahuètes vendues par sachets à l'entrée du parc. Sur l'une des photos, mon père est accroupi, parfaitement immobile, la main posée en équilibre sur un rocher, les doigts étirés, tenant une cacahuète. Un tout petit écureuil s'en empare, tandis que mon père a l'air content et serein. Au second plan, sa petite sœur Elaine, coiffée d'une frange et de nattes, la bouche ouverte, est en train de se plaindre. Elle avait beau tout essayer pour faire venir les rongeurs en agitant une cacahuète, c'est toujours par papa qu'ils étaient attirés.

Quand j'étais petite, j'adorais regarder les photos de l'enfance de mon père à Lincoln. Ici, il est sur son tricycle. Là, il joue au Pony Express et au cirque avec les mômes du quartier. Les scènes où mon père était capturé par grand-père Abbott semblaient à mes yeux directement extraites des feuilletons qui passaient à la télé chaque après-midi : *Leave It to Beaver* et *Papa a raison*. Grand-père Abbott avait griffonné des titres au dos des photos : «La danse de Steve.» «Première communion.» «Petite pause pour rafraîchissement.» Ces titres masquaient involontairement une tristesse silencieuse que je n'ai comprise qu'après avoir lu les journaux de papa.

Avec l'âge, on lit sur le visage et à la posture de certaines personnes tout un historique de déconvenues. Un sourire froissé à la commissure des lèvres, comme s'il avait fallu avaler douloureusement une vérité désagréable. Des yeux tristes s'affaissent. Des joues palissent. Des épaules se font tombantes, comme lasses de porter un fardeau de chagrin, de culpabilité ou de blessures non refermées. Mais, en contemplant une photo de cette même personne enfant, on peut voir parfois quelqu'un de complètement différent : quelqu'un plein de légèreté, de joie et d'une forme d'espoir particulière, presque stupide, qui ne peut venir que de l'inexpérience.

Munca parlait de cet espoir stupide. Peut-être était-ce pour cela qu'elle évitait de regarder les photos d'elle étant jeune. Je lui ai demandé une fois où était sa photo de mariage, que nous n'avons retrouvée qu'après sa mort. «Je ne sais pas où elle se trouve, avait-elle répondu. Je crois l'avoir vue une fois et je me suis dit : "Cette fille idiote. Elle ne sait pas ce qui l'attend."»

Mon père aussi ignorait ce qui l'attendait à l'âge adulte, mais cet espoir stupide lui est venu plus tard. Sur les photos le montrant adulte à San Francisco, les bras passés autour du cou d'un petit copain plus jeune, ou bien me tenant sur ses genoux dans la cuisine d'un appartement encombré, il a l'air détendu, presque étourdi. Prenant la pose parmi un groupe d'auteurs illustres au sous-sol de la librairie City Lights, il semble content et fier. Debout dans Haight Street avec sa barbe, son feutre mou et son pardessus des années 1940, il semble dans son élément, tel un roi embrassant du regard ses terres, ignorant les envahisseurs à ses portes.

On découvre un Steve différent sur les photos du Nebraska. À trois ans, il manque déjà d'assurance. À sept ans, il détourne souvent le regard, alors que sa sœur sourit et fixe l'objectif. Sur un autre cliché – un gros plan de lui coiffé de plumes d'Indien –, appuyé contre un arbre, il ricane. Il y a dans ses yeux une sorte de grogne agressive qui paraît plus profonde que les grimaces pour de faux, typiques des enfants. Sur les photos de papa avec ses parents, je décèle peu souvent de l'affection. Il est tout raide à côté de sa mère, sur un parking, quelque part dans le Colorado. Ils regardent l'un et l'autre ailleurs, comme à la recherche de leur véritable famille. Dans l'album de photos familial, je constate en fait que personne, du côté de mon père, ne prend qui que ce soit dans ses bras. Ils se touchent rarement. Les mains sont sur les genoux, ballantes le long du corps, ou bien les poings à moitié serrés.

Mon père n'a jamais officiellement déclaré à sa famille qu'il était homosexuel. Helen et Gene Abbott ont appris que leur fils était gay en lisant une lettre que papa avait écrite à son frère David, et qui était restée sur la table. Cependant, ils s'en étaient doutés depuis longtemps déjà.

Papa n'a pas pu être lui-même, celui qu'il était véritablement dans toute sa nudité sacrilège, avant de quitter Lincoln pour Atlanta, puis San Francisco. Et lorsqu'il a annoncé son homosexualité, il ne l'a pas fait à moitié. À partir de ce moment-là, il ne rebrousserait plus chemin.

Steve Abbott [Lincoln, date inconnue]

DEUXIÈME PARTIE

SANS MÈRE

Je savais que si je voulais garder Alysia, il allait falloir que j'arrête mes folies. Je n'étais pas sûr d'y arriver mais je devais essayer. Alysia était tout ce qu'il me restait au monde et elle aussi n'avait plus que moi.

Steve ABBOTT, 1976

4

Je l'appelais Eddie Body. J'avais quatre ans et le langage était mon terrain de jeu. «Eddie Body, c'est pas n'importe qui! Eddie Body, c'est pas n'importe qui!» répétais-je, me délectant de la proximité des sons. Eddie Body était le nouveau petit copain de papa, sa première relation sérieuse depuis qu'on avait emménagé à San Francisco, en 1974. J'avais trouvé toutes sortes d'hommes, au matin, dans le lit de mon père – des beaux, des marrants, presque toujours grands, maigres et jeunes. Mais c'était différent avec Ed. C'est le seul dont j'aie été proche. C'est le seul dont je me souvienne. Nous avons vécu avec lui pendant six mois. Je l'adorais.

Eddie Body, gamin de vingt-deux ans originaire du nord de l'État de New York, avait emménagé à San Francisco pour fuir sa femme enceinte, Mary Ann. Il avait fait de l'œil à mon père, un après-midi, lors d'une partie d'échecs au Panhandle Park. Peu après, Ed emménageait dans notre quatre pièces victorien, à quelques pâtés de maisons de Haight Street.

Le «Summer of Love» de Haight-Ashbury s'était terminé en 1968, avec l'arrivée de l'héroïne et de la délinquance. Pendant des années, le quartier avait été surtout constitué de bars, de revendeurs d'alcool et de spiritueux, et de vitrines condamnées par des planches. Mais les loyers étaient bas, et mon père s'y installa bientôt, ainsi que des dizaines de gens du même état d'esprit, créant des foyers au petit bonheur, dans les appartements victoriens délabrés disséminés sur Oak Street et sur Page Street. Quand ils n'étaient pas eux-mêmes hippies, beaucoup de ces résidents partageaient un idéal d'expérimentation et de libre expression. Il se trouve aussi que beaucoup étaient gays.

En 1974, le Castro devenait le centre politique et commercial de la communauté gay de San Francisco, avec son futur conseiller municipal Harvey Milk qui menait déjà campagne depuis sa boutique d'appareils photo entre la 18e Rue et Castro Street. À l'ère post-hippie, le Haight était devenu un quartier «gay friendly». Contrairement au Castro, où les homosexuels plaçaient leur identité sexuelle au centre, et au-dessus, de tout, les résidents gays du Haight s'intégraient à une mosaïque bohème plus large. Ils allaient faire leurs examens médicaux à la Haight Ashbury Free Clinic, achetaient du matériel d'arts plastiques à Far Out Fabrics, appartenaient à la coopérative Food Conspiracy, et fréquentaient le restaurant Mommy Fortuna's, qui accueillait des comédies musicales de travestis, jouées par les membres des Cockettes, la troupe psychédélique de renommée nationale, et leurs rejetons, les Angels of Light. Cette communauté composite, pour laquelle les questions esthétiques primaient sur l'activisme, donna à mon père un sentiment d'appartenance qu'il n'avait pas trouvé dans le Nebraska, ni même à Atlanta après les émeutes de Stonewall. C'est dans ce monde-là que papa et Eddie Body se sont rencontrés et sont tombés amoureux.

Dans son journal, papa décrit Ed comme «une joie, une aide, un réconfort, et souvent une infernale source de frustration». Quand Eddie Body a emménagé, il voulait être une star, percer dans la musique. Il jouait superbement de la guitare et avait écrit des chansons, dont une tendre ballade pour mon père. Ed avait un boulot en centre-ville, il vendait des casseroles et des poêles haut de gamme. Mais, quelques mois après s'être installé chez nous, il avait démissionné et, quand il ne dormait pas, il passait son temps à se défoncer, à grattouiller la guitare et à arroser sans grande conviction les fougères de notre appartement. Au début de l'année 1975, Eddie Body vivait essentiellement de l'argent de mon père et des chèques des allocations que nous recevions depuis la mort de ma mère.

Papa, Eddie Body et moi habitions avec deux colocataires, Johnny et Paulette, dans Oak Street. Johnny avait passé deux ans dans un monastère bouddhiste avant d'emménager à San Francisco. Après avoir fumé plusieurs joints, papa et Johnny écoutaient des disques de clochettes tibétaines et se lançaient dans d'interminables discussions sur la vie après la mort. Et, s'il était spirituellement éclairé, Johnny montrait cependant peu d'intérêt pour l'aspect matériel de la maison. Papa était le seul à faire les vide-grenier et les brocantes du quartier pour trouver des miroirs, des tapis, des plantes et les tissus indiens qui décoraient l'appartement. Il choisissait aussi les couleurs – du brun indien et du vert jade – et avait peint toutes les pièces lui-même.

Johnny était connu à Haight sous le nom de Joan Blondell, personnage de drag-queen inspiré d'une vieille star hollywoodienne connue pour son sens de la répartie caustique. Joan avait l'habitude de se pomponner et de crier des trucs comme «Tu te sens pas chaud, là ?», avant de faire tomber une chaise d'un coup de pied, pour amuser la galerie. Papa, avec affection, disait de lui qu'il était «la garce de la mort».

Paulette remplaçait Suzan, la colocataire qui avait elle-même remplacé Wade. Comme Johnny, elle aimait se déguiser en drag-queen ; contrairement à lui, elle le faisait à temps plein. Originaire d'Alabama, Paulette se plaisait dans l'esthétique gothique du Sud, qu'elle associait à la fantaisie des films des années 1940. Elle décorait sa chambre comme l'intérieur d'un cercueil, au moyen de draps agrafés au plafond, de meubles antiques en acajou et de plantes funéraires dans les coins.

Paulette attendait également des autres qu'ils soient à son service, un honneur que déclinait résolument Johnny – et Joan –, ce qui fut la cause de nombreuses disputes. Peut-être Paulette jalousait-elle la renommée locale de Johnny. Dans une de ses lettres, papa se remémorait le réveillon de 1974-1975, quand Paulette n'avait pas pu entrer dans la salle de bains, obligée d'attendre une éternité avant que Joan soit prête à sortir. « Vous auriez dû voir voler les plumes », écrivit-il.

« En réalité, tu ne fais pas du tout "années 1940", *Johnny*. Tu fais… eh bien, tu fais carrément pute !

– Je sais, rétorqua Joan. N'est-ce pas *divin* ? »

Dans le courant de l'année 1975, notre foyer s'est apaisé, chacun de nous vivant dans son propre monde : Eddie jouait de la guitare, Paulette se peignait devant le miroir, Johnny méditait dans le jardin d'hiver. Papa était content qu'on le laisse tranquille, il pouvait ainsi lire et écrire pendant que je dessinais des sirènes près de la fenêtre.

Je passais mes matinées au centre aéré de Haight-Ashbury. Papa faisait peu à peu la connaissance des mères célibataires les plus excentriques du quartier. La mère de Lola, une actrice des Angels of Light, avait joué dans un film de Warhol. La mère de Moonbeam vendait de l'herbe dans son appartement d'Oak Street. Elle avait pour habitude de sortir avec des jeunes hommes, de les faire s'inscrire à l'assistance sociale et d'empocher leurs chèques.

Quand je ne jouais pas avec Moonbeam ou Lola, j'étais souvent livrée à moi-même. « Les pédés la trouvent mignonne mais ils ont peur d'elle », écrit mon père dans une lettre. « Enfant = responsabilité, la panique ultime pour les égoïstes et les planqués. »

Cette remarque ne valait pas pour Eddie Body. Chaque après-midi, il venait me chercher au centre aéré, le visage barré d'un large sourire. Une fois, il est arrivé en robe. Les animateurs ne l'ont pas laissé entrer dans la classe, jusqu'à ce que j'entende sa voix et que je coure me jeter dans ses bras. Après le centre aéré, Ed et mon père m'emmenaient faire de longues balades au Golden Gate Park.

Quand j'étais enfant, le soleil brillait toujours dans ce parc. Y entrer avait quelque chose de mystique. Je connaissais bien les feuilles d'eucalyptus fines comme du papier, en forme de banane, et les tout petits glands qui jonchaient notre chemin. Nous descendions une colline jusqu'à une mare trouble, entourée de fougères et de buissons piquants. J'imaginais qu'elle était habitée par une dame du lac, qui n'apparaissait qu'au coucher du soleil, une fois que nous avions quitté les lieux. Nous marchions ensuite vers un tunnel façonné pour ressembler à une grotte : les murs peints en marron étaient dentelés de stalactites sculptées. La maison d'un dragon impétueux. Après la grotte, le chemin se transformait en champ émeraude où d'imposants eucalyptus et des pins projetaient de grandes ombres.

À droite du champ se trouvait Hippie Hill. Il y avait toujours de la musique, un groupe de percussionnistes, des maracas, et quelqu'un qui dansait en faisant onduler ses membres sans retenue. Papa, Eddie et moi nous allongions dans l'herbe parmi les groupes de vagabonds. Dans les années 1970, ne pas avoir de but, voire être sans abri, était encore considéré comme un choix philosophique plutôt que la conséquence d'une indigence économique. Eddie tressait patiemment pour moi des couronnes de pâquerettes, assis en tailleur dans l'herbe. Parfois, il me taquinait.

« Eddie Body, je suis affamée, lui ai-je dit un après-midi.

– Salut, Affamée.

– Noooooon, je suis *affamée*.

– Comment vas-tu, Affamée ? Moi, c'est Ed et voici Steve.

– Noooon. *Noooon*. Ce n'est *pas* ça. »

Papa le grondait. Puis Eddie Body me prenait dans ses bras et me pressait contre son torse nu, ses moustaches me chatouillaient le cou. Il sentait le musc égyptien et la transpiration.

Nous restions tous les trois dans Golden Gate Park aussi longtemps que le jour le permettait. Quand la lumière baissait et que l'air fraîchissait, nous commencions alors notre longue balade pour rentrer à la maison. Les feuilles d'eucalyptus brillaient dans la lumière du début de soirée comme autant de paillettes rouge orangé.

À la maison, papa préparait le dîner pendant qu'Eddie Body prenait un bain. Je le regardais se détendre dans notre baignoire sur pieds tachetée de rouille. Il se lavait avec un gros savon blanc, le même qu'utilisait papa pour mon bain du soir. Eddie était plus mince et plus brun que mon père. Il n'avait quasiment pas de poils sur le torse, et une petite annexe de ses bacchantes avait émigré pour s'installer avec précarité au-dessus de sa lèvre. Quand il se penchait en avant, ses cheveux, qui lui arrivaient à l'épaule, cachaient son visage. Eddie m'observait en train de le regarder et riait.

« C'est quoi ça ? demandais-je.

— C'est quoi quoi ?

— Ça, répétais-je. Là ! » J'indiquais les deux sphères grosses comme des œufs que je distinguais dans la masse noire de poils entre les jambes d'Eddie.

Eddie a toussé et s'est redressé dans la baignoire en porcelaine. Un peu d'eau a débordé.

« Ça, ce sont des testicules », a-t-il dit.

J'ai essayé de prononcer ce mot très long. « Tess. Tess. »

« On dit aussi des couilles.

— À quoi elles servent ? ai-je insisté.

— Hum… elles aident à faire les bébés. Ton père ne t'en a pas encore parlé ?

— Non.

— Ça aide à faire les bébés. Les hommes en ont.

— Moi, j'en aurai pas ?

— Non, tu n'en auras pas. »

Après manger, Eddie et papa me lisaient des histoires chacun à son tour avant de me coucher. Le lendemain matin, je me réveillais, j'ouvrais la porte de la chambre de mon père et je me glissais dans son lit. Eddie Body était toujours là, toujours content de me voir. « C'est l'heure de se lever ! » annonçais-je. Je me blottissais entre eux et restais là, éveillée mais les yeux fermés, pendant qu'eux deux se rendormaient. Au chaud et en sécurité, je ne voulais pas troubler ce moment spécial. Souvent, quand je grimpais dans le lit de mon père, je ralentissais ma respiration pour la caler sur la sienne. Nous respirions ensemble comme une seule et même personne. Mais ce matin-là, le sommeil d'Eddie Body était moins régulier. Derrière moi, je sentais son souffle plus rapide. Alors j'ai tâché de caler ma respiration sur la sienne. Puis je me suis installée entre eux, essayant toujours d'effacer le décalage, mais échouant chaque fois.

Le matin à l'école, j'aimais dessiner. Mes dessins à quatre et cinq ans étaient généralement les mêmes : une scène sur l'océan. À la surface de l'eau, deux bateaux flottent, attachés par une corde. Le bateau-fille est plein de filles, représentées par des triangles, avec des jambes et des bras bâtons, surmontés d'un visage en cercle souriant et de longs cheveux qui rebiquent. Le bateau-garçon est peuplé de rectangles avec des bras et des jambes bâtons, et des visages en cercle qui sourient. Sous l'eau, des familles de sirènes nagent ensemble : des grands-pères et des grands-mères sirènes, des poissons-chiens, des poissons-chats et des poissons-oiseaux avec des ailes. Le monde des sirènes, fluide, infini, me semblait réel.

Comme je vivais sur un bateau-garçon, je voulais faire tout ce que faisaient les garçons. Régulièrement, papa passait *Transformer*, de Lou Reed, sur la platine. Puis, avec Johnny et Paulette, il plongeait dans le grand placard et choisissait ses accessoires dans des paniers de bijoux, pendant que Lou Reed leur faisait la cour de ses sérénades, les traitant de *slick little girls*.

Tandis que papa se déguisait avec Johnny et Paulette, se mettait une écharpe blanche autour du cou et un chapeau de style colonial sur la tête – «Très *Juliette des esprits*, vous ne trouvez pas?» demandait-il –, je m'enroulais dans des foulards à paillettes et portais un lourd collier égyptien en toc, que papa avait trouvé dans la boutique de babioles locale. Les homos étaient certes en majorité, mais j'étais quand même la princesse régnante, capable de se bichonner dans la glace aux côtés des meilleurs d'entre eux.

Me déguiser avec les garçons ne me suffisait pourtant pas. Je voulais *être* un garçon et j'ai dit à papa que je tenais à être considérée comme un garçon.

«Tu as un vagin, m'a-t-il patiemment expliqué. Les garçons ont un pénis.

– On peut pas m'acheter un pénis au magasin? ai-je demandé.

– Non, on ne peut pas.»

J'ai également remarqué qu'Eddie Body et papa faisaient aussi facilement pipi dans les fourrés du Golden Gate Park que dans nos toilettes à la maison. Tandis que moi, lorsque j'avais besoin de faire pipi au parc, papa devait m'emmener de l'autre côté du tunnel, après la mare, au McDonald's situé en haut de la colline, juste après l'entrée. Le temps d'y aller, ma vessie était sur le point d'exploser. Après avoir vu Eddie se retirer dans les buissons un après-midi, j'ai dit à papa que je voulais faire pipi comme lui. Alors ce soir-là, dans notre salle de bains glacée, il m'a appris à faire pipi debout. De ses mains douces, il m'a aidée à basculer mon pelvis vers l'avant, tout en gardant les jambes tendues et stables pour pouvoir mieux viser. J'étais petite par rapport au siège, donc il n'était pas difficile de faire pipi dans la cuvette, même si, au début, je n'étais pas très précise. Après quelques jours d'entraînement, j'ai réussi à bien viser, sans en mettre par terre ni sur mes jambes.

«*Cool!*» a dit papa. Puis il a couru dans la chambre pour annoncer la nouvelle à Ed.

«C'est pas une vie comme il faut que tu donnes à Alysia, de l'élever au milieu de pédés.

– Comment ça? Elle est heureuse, a dit mon père.

– Elle a besoin d'une mère. Tu devrais te marier avec une femme.

– Comme toi et Mary Ann?» a demandé mon père.

Les colocataires (homos ou pas) n'étaient pas qu'un moyen pour mon père d'économiser sur le loyer; ils étaient aussi des baby-sitters potentiels gratuits. N'importe quel soir, papa demandait à Johnny ou Paulette de me garder pour qu'Ed et lui puissent aller danser dans un des nombreux bars qui pullulaient grâce à l'enthousiasme du San Francisco post-Stonewall: Sissy's Saloon, le Mineshaft, le Stud. Une fois, Paulette a rapporté que j'avais allumé tous les feux de la gazinière, et que c'est après coup seulement qu'elle avait senti une odeur de gaz dans tout l'appartement. Une autre fois, j'avais bu la moitié d'un flacon de médicament, ce qui m'avait causé un peu mal au ventre…

En lisant ce que mon père a écrit dans son journal à propos de ces événements, il est difficile de ne pas être en colère. Mon père était énervé car je lui demandais de me préparer mon petit déjeuner, alors que, à quatre ans, j'étais «parfaitement capable de faire ça toute seule». Peut-être que papa ne pouvait pas comprendre mes besoins parce que notre route croisait en permanence celle de vagabonds en manque d'affection, comme lui-même, de jeunes gens qui avaient fui de mauvais foyers ou de mauvais mariages, à la recherche de leur vrai moi, et ouverts à tout ce qui pourrait les faire avancer dans cette quête: Hollywood, la bisexualité, le travestissement, les médicaments, les Quaaludes, les graphiques biorythmiques, les bains publics, la danse soufie. Des renégats, tous, dont très peu étaient véritablement adaptés à élever des enfants, ou même à les garder une soirée ou deux.

Eddie Body avait décrété que j'avais besoin d'une mère. En vérité, tous les gens qui étaient dans cet appartement avaient besoin d'une mère, de quelqu'un pour cuisiner et nettoyer, pour régler les disputes et dispenser l'amour dont ces hommes avaient tant manqué en grandissant. J'aimais bien jouer ce rôle quand je le pouvais, être la Wendy des enfants perdus de papa. Je l'appelais « mon pauvre petit pa-pa » et nous servais des bols de Jell-O, en me réservant la plus grosse part. Quand Eddie Body et papa planaient sous drogue et se déguisaient en drag-queen, je venais les voir et je disais : « Tu peux être un garçon ou tu peux être une fille, tu peux être ce que tu as envie d'être. »

Mais, bien sûr, c'était pour de faux. Il n'y avait absolument pas de mère dans notre monde. Parfois nous étions comme Huck et Jim*, au-delà des lois, au-delà des règles, mangeant avec les mains. Nous étions débraillés mais heureux – papa m'appelait avec affection son « enfant sauvage ». D'autres fois, nous étions comme Tatum et Ryan O'Neal dans *La Barbe à papa*, un duo père-fille préparant des entourloupes, survivant grâce à nos charmes, toujours nous serrant les coudes.

Nous espérions qu'Eddie Body pourrait partager cette vie avec nous, mais les disputes avec mon père étaient toujours plus fréquentes. Il sortait de plus en plus sans lui. Et, d'après le journal de mon père, Ed était moins intéressé par le sexe qu'auparavant. Seul et rejeté, papa repensait à ma mère :

Parfois je pense à Barb, j'ai été tellement dur avec elle, et pendant si longtemps, alors peut-être que ça me fait du bien qu'Ed soit comme ça avec moi des fois. J'ai rêvé d'elle la nuit dernière. Je fais la tournée de tous les bars, tout seul, et elle m'amène la voiture sur le parking. Nous nous sentons si bien ensemble. « Mais ça n'a pas vraiment

---

* Ces deux vagabonds sont les protagonistes des *Aventures de Huckleberry Finn*, roman de Mark Twain publié en 1884.

lieu tu sais, tu es morte.» Elle prend un air blessé. «Ce n'est pas
que je ne t'aime pas», lui dis-je.

Un après-midi, au centre aéré de Haight-Ashbury, je n'ai pas
vu Ed au seuil de la classe. Papa était venu me chercher et nous
sommes allés à pied au parc. Arrivés au milieu des arbres, à côté
de Hippie Hill, nous avons commencé à jouer à cache-cache, un
de nos jeux préférés qui datait de l'époque où j'étais toute petite
à Atlanta. J'appelais : «Où tu es, papa?» Il répondait : «Je suis là»,
et je suivais le son de sa voix. Quand je trouvais l'arbre derrière
lequel il s'était caché, je tournais autour et lui, il tournait dans le
même sens, de façon à être toujours juste hors de portée.

«Où tu es, papa?

— Je suis là!»

Jusqu'à ce qu'enfin je coure et l'attrape. Quand j'ai
commencé à avoir faim et à être fatiguée, nous sommes rentrés
ensemble à la maison, main dans la main. En passant par le
tunnel qui menait à l'entrée du parc, papa m'a dit pour Ed.

«Eddie Body et moi, on a des problèmes, a-t-il annoncé.

— Quel genre de problèmes?

— Eh bien, on dirait qu'Ed ne m'apprécie plus. Il ne veut plus
dormir avec moi.

— Moi, je veux bien dormir avec toi», ai-je déclaré. Et je l'ai
tiré par la main, commençant à sautiller pour qu'il soit obligé
de me suivre – ce qu'il a fait volontiers.

Comme nous traversions le tunnel à petits sauts, je me suis
mise à chanter une chanson que j'avais apprise au centre aéré :
«This little light of mine, I'm gonna let it shine.» Papa a voulu
chanter avec moi mais je lui ai crié dessus. Je voulais être la seule
à chanter. «Let it shine! Let it shine! Let it shine!»

Le lendemain matin, papa m'a conduite à l'aéroport, je partais
pour une semaine chez mes grands-parents maternels à Kewanee.
Depuis la mort de ma mère, je passais presque toutes mes vacances

chez eux. La semaine où j'ai été absente, papa a écrit dans son journal qu'Ed avait reçu une lettre de l'épouse qu'il avait laissée à New York. Il avait appris qu'elle avait eu une petite fille et qu'elle demandait le divorce. Mon père a soutenu Eddie pendant qu'il pleurait.

À la fin de la semaine, mon père est venu me chercher à l'aéroport. Au retour, sur l'autoroute 101, de nuit, San Francisco ressemblait à un collier de diamants scintillants tendu à travers le ciel. Papa s'est tourné vers moi et m'a demandé : «Tu n'as pas parlé à Munca et Grumpa d'Eddie Body et moi, si?»

J'ai regardé par la fenêtre. «Je n'ai rien dit *du tout*.»

Arrivés à notre immeuble, nous avons grimpé l'escalier jusqu'à notre appartement. Papa a posé ma valise, j'ai enlevé mon manteau et ai cherché Johnny, Paulette et Ed dans toute la maison. Mais il n'y avait personne.

«Où est Eddie Body? j'ai demandé.

— Avec Mary Ann.

— Pourquoi?

— Il aime Mary Ann.

— Il aime Alysia, ai-je répliqué.

— C'est vrai qu'il aime Alysia. Mais il aime aussi Mary Ann. Et elle a un bébé.

— Pourquoi est-ce que Mary Ann et Eddie ne peuvent pas habiter avec nous? j'ai demandé.

— Ça ne marche pas tout à fait comme ça, a répondu papa.

— Mais je veux Eddie Body.

— Papa aussi.

— Papa est triste?

— Oui. Maintenant papa n'a plus de petit copain.

— Je vais te consoler.»

Je me suis juchée sur ses genoux. «Ce sera moi ton petit copain.»

Lorsque je suis descendue des genoux de papa pour aller aux toilettes, il a remarqué par la porte ouverte que je ne faisais pas pipi debout. Quand il m'a demandé pourquoi, j'ai répondu :

« Munca et Grumpa disent que les petites filles doivent s'asseoir.

– D'accord. Tu peux le faire comme ça si c'est plus confortable pour toi. Mais si tu veux faire pipi debout, tu sais comment faire !

– Les petites filles doivent s'asseoir, ai-je répété. Je ne sais pas faire pipi debout.

– Pas de problème. »

Plus tard ce soir-là, après m'avoir mise au lit et confié à Paulette, papa est sorti au Stud. Une fois en boîte, il s'est défoncé, a pris deux Carbitol et rencontré Jimmy, un jeune gars longiligne de dix-huit ans, qu'il a ramené à la maison.

Le lendemain matin, je suis montée dans le lit de papa, je me suis glissée dans le petit espace qu'il y avait entre lui et l'homme à côté de lui. Mon père dormait mais je n'ai pas reconnu l'autre homme, avec ses cheveux blonds hirsutes. Je me suis rendormie et j'ai commencé à faire des cauchemars. J'ai appelé dans mon sommeil : « Papa, laisse-moi entrer ! » Il a commenté les suites de cette mauvaise nuit :

15 février : Alysia a été contrariée et de mauvaise humeur cet après-midi. Peut-être contrariée qu'Ed soit parti ? Elle était plus collante que d'habitude. Elle avait mal à l'œil. Elle voulait être dans mes bras et pleurait beaucoup. Je pensais qu'elle était juste fatiguée, puisqu'elle n'avait pas fait de sieste. Je l'ai mise au lit vers quatre-cinq heures. Pas envie d'aller au bar mais peut-être à une fête. Je pense que je vais rester à la maison parce qu'il est possible qu'Alysia se réveille, et que personne ne soit là avec elle si je ne reste pas.

Ce soir-là, après m'avoir couchée, au lieu de sortir, papa m'a dessiné une carte de Saint-Valentin. Dans son journal, il

Carte de Saint-Valentin de Steve Abbott [février 1975]

a expliqué avoir fait cette carte pour m'aider à surmonter la perte d'Eddie, qui était source de grande confusion et cause de douleur après la mort de ma mère. Mais, en la regardant maintenant, je pense en fait qu'il a réalisé cette carte pour lui, comme un moyen d'exprimer sa philosophie de l'amour. Je le retrouve particulièrement dans le chien en colère.

Deux des amants de mon père – ses relations amoureuses les plus ardentes après ma mère – étaient des hommes qui ont fini par le quitter pour retourner auprès de femmes. Chacun d'eux explorait l'amour charnel avec mon père, soit en raison de son charisme soit parce que la période encourageait les expériences sexuelles. Mais ces hommes, avec leurs petites copines et leurs femmes, étaient encore ancrés dans la société, d'une certaine façon, contrairement à mon père qui ne l'était plus et ne le serait plus jamais. Il a commenté ce fait dans une lettre à John Dale en ce mois de février :

> Tu sais, c'est très étrange que j'aie choisi Ed comme amant, un homme comme toi (je dis homme parce qu'il a refusé de devenir une énième queen garce comme le deviennent beaucoup d'homos – il a refusé de se couper du reste de la société). Et maintenant, comme toi, il retourne auprès de sa femme. Dans son cas, c'est un peu différent. Il a un enfant aussi maintenant, une petite fille qu'il aime terriblement, même s'il ne l'a jamais vue. J'aime Ed & j'ai besoin de lui mais il n'a pas pu trouver de boulot ici et détestait se sentir dépendant de moi. Peut-être aussi que sa femme et son bébé ont davantage besoin de lui, & lui d'eux. Donc je l'ai encouragé à partir… J'espère que [sa femme] lui pardonnera et l'aidera à se remettre sur pieds.

Vu à quel point la séparation a blessé papa, j'ai été étonnée d'apprendre qu'il avait effectivement encouragé Ed à retourner auprès de sa femme. À la fin de son journal, j'ai même retrouvé une lettre de sept pages, jamais envoyée, écrite à l'intention de la femme d'Ed, la priant de bien vouloir accepter qu'il revienne auprès d'elle. Je ne peux pas m'empêcher de penser que cette lettre venait d'un résidu de culpabilité que papa ressentait encore à cause de la façon dont il avait traité ma mère avant son accident.

Après le départ d'Ed, papa a essayé de répartir différemment les pièces, en partant du principe que, puisqu'il payait encore la part la plus importante du loyer, il pouvait choisir sa chambre. Johnny ne voulait pas changer de chambre et a accusé papa d'«impérialisme économique». Papa nous a alors trouvé un logement sur Page Street, à quelques pâtés de maisons plus loin, et sans colocataires. Il regrettait d'avoir perdu l'appartement d'Oak Street auquel il avait consacré tellement de temps et d'énergie mais, comme il le dit dans une lettre : « Vivre dans une maison pleine de pédés hurlants me rendait dingue… J'aimerais bien trouver des gens stables parmi lesquels Alysia pourrait avoir une enfance normale, plutôt que rester avec tous ces égoïstes alcoolos et névrosés qui sont partout. »

Parti pour New York, Eddie Body est revenu à San Francisco à peine quelques semaines plus tard. Il avait vécu avec sa femme et sa fille et les avait quittées de nouveau après avoir décidé que «c'en était trop». Il a recommencé à fréquenter des femmes et s'est même installé avec la mère de Moonbeam. Comme c'était mon père qui les avait présentés l'un à l'autre, le fait qu'ils se mettent à la colle a été particulièrement pénible pour lui. Eddie nous a rendu visite quelquefois, mais n'est jamais resté longtemps, ce qui me troublait systématiquement. Il me manquait ; je ne comprenais pas pourquoi il n'était plus avec nous.

Dans les années qui ont suivi, papa a eu d'autres petits copains, mais aucun n'a habité avec nous. Et après Eddie Body, je ne leur ai plus prêté grande attention.

5

1976 a tout renouvelé. Papa a surnommé cette année-là son « année du bisextenaire ». Nous habitions dans une nouvelle rue, dans un nouvel appartement, dont les murs étaient couverts d'une couche de peinture fraîche. L'odeur de ces murs me revigorait. Aujourd'hui encore, une peinture fraîche est pour moi synonyme de nouveaux commencements.

Lorsque nous nous sommes installés au 1666 Page Street, où régnait cette odeur de peinture fraîche, j'ai décidé que c'était magique. J'avais cinq ans, bientôt six, et mon prénom comportait six lettres. L'appartement de Page Street était pour nous seuls. Dans mes souvenirs, c'était un havre d'amour inconditionnel, un lieu de grande sécurité. Nous avions une cage remplie de colombes. Même quand les journaux de la cage sentaient mauvais, nous profitions toujours du bruyant roucoulement rythmé des oiseaux, un son plein de profonde satisfaction.

Le soleil se déversait chaque après-midi par les fenêtres. À travers les cristaux suspendus, la lumière faisait jaillir des arcs-en-ciel dans toute la pièce. Les week-ends et après l'école, nous nous rendions à pied au Panhandle Park pour jouer. Chemin faisant, nous passions devant des maisons victoriennes délabrées aux façades ciselées, aux mentons saillants et aux grands yeux de verre. Nombre de ces constructions s'effritaient sur les bords, la peinture se lézardait et se décollait. Avec parfois des colonnes et des noms comme «Queen Anne», elles restaient romantiques à mes yeux, telles les ruines d'un royaume perdu.

Chaque week-end, sous l'acacia grandiose et les cyprès du Panhandle, papa prenait des cours de taï-chi dispensés par un prof local, qui serait ultérieurement immortalisé par une fresque murale à l'extérieur de la bibliothèque de Park Branch.

Pendant un certain temps, papa m'a fait suivre des cours de taï-chi, à moi aussi. Les mouvements étaient étrangement lents. Le bras s'étire en avant, puis tourne. Une jambe se lève, puis descend au sol. Nous ressemblions à des gens pris dans une distorsion spatio-temporelle, coincés à la lisière de 1976, tentant de nager en plein vide et d'échapper aux artifices de notre vie sur terre.

Plusieurs mois après sa rupture avec Ed, papa essayait encore de s'en remettre. Ses écrits témoignent d'une impression persistante d'isolement, du sentiment d'être déconnecté. «Je ne trouve ma place ni dans la communauté gay ni dans la communauté hétéro en raison d'Alysia et de mon attitude, car je n'ai pas vraiment l'esprit de clan et ne cours pas non plus coûte que coûte après la mode.»

Outre sa pratique du taï-chi, mon père a arrêté de fumer, de boire et de prendre de la drogue. Quand j'étais chez mes grands-parents, il a suivi un séminaire de médecine alternative où il a appris à méditer et à purifier son aura.

En déménageant d'Oak Street, papa a aussi vendu et donné toutes ses robes et la plupart de ses bijoux. «C'est juste que je n'ai plus très envie de me travestir, écrivit-il à John Dale, même pour Halloween.» Mais il a conservé ses plus beaux accessoires – le lourd collier égyptien et les foulards en dentelle espagnole – pour moi. À la place, il a adopté un look *butch*: moustaches en guidon de vélo, chemises en tissu écossais aux manches roulées jusqu'aux coudes révélant des avant-bras duveteux, blue-jeans usés, et lourd blouson en cuir noir. Mon père avait beau prétendre ne pas courir après la mode, ce look était tellement populaire qu'on lui avait donné un nom, le «Castro Clone». Cette tenue était le reflet d'une esthétique changeante au sein de la communauté gay de la ville, en référence au machisme de la classe ouvrière et non plus au style plus féminin des générations antérieures.

La popularité de ce look a coïncidé avec un afflux d'hommes ouvertement gays à San Francisco. Quatre mille personnes ont défilé à l'occasion de la première Gay Pride, en 1972. En 1976, cent vingt mille personnes participèrent, dont mon père et moi, juchée sur ses épaules. Le visage de San Francisco était transformé par ces nouveaux arrivants, qui passaient leurs week-ends dans le Castro, déjeunaient au Patio Café, se tenaient en grappes devant le bar Twin Peaks. J'étais tout particulièrement fascinée par les grands costauds à moustache serrés dans leur jean, la main enfoncée dans la poche arrière de leur voisin, qui sifflaient des bières, reluquaient et souriaient – mais leurs regards et leurs sourires étaient rarement pour moi.

Fillette, je recherchais toujours la présence de ces hommes, afin de m'immiscer parmi eux, car je croyais percevoir chez eux un sens prononcé de la famille. Papa recherchait cela lui aussi, et, dès qu'il le pouvait, il les rejoignait, me confiant à des amis ou des voisins pendant qu'il essayait de trouver l'amour dans les nombreux bars gays. «Je suis poète» avait-il coutume de dire aux jeunes gens inconnus. Et à San Francisco, en 1976, cela signifiait encore quelque chose.

Mon père avait aussi du mal à trouver du travail, n'importe lequel, en complément des prestations sociales qui nous étaient versées depuis la mort de maman. Il fallait payer le loyer mensuel. Il a vendu son sang, a été animateur remplaçant à la garderie de Haight-Ashbury où j'allais tous les jours, et a peint leur fresque murale : «Une scène de jungle ; les lions, le singe et la girafe ont l'air très spirituels, mystiques et heureux. Assez coloré.»

Il éprouvait également des difficultés à trouver sa voie en tant qu'auteur, et visitait diverses librairies dans toute la ville en quête d'une communauté. Il écrivait dans ses carnets, au café ou à la maison quand je ne sautais pas sur ses genoux, réclamant un peu d'attention, une forme de requête à laquelle il ne savait pas trop comment donner satisfaction.

Je voulais encore des choses simples : des journées ensoleillées, des bédés, du pain perdu, un chien ou un chat, et non pas seulement les oiseaux ou les poissons que nous avions à la maison. Dans la salle de séjour, nous possédions un aquarium avec des guppys et des gouramis embrasseurs. Frustrée par ces animaux domestiques que je ne pouvais que contempler à travers une vitre, chaque fois que j'étais seule je prenais une petite épuisette et sortais les guppys de l'eau pour les déposer dans ma main. J'observais leurs minuscules corps bleus et argentés qui se tortillaient et me chatouillaient les paumes. Parfois, un guppy s'échappait de ma main et tombait sur le tapis, alors je m'empressais de le rattraper pour le remettre dans l'aquarium. Malheureusement, bon nombre de poissons ont péri au terme de jeux de ce genre, et j'ai pourtant continué à y jouer.

Mais plus que n'importe quel animal, je voulais mon père. C'est lui que je voulais. Je le voulais pour moi seule.

Papa essayait de me faire plaisir. Nous faisions encore nos parties de cache-cache au Golden Gate Park. Nous gambadions ensemble. À la maison, il me préparait des spaghettis. Nous nous «bagarrions dans toute la pièce» jusqu'à ce que je sois toute rouge et à bout de souffle. Puis nous regardions la télé, ou il me lisait des histoires : *Jack et le haricot magique* ou *Dix pommes tout en haut*.

D'autres soirs, je l'accompagnais à des lectures dans le quartier, ou bien à des soirées où l'on dînait à la fortune du pot ; la pièce grouillait d'adultes, une forêt de jambes pour moi, et je devais me frayer un chemin jusqu'à mon père, appuyé contre un mur, en pleine conversation. Je me hissais sur ses genoux ou m'allongeais par terre à côté de lui, pour passer le temps. Dans la voiture, sur le chemin du retour, je m'endormais fréquemment. Même si j'étais réveillée, je faisais semblant de dormir pour que papa me prenne dans ses bras et me porte dans l'escalier jusqu'à mon lit.

Mais cela me fatiguait de sortir si souvent le soir. Une fois, alors que mon père voulait que je l'accompagne dans l'une de ses virées, je lui ai dit : «Non, je veux rester à la maison», et, bien qu'il n'y ait personne pour me garder, il a accepté que je reste toute seule chez nous.

«Ne réponds pas à la porte, m'a-t-il ordonné. Reste ici et joue avec tes figurines.» J'ai pris un air courageux. J'étais une grande fille de cinq ans, presque six. Une fois qu'il est parti, comme une grande, j'ai décidé de faire ce qu'il aurait sans doute fait. Je me suis lavé les cheveux. Dans la salle de bains, près de la baignoire, j'ai trouvé un flacon de shampoing jaune. J'ai renversé la bouteille et de petites boules gluantes se sont déversées dans ma main. J'ai ensuite appliqué le liquide sur ma chevelure, comme papa le faisait chaque semaine, assis sur le rebord de notre baignoire en porcelaine.

Je ne me souviens plus si je m'étais mouillé les cheveux ou pas – en revanche, je me souviens que ç'a moussé, produisant même une masse de bulles, un paquet tout collant. Je me rappelle que ma tête était trop lourde pour mon corps tandis que j'essayais de la mettre sous le robinet et qu'un énorme volume emmêlé pesait sur mes épaules, se dénouait et me dégringolait dessus. La mousse coulait sur mon visage, me piquait les yeux, me faisant pleurer. J'étais effrayée parce que je ne savais pas comment réagir. J'ai pleuré, mais personne ne m'a entendue. L'eau continuait de couler, ma chevelure de dégouliner, mes yeux me piquaient, et personne ne répondait. Alors j'ai coupé l'eau et j'ai trimballé mon énorme masse de cheveux dans le séjour où j'ai pu jouer avec mes figurines en essayant de faire sécher mes cheveux.

Plus tard, la porte s'est ouverte dans un déclic sonore et papa est apparu. J'étais tout excitée de le voir, de savoir qu'il était rentré et que je n'étais plus toute seule. Mais une ombre a passé sur son visage quand il a vu mes cheveux mouillés, la trace d'eau savonneuse et les flaques d'eau qui m'avaient suivie de la salle de bains jusqu'au séjour.

«Pourquoi tu as fait ça?» a-t-il lâché.

Dans la salle de bains, il a soupesé le flacon – plein très peu de temps auparavant, à présent presque entièrement vide. Il n'était pas content. Il a retroussé ses manches au-dessus de ses coudes. Il m'a installée dans la baignoire, sous le robinet, et s'est assis sur le rebord. Ça m'a fait mal quand il m'a rincé les cheveux. Les nœuds et les mèches emmêlées me tiraient sur le crâne. Je me suis mise à pleurer car je ne pouvais pas lui dire ce qu'il voulait entendre. L'odeur de peinture fraîche avait disparu.

Voilà : nous nous retrouvions tous les deux, nos espoirs anéantis, et les yeux nous piquaient.

LA CHEVELURE D'ALYSIA, OU LE GRAND LAVAGE

Ni douce fleur ni algue robuste
Elle reste en suspens paisible –
Onctueuse, humide mousse espagnole
Entortillée fine comme du verre, comme des rêves
Et ainsi elle pousse
Spontanée, naturelle, farouche.

Non point immaculée chevelure vertueuse,
Mais sauvage tignasse pareille à nulle autre
Enroulée autour d'impossibles bateaux

Qui collent ici, poussent là, font mal ailleurs
Comme des poèmes en Amérique
Comme l'amour
Comme la vie, menacée dans ta mer de sirène.

Ô chevelure de ma fille
Non peignée, inaccoutumée à l'eau
Tête de Méduse –
Car tout cela,
Dans le calme, tu endures.

6

À l'automne 1976, mon père m'a inscrite à l'école bilingue franco-américaine, située à l'époque à l'angle des rues Steiner et Grove. Papa avait de grands espoirs pour moi en m'inscrivant dans cet établissement. Il s'agissait d'une école privée onéreuse pour enfants de diplomates ou d'hommes d'affaires, bien loin du monde minable de la garderie de Haight-Ashbury, avec ses animateurs hippies et ses mères célibataires férues d'astrologie et de macramé. «J'ai l'impression qu'elle a intégré Harvard!» s'est exclamé papa dans son journal après mon acceptation. Il mit mes grands-parents à contribution pour qu'ils l'aident à payer les frais de scolarité. «Barbara aurait apprécié», a-t-il fait valoir. Munca et Grumpa accordaient tous deux beaucoup d'importance à l'enseignement, aussi ont-ils accepté.

L'école franco-américaine imposait à ses étudiants le port de l'uniforme : un chemisier blanc sous un haut marine, ainsi qu'une robe ou un pantalon. Comme je n'avais rien de tel dans ma garde-robe, papa a pris la voiture pour nous conduire à la Stonestown Galleria, la seule galerie marchande où nous allions ensemble. Nous avons erré parmi les présentoirs circulaires, comme dans un labyrinthe. J'ai fait cliqueter les cintres, j'ai admiré les couleurs et tâté les textures, tandis que papa examinait de temps en temps les étiquettes de prix, les yeux ronds comme des billes. Nous avons continué de flâner jusqu'à ce qu'une vendeuse vienne à notre rescousse. Cheveux roux et dents étincelantes, elle nous a jaugés et a vite compris à quel point nous étions égarés. En faisant un peu parler papa, elle a appris tout ce qu'il y avait à apprendre sur mon futur établissement scolaire et l'uniforme qui y était requis. Et, bien sûr, elle a sympathisé avec moi. « Tu entres au CP ? Mais c'est drôlement excitant, ça, dis donc ! »

Elle nous a conduits au fond du magasin, jusque dans une cabine d'essayage avec de grandes glaces et un lourd rideau vert fixé au plafond. « Je reviens tout de suite », a-t-elle dit. Il y avait de la musique d'ascenseur et je me suis amusée à sauter partout en observant mon reflet tandis que papa tripotait un paquet de Carlton.

Notre vendeuse a bientôt réapparu, les bras chargés de vêtements blancs et bleu marine. Elle a tiré le rideau derrière elle et, avec l'aide de papa, j'ai tout essayé. Il a remonté et redescendu les fermetures Éclair des pantalons en polyester. Il a boutonné et déboutonné les blouses qui ballonnaient. Il m'a enfilé des vestes et des robes par la tête, puis me les a retirées ; parfois, mes cheveux se coinçaient dans les boutons. À intervalles réguliers, la dame revenait voir, en apportant toujours davantage, puis rembarquait joyeusement tout ce qui ne m'allait pas.

À un moment donné, notre vendeuse est repassée en annonçant qu'elle avait quelque chose de « très spécial ». Une main manucurée est apparue de l'autre côté du rideau, tendant une robe-chasuble molletonnée bleue, sans manches, avec un chemisier blanc assorti. « C'est tout nouveau, on a reçu ça la semaine dernière ! »

J'ai enfilé la robe, mon père me l'a fermée dans le dos, bataillant avec chaque bouton.

« Alors ? Qu'est-ce que ça donne ? a-t-elle demandé.

– On y est presque, a répondu mon père. C'est qu'il y a beaucoup de boutons. »

Papa se tenait derrière moi tandis que je contemplais mon reflet, puis il a tiré le rideau pour que je sorte de la cabine et marche. Mais mes chaussures étaient comme enracinées dans le sol de la cabine d'essayage. J'avais les yeux rivés sur la fillette que je voyais dans la glace. Sur le devant de ma robe était imprimé un sosie de Holly Hobbie avec son bonnet à large bord et sa longue robe, semblable à la mienne à la fois dans sa forme et son style. Si ce n'est que cette autre fillette était debout de profil et qu'elle se tenait la tête en bas.

Devant la cabine d'essayage, j'attendais face à la dame rousse, peu sûre de moi. Un large sourire éclairait son visage. Dans l'attente d'une réaction, elle s'est tournée vers papa puis vers moi. Mon appréhension devait être évidente, car, sans que je dise quoi que ce soit, elle a fait: «La fille est la tête en bas pour tout le monde, mais si toi tu regardes vers le bas, elle est juste parfaite!»

J'étais encore trop jeune pour remettre ouvertement en cause les propos de la dame, cependant, je voyais bien que quelque chose clochait. Oui, la fille sur la robe était à l'envers. C'était la vérité. Il n'y avait pas moyen de la remettre à l'endroit.

Tout en regardant les dents étincelantes et les gencives de la vendeuse, j'ai ressenti comme un serrement d'estomac, et je me suis tournée vers papa. Il allait bien sûr faire remarquer l'absurdité du motif de la fille la tête à l'envers. Il allait me sortir d'ici, me ramener dans le Haight et peut-être qu'on irait au Panhandle Park, ou bien dîner à Mommy Fortuna's. Mais papa s'est contenté de sourire en hochant la tête alors que moi j'étais affublée de cette robe stupide. Je me sentais mal à l'aise. Je me suis rendu compte que j'étais seule à trouver cette situation aberrante et pourtant, même seule, je savais que j'avais raison.

«Qu'est-ce que vous en pensez? a demandé la vendeuse.

— Eh bien, je la trouve très jolie, a dit mon père. On dirait une *vraie grande fille*.

— Elle me plaît pas, ai-je marmonné.

— Elle est trop serrée dans le dos? a insisté la vendeuse. On peut prendre une taille au-dessus, vous savez…

« – Elle… Elle me… *plaît pas* ! »

Papa est sorti du brouillard dans lequel il était plongé. Il semblait perplexe et gêné. Le sourire de la vendeuse s'est transformé en un petit sourire narquois, lèvres pincées. Papa a évité de croiser son regard et, d'une poigne ferme, m'a fait repasser de l'autre côté du rideau. Il m'a ôté la robe, a pris une poignée de blouses, de collants et de jupes, et a payé. Nous sommes rentrés en voiture à la maison sans piper mot.

Contrairement aux autres élèves de ma nouvelle classe, je ne parlais pas un mot de français. Papa m'a donc inscrite à des cours particuliers pour l'été. Les livres me plaisaient, en particulier *Babar* en français : « Babar est sorti de la grande forêt et arrive près d'une ville. Il est étonné parce que c'est la première fois qu'il voit tant de maisons. »

Le premier jour, papa m'a présenté ma prof de français, Hortense, et je n'ai pas compris un mot de ce qu'elle disait. Le matin, tout se passait exclusivement en français. Comme Babar, j'avais l'impression d'être une vraie étrangère, de marcher à quatre pattes et de tout ignorer des us et coutumes de la civilisation. Le fait que papa et moi arrivions en retard pratiquement chaque jour n'arrangeait pas les choses. Il avait beau faire tous les efforts du monde pour que je sois à l'école à l'heure – il réglait le réveil, localisait dès la veille mon unique paire de chaussures –, nous finissions par nous rendormir, ou alors nous tombions en panne de lait ou n'avions plus de bas propres. Inévitablement, nous quittions l'appartement dans la précipitation et sautions hors d'haleine dans la Volkswagen miteuse. Après avoir traversé Oak Street sur les chapeaux de roue, papa se garait devant l'école, se mettait au point mort et tirait une bouffée de sa cigarette. Il me traînait ensuite dans les escaliers et déposait une bise sur ma joue avant de me faire franchir le seuil de l'hôtel particulier victorien aux murs blancs. Depuis l'extérieur de la salle de classe, j'entendais la voix étouffée de ma prof de français. La lourde porte en bois s'ouvrait alors, la voix était soudain forte, il n'y avait plus moyen de s'échapper, et je m'empressais de gagner ma place au fond de la classe.

Je regardais Hortense parcourir la travée centrale, les mains jointes dans le dos, son triangle de cheveux crépu sautant à chacun de ses pas. Derrière les montures métalliques rectangulaires de ses lunettes, Hortense avait des yeux soupçonneux, très enfoncés. Son regard passait en revue tous les élèves avant de se poser sur moi. Elle me demandait alors en français :

«Alysia... *quel jour sommes-nous ?*»

Je la regardais, ahurie, puis détournais le regard.

«Ah-lii-sii-YAH.» Ses talons cliquetaient sur le parquet tandis qu'elle s'approchait de mon bureau. Elle se dressait alors devant moi dans ses bas couleur chair et sa jupe de laine brune. «*Quel. Jour. Sum-NOOO ?*»

Sa façon sinueuse de prononcer «*sommes-nous*» me nouait la gorge. Je me redressais involontairement sur ma chaise. Cependant la question demeurait impénétrable, comme un épi de cheveux qu'aucun coup de peigne n'arriverait à dompter.

«Je sais pas, répondais-je en anglais.

– *En fran-ÇAIS, s'il te plaît*, rétorquait-elle.

– *Je... Je...*» Une élève donnait un coup de pied dans ma chaise et j'entendais des rires.

«*Attention !*» ordonnait Hortense d'une voix tranchante, et de nouveau le silence se faisait.

Hortense pivotait sur un pied. «*Quelqu'un peut répondre ?*» Et une mer de mains se levait. Elle donnait la parole à une fille au premier rang.

«*Nous sommes lundi, madame Hortense.*

– *Très bien, Nicola.*»

Nicola avait deux tresses brunes parallèles qui lui tombaient dans le dos, et une frange bien droite barrait son front. Sa jupe plissée se déployait en éventail autour de ses petits genoux. Ses socquettes à motifs de losanges étaient remontées sur ses mollets fermes, vifs, comme près de détaler à tout instant et discrètement croisés sous la chaise. Elle portait des mocassins vernis.

J'ai baissé la tête. Mon chemisier était tout froissé, enfoncé un peu n'importe comment dans ma jupe marine. Mes collants couleur craie étaient trop courts et dégringolaient sur mes fesses.

Le lendemain, j'ai demandé à mon père de me faire la même coiffure que Nicola – mais les tresses, cette fois, c'était trop pour lui. Il réussit à me concocter une queue-de-cheval de guingois, qu'il attacha avec l'élastique poisseux de notre *San Francisco Chronicle* du matin. Quand il me l'a retiré le soir même, une poignée de cheveux est venue avec.

12 septembre 1976 : Alysia a du mal à s'habituer à sa nouvelle école. Vendredi elle a renversé son jus de fruits et a dû tout essuyer. Lundi elle s'est égratigné le genou et une gamine derrière elle donnait des coups de pied dans sa chaise. Elle dit qu'elle n'arrive pas à comprendre sa prof de français. Ça grogne beaucoup le matin. Une nuit, elle m'a empêché de dormir avec ses grincements de dents.

Papa, entre-temps, trouvait enfin sa voie en tant qu'auteur à Cloud House. Le bâtiment se situait à l'angle de la 16ᵉ Rue et de Guerrero Street, nous étions déjà passés devant en nous rendant à une coopérative alimentaire du quartier Mission. Pendant que papa achetait des produits bio, j'errais dans les allées, dérobant dans des récipients géants en plexiglas des friandises à la farine de caroube en forme d'étoiles.

À première vue, Cloud House ressemblait à une maison de fous. Des poèmes, aux lettres découpées ou tracées au feutre, étaient scotchés sur la vitrine de la devanture et aux murs. Au-dessus de la porte, un panneau annonçait : «Walt Whitman respire ici.» Papa a demandé des renseignements sur Cloud House au type à la caisse, qui lui a répondu qu'il y avait des lectures ouvertes à tous le jeudi à 20 h 30. Papa s'y est rendu pour la première fois la semaine suivante, me traînant derrière lui. Il n'y avait pas d'autres enfants.

Dans la lumière tamisée, j'ai remarqué que les murs étaient tapissés d'affiches, de dessins, de photos ainsi que de poèmes écrits à la main ou tapés à la machine. Un monsieur à l'air sérieux et aux cheveux noirs, de petite taille, faisait des allers-retours dans l'arrière-salle – il allait chercher de l'eau chaude pour le thé des uns et des autres. Il s'est présenté sous le nom de Kush.

« Pourquoi Cloud House ? l'a interrogé mon père.

– Les nuages sont des familles constituées de formes évaporées. Il est important de se mettre la tête *dans* les nuages et de se sentir *comme* un nuage parce que les nuages se déversent sur la terre. Les visions poétiques ne sont pas réservées à leurs auteurs, elles peuvent atteindre d'autres personnes. C'est ce qu'on fait à Cloud House, par le biais des lectures ouvertes au public. Tout le monde y est le bienvenu. Venez, installez-vous. »

Il nous a fait signe d'avancer au centre de la pièce, où papa et moi avons trouvé plusieurs personnes assises en cercle autour de trois ou quatre lampes à pétrole. Nous avons pris place en silence derrière elles. Un texte enregistré sur cassette défilait et semblait plus ou moins ignoré du cercle parmi lequel circulaient des joints. L'air s'est ensuite empli de sauge brûlée destinée à « chasser l'énergie négative ».

Une fois la cassette terminée, l'homme aux cheveux noirs a agité des clochettes accrochées à un long cordon fixé au plafond, au centre de la pièce. Après quoi il a déambulé en psalmodiant une prière amérindienne. Sa voix grave et profonde a paru pénétrer le parquet sur lequel nous étions assis. Il a finalement sorti une flûte en bois, a joué quelques notes, et a annoncé que la place était libre pour quiconque avait envie de lire.

Un jeune homme élancé à la barbe ébouriffée, aux yeux pétillants, coiffé d'un chapeau de cow-boy, s'est levé et a commencé à lire des textes écrits dans un carnet noir à la couverture élimée. Quand il a eu fini, tout le monde a applaudi. Ensuite, une femme imposante habillée d'une robe qui descendait jusqu'au sol s'est redressée à son tour. Basculant d'une jambe sur une autre, elle a lu d'une voix nerveuse, en s'excusant à chaque poème. Pendant tout ce temps, Kush est resté assis, les bras passés autour d'un genou, écoutant intensément. «Relis ça, tu veux bien?» disait-il, ou: «Comment en es-tu venue à écrire ça?» Quand les commentaires dérivaient trop, Kush les interrompait en lançant: «Écoutons d'autres poèmes!»

Puis un grand homme mince à l'air soucieux s'est levé et tout le monde s'est écrié: «Moe!» C'était David Moe – H. D. Moe de son nom de plume. Il avait toujours l'air confus et à bout de souffle, comme s'il sortait tout juste d'une navette spatiale. Ou peut-être était-ce l'expression de sa personnalité poétique dyslexique, mi-Beat, mi-savant fou :

Duchamp pas de deux
electric Voltaire
Oui-ja matriciel !

Moe a quitté la scène au milieu des cris et des acclamations, et un homme tout de jean vêtu, coupe au bol et lunettes miroirs s'est levé. «B'jour. Je m'appelle Dennis.» Durant sa lecture, il jouait avec sa voix, qui bourdonnait et vrombissait comme une machine du futur. Il s'étirait vers le haut et se regroupait sur lui-même à la manière d'un magicien jetant un sort. Je n'avais encore jamais entendu un tel son sortir d'un être humain. Papa et moi étions médusés.

Papa était trop timide pour lire dès ce premier soir. Une fois que tous ceux qui voulaient lire l'eurent fait, Kush a conclu la soirée par une lente mélopée de son cru.

Papa est rentré à la maison dans un état d'inspiration fébrile. J'ai enfilé ma chemise de nuit, je me suis mise au lit, et lui s'est attelé à un poème comique – des vers intercalés avec des cases de bande dessinée. Le poème était simple, reposait sur des variations à partir de la formule : «Plus vite que l'amour, tes mots brûlent mon feu.» Il l'a intitulé «Le poète en pyromane».

Le vendredi suivant, nous sommes retournés à Cloud House et papa a lu son poème, qui lui a valu une pluie d'éloges. «On dirait du William Blake !» Kush a insisté pour que papa accepte que son poème soit accroché au mur. Requinqué, mon père s'est lancé dans une série de poèmes comiques, qu'il ronéotypait à Cloud House sous forme de placards 20 × 25 cm et qu'il scotchait ensuite dans les cafés et les laveries automatiques partout en ville – pendant que moi, je trottinais derrière lui.

Papa avait étudié la poésie à l'université du Nebraska avec John Berryman et Karl Shapiro, mais il avait cessé d'en écrire en 1967 car elle lui semblait être «un jeu de société vain et dépourvu d'intérêt». Le fait d'avoir découvert Cloud House avait ravivé sa passion. Il est bientôt tombé sur un exemplaire d'occasion du *Billy the Kid*, de Jack Spicer. Dans les années 1950, Spicer, aux côtés de Robin Blaser et Robert Duncan, avait contribué à faire émerger une poésie d'avant-garde qu'ils avaient baptisée Berkeley Renaissance. Spicer en particulier montrait à papa que la poésie était un moyen d'entrer en contact avec son identité gay. «Les œuvres de Spicer ont joué un rôle d'aimant sur moi, elles ont attiré mes propres œuvres et les ont fait émerger», a-t-il écrit.

Bien vite, nous passions plusieurs soirs par semaine à Cloud House. Je me trouvais dans un coin, sur un coussin délavé par le soleil où papa m'installait avec du papier et des crayons de couleur. Je dessinais des maisons-nuages cotonneuses et des gratte-ciel-nuages, tous peuplés d'habitants empressés qui arrivaient à dos d'oiseau. Kush accrochait mes dessins aux fenêtres, si bien que, chaque fois que j'entrais à Cloud House, j'avais l'impression que c'était aussi ma maison.

Tant de soirées de mon enfance se sont déroulées dans ces salles combles où se faisait le calme, dans l'attente que le silence soit transpercé par des chapelets de mots étranges. Il était rare que j'arrive à suivre ce qui était lu. Pour moi, ce n'était qu'un bruit de fond, la bande-son de mes curieuses errances, à feuilleter les livres sur les rayonnages, ou à chercher les bandes dessinées *Garfield* et *Snoopy* que j'avais apportées. D'autres fois, le rythme régulier et répétitif des lecteurs, la chaleur et le ton des différentes voix me faisaient l'effet d'une berceuse. Je grimpais sur les genoux de papa et m'assoupissais, apaisée par le mouvement de sa respiration, sa maigre et chaude poitrine que j'écoutais, et qui vibrait au fil d'une conversation animée. Pour rien au monde je n'aurais voulu être ailleurs.

Les lectures à Cloud House étaient souvent suivies d'un dîner à la fortune du pot. Les adultes buvaient généralement plus que de raison, emplissant les lieux de leur fumée de cigarette et de marijuana, ils récitaient des poèmes puis commentaient et argumentaient.

Poète n° 1 : «Pour que la poésie touche les gens, il faut qu'elle leur parle personnellement, afin d'étendre leurs rêves. La poésie contestataire donne des œillères.»

Poète n° 2 : «Mais s'il n'y a pas de poésie révolutionnaire, il est possible qu'il n'y ait jamais de poésie !»

Poète n° 3 : «Je vois le magnétophone comme l'arme par excellence. Il faut qu'on sorte avec les magnétophones et qu'au lieu de passer de la disco on fasse écouter de la conscience !»

Papa et moi rentrions toujours tard de ces soirées. On regagnait nos lits respectifs en trébuchant et, le lendemain matin, on se réveillait comme on pouvait, on franchissait le seuil en vitesse, une nouvelle fois en retard pour l'école.

Peu après mes débuts à l'école franco-américaine, j'ai commencé à faire pipi dans ma culotte. J'avais cinq ans et demi et cela faisait trois ans que je n'avais plus de couches. Je ne faisais pas pipi au lit, et je n'ai pas souvenir – papa d'ailleurs n'en fait pas état dans son journal – d'avoir eu des accidents à la maison ou ailleurs. Mais à l'école franco-américaine, aux pires moments et dans les pires endroits – quand j'étais sur les murs d'escalade du gymnase ou tout au fond de la cour de récréation –, j'avais une envie pressante, soudaine et incontrôlable.

J'étais pourtant une grande fille, j'aurais pu aller aux toilettes le matin ou m'éclipser à un autre moment de la journée. Au cours de ces premiers mois, j'ai cultivé une envie profonde et perpétuelle de disparaître. Je ne voulais pas attirer l'attention en demandant à aller aux toilettes, et je ne savais pas comment demander en français. En outre, je m'étais habituée à garder pour moi tout ce qui était trop embarrassant ou trop honteux : les petits copains de mon père, la mort de ma mère, mon pipi.

Au fil des mois suivants, j'ai appris à connaître l'infirmière de l'école qui ne souriait jamais et qui, sans un mot, fouillait dans le stock de vêtements oubliés pour me trouver des habits secs que je pourrais enfiler dans le bureau de l'administration. Je me souviens de culottes en polyester à motifs écossais, qui étaient trop petites et m'irritaient la peau, et de l'odeur astringente de mon linge imprégné d'urine. Celui-ci était enfoui dans un sac plastique transparent que je me coltinais en plus de ma boîte à casse-croûte du déjeuner en attendant que mon père vienne me chercher après l'école. D'autres élèves remarquaient cette odeur, j'en étais sûre. J'avais l'impression d'être souillée par la puanteur. Constatant ma honte, deux fillettes du cours élémentaire ont décidé de me punir encore plus. Que pouvais-je faire ?

La classe se mettait en rang avant de sortir pour la récréation durant laquelle je jouais seule, accroupie dans un coin. J'ai levé les yeux, et les deux fillettes étaient bel et bien là. Je ne me rappelle pas leur nom, mais je revois bien le visage de l'une d'entre elles : une petite brute blonde aux yeux et aux sourcils marron – le contraste entre ces couleurs ne faisant que renforcer la menace qu'elle incarnait. L'autre, une brunette à tête de souris, avait un front gigantesque. Elles portaient des jupes bleu marine et des chaussettes remontées jusqu'aux genoux et ont baissé la tête pour me toiser. Je me souviens qu'elles m'obligeaient ensuite à aller à la fontaine, à l'entrée de l'école. Là, chacune se mettait d'un côté pour me forcer à boire jusqu'à ce que je dise :

« J'ai besoin d'aller aux cabinets.

– Eh bah, fais pipi, alors ! »

Comme je ne pouvais pas le faire sur commande, elles m'accompagnaient dans le couloir jusqu'aux toilettes des filles et m'ordonnaient de m'asseoir sur le trône, sans baisser ma culotte. J'essayais à nouveau.

« Vas-y. » Leurs mots résonnaient dans les W-C vides. « Vas-y. Fais pipi ! »

Mais mon corps refusait d'obéir. Alors elles me raccompagnaient à la fontaine et m'obligeaient à boire davantage d'eau. Puis elles me reconduisaient aux toilettes. Finalement, une fois ma jupe et mes collants baissés, un filet de pipi coulait à travers ma culotte. Je voulais l'enlever, mais les filles insistaient pour que je la garde.

J'ai appris à attendre les journées de pluie où les élèves restaient dans la classe pendant la récréation. Sous l'œil doux et bienveillant de la prof d'anglais, Mme Meadows, je passais mes récréations à dessiner. Avec du papier et mes crayons de couleur, je créais des familles nombreuses : une maman en robe bleue, les cheveux bruns ramenés en chignon, qui poussait un landau avec un bébé, entourée de frères et de sœurs, de grands-parents et de cousins. Je faisais des dessins inspirés de feuilletons vus à la télé : *The Brady Bunch* et *Huit, ça suffit !* Dans ces mondes imaginaires, il y avait toujours un frère ou une sœur pour vous tenir compagnie ou vous protéger, comme Peter Brady pour Cindy quand quelqu'un se moquait d'elle parce qu'elle zozotait.

En cours de maths, on découvrait les formes géométriques et on était encouragés à identifier les formes qui peuplaient notre environnement. L'horloge était un cercle. La porte, un rectangle. En fin de journée, je remarquais que chaque famille constituait une forme géométrique. Trois enfants et deux parents, c'était un pentagone. Deux parents et deux enfants formaient un carré parfait. Un enfant unique avec deux parents, ça faisait un triangle. Mais papa et moi, on était juste deux points. Une ligne. Même pas une vraie forme géométrique.

J'aurais pu raconter à papa que ces deux filles me martyrisaient à l'école ; dans mon for intérieur, je le soupçonnais néanmoins d'être plus la source de mon problème que sa solution. J'avais coutume d'espérer secrètement qu'il ne vienne pas me chercher en blouson de cuir. Que toutes les voitures rutilantes et les fillettes à nattes seraient parties avant que notre Coccinelle Volkswagen minable n'apparaisse finalement en bringuebalant sur le bord du trottoir, à l'angle de Grove et de Steiner Street.

Quand il arrivait, il se penchait de côté pour ouvrir la portière passager, le moteur tournait encore, une cigarette collée à la lèvre inférieure. À l'intérieur, je remarquais le cuir craquelé et déchiré des sièges, sous lequel apparaissait une mousse jaune qui s'émiettait – et le cendrier archi-plein qui, en dépit de tous mes efforts, refusait toujours de se fermer.

La semaine suivante, nous sommes retournés à Cloud House, et papa a été le premier à se lever pour lire. Il était si calme, et sa voix tellement posée au quotidien, qu'il était étrange de le voir devant un public, de l'écouter pousser sa voix pour emplir la grande salle. Moi, j'étais assise sur le sol poussiéreux, à ses pieds. Tout était silencieux, hormis ses mots qui s'élevaient au-dessus de ma tête :

LE DÉPART

J'imagine que tout est fini à présent.
    Bref comme un ciel sans nuage
    Vide comme la bouche de ma fille
Tu rentres chez toi pour Noël, tu reprends l'avion.

    De retour chez moi
    Je lis ce message :
    «Chère Petite Souris,
    Ce soir c'est le grand soir!»
    Dent sous son oreiller.

Ton avion bourdonne.
Je ne sais où il t'emmène.

Je remplace la dent d'Alysia
Par une petite pièce brillante en fer-blanc.

    (Elle, si impatiente. Depuis des jours
    Elle ne tenait plus que par un fil.
    Une étoile blanche morte.)

Sous mon oreiller à moi
Je rêve par à-coups.
Un triste oiseau féroce
    Te dépose
Dans un album d'ailes qui s'évanouissent.

Le matin venu
Je serai la dernière petite souris
Qui reste dans cette ville.

H. D. Moe a été le premier à publier la poésie de papa. À une époque où de nombreux poètes expérimentaux de la côte Ouest avaient du mal à se faire publier, Moe a lancé son propre journal, intitulé *Love Lights*. Mais, après s'être rendu compte qu'une revue de poésie ne lui permettrait pas de payer son loyer, ni même de régler la facture pour quelques jours, il a commencé à mettre des photos érotiques de femmes en couverture et à vendre *Love Lights* dans les distributeurs de journaux. Des gogos qui ne se doutaient de rien introduisaient quelques pièces dans la machine en pensant acheter du porno, et se retrouvaient à la place avec des pages et des pages de poésie absurde.

Par le truchement de Moe et Kush, papa a rencontré des poètes dans tout San Francisco. On demandait fréquemment à papa de faire des affiches sous forme de BD pour promouvoir diverses lectures. Il acceptait ces requêtes avec zèle, sans se soucier de savoir si son nom figurait sur les prospectus. «La poésie était ma nouvelle religion et moi, son acolyte ardent», écrivit-il.

North Beach constituait le cœur de la scène poétique de San Francisco depuis la fondation de la librairie City Lights. Son avenir était un sujet de conversation dans presque chaque café et chaque bar. Au Caffè Trieste, le «poète prolétarien» Jack Hirschman lisait des passages de sa récente traduction de Jean Cocteau ou d'Alexander Kohav avec la conviction de celui qui vient de renaître. Ses cheveux blond filasse tombaient autour de son visage «tel un halo autour du masque de mort de Samuel Johnson», écrivit mon père. Hirschman et Moe se disputaient avec véhémence sur des questions politiques et esthétiques. Et dès qu'il était acculé sur un point précis, Hirschman éclatait de rire et se retirait dans la métaphore. «Le rouge est le noir», disait-il en agitant les bras. Puis il lisait une autre de ses traductions. Moe quant à lui plaidait en faveur du «Correctionnisme», entendant par là que tout dans la vie participait d'un même flux constant et interdépendant. La plupart des poètes de l'époque forgeaient leurs propres slogans : Untel rédigeait des manifestes « Budada », tel autre proclamait « l'Actualisme ». Au fil des soirs, mon père écoutait ces disputes, qui étaient parfois, remarqua-t-il, « observées par un Lawrence Ferlinghetti timide et distant, ou tournées en ridicule par les pitreries odieuses de Gregory Corso ».

Sauf que ce n'était pas la poésie qui faisait le ménage dans notre appartement. La poésie ne nettoyait pas les miettes et n'enlevait pas l'odeur de banane dans la boîte à casse-croûte Scooby-Doo que j'emportais chaque jour à l'école. La poésie ne m'aidait pas à apprendre mon français le soir, ni à me faire arriver à l'heure, ni à préparer des gâteaux à base de Rice Krispies pour les nombreux pique-niques et autres fêtes organisées par l'école. En fait, à cause de la poésie, papa était encore plus isolé, plus irritable quand je le dérangeais dans sa chambre, avec ses carnets en équilibre sur son ventre, et une cigarette qui se consumait dans le cendrier à côté de lui.

13 mars 1977 : Problèmes avec Alysia dernièrement. Elle est souvent seule, elle s'ennuie devant la télé. Et moi je veux écrire, taper à la machine, lire, travailler à mon art au lieu de jouer avec elle. J'essaye de lui consacrer du temps chaque jour ou chaque soir, et nous parlons du problème. Mais c'est une contrariété pour moi et une blessure pour elle. Je suis grincheux avec elle. Elle m'a apporté le livre Oscar le Grincheux *deux soirs de suite pour que je lui lise, histoire de me mettre la puce à l'oreille, je pense.*

À l'école franco-américaine, les filles qui me martyrisaient trouvaient de nouvelles façons de le faire. La semaine précédente, elles m'avaient obligée à manger des peaux d'orange. Un autre après-midi, elles ont essayé de me forcer à hurler des obscénités à

Marc Lovejoy, le garçon le plus laid du cours élémentaire. J'avais beau me considérer comme vraiment faible et bizarre, je n'étais pas sotte. La taille relative de Marc m'avait déjà impressionnée lors des parties de football américain dans la cour.

«Non. Je veux pas», ai-je dit.

La gamine blonde a sorti de sa poche un petit couteau suisse et l'a ouvert. «Tu as intérêt à lui dire.» J'ai été sauvée par le gong au moment de la sonnerie, quand il a fallu se mettre en rang avec la classe. Plus tard, ce jour-là, j'ai parlé de l'incident à ma prof d'anglais. Les deux filles ont arrêté de me harceler peu après, et la blonde a été expulsée.

La période de mes tourments a cessé, mais le mal était fait. Les incidents avec les fillettes et les accidents aux toilettes ont contribué à faire naître le sentiment que quelque chose clochait chez moi. L'impression que j'étais différente se traduisait par ma posture avachie, mon manque d'enthousiasme manifeste et mon extrême timidité. À l'école, les élèves me trouvaient si souvent bizarre que, au bout d'un certain temps, j'ai fini par les croire. Je me cachais derrière un rideau de cheveux emmêlés.

Je n'étais certes pas «gay», cependant, je savais que «gay» s'appliquait à moi à cause de papa. Et, durant mes deux premières années à l'école franco-américaine, entre les dictées en français, les leçons de maths, les visites à Kewanee et les heures passées devant la télé, j'avais appris que l'homosexualité était : a/ «dégoûtante», et b/ que je n'y pouvais rien. Or ce côté dégoûtant n'était pas lié à vos actes : c'était quelque chose qui pouvait vous arriver – ou alors vous étiez né avec.

Ainsi, au début du printemps, quand j'ai trouvé un nid d'araignées dans ma cabane de jardin Weeble, après des mois sans m'en être occupée, je ne me suis pas dit : «Hum, papa aurait dû enlever cette cabane à l'automne dernier. Je devrais lui demander de la nettoyer.» J'ai pensé : «Cette cabane est dégoûtante parce que c'est la mienne et que je suis dégoûtante.» Et quand j'ai mis mes peluches au lit sous une couverture en feutrine avec une lampe allumée, branchée sur le secteur, pour qu'elles n'aient pas peur dans le noir, que je me suis ensuite éloignée pour aller jouer en oubliant les animaux sous la couverture et que l'ampoule a percé un petit trou dans la couverture en dégageant une odeur terrible, je ne me suis pas dit : « Comme je suis sotte ! J'ai oublié de m'occuper des peluches ! Je devrais montrer à papa ce qui s'est passé. » Au lieu de cela, j'ai caché la couverture et j'ai essayé de faire disparaître l'odeur désagréable. J'étais convaincue d'être responsable de cette mauvaise odeur, preuve supplémentaire de ma pourriture intrinsèque qu'il fallait impérativement continuer à dissimuler.

L'expérience avec les deux filles qui m'avaient martyrisée confirmait simplement l'âpreté du monde dans lequel j'avais été jetée. Ce monde était différent de celui de papa, certes imparfait mais régi par l'amour, et bien loin de celui de l'école, qui pour moi continuait d'être régi par la peur.

Souvent, le matin, je pleurais quand papa montait l'escalier de l'école. Je redoutais de me retrouver face à Hortense qui, après avoir entendu que j'étais en retard parce que le bus que nous devions prendre ce jour-là était lui-même en retard, répondait : « Ce ne sont pas les bus qui sont en retard, ce sont les gens qui sont en retard. » Et puis, un beau jour, j'ai brusquement arrêté, j'ai pris une profonde inspiration et me suis essuyé la figure avec ma manche.

« Que s'est-il passé ? a demandé papa. Pourquoi as-tu arrêté de pleurer ?

– J'ai changé la chaîne de mes émotions », ai-je annoncé.

Il a exercé une pression sur ma main et a souri.

« *J'ai changé la chaîne de mes émotions*, a-t-il répété. Ça me plaît, ça. »

J'ai remarqué la réaction de mon père et j'ai alors ressenti quelque chose comme le pouvoir des mots. Que ma déclaration ait, ou non, inversé le cours de ma journée, ça, je ne m'en souviens pas. Mais j'ai aimé la façon dont mon père m'a regardée quand j'ai dit ça, j'ai aimé la sensation que cela m'a procurée, et j'ai eu envie de l'éprouver à nouveau.

Au cours des deux années qui ont suivi, papa m'a intégrée à sa vie d'écrivain. J'avais appris par cœur un poème de Baudelaire pour l'école, alors il m'a poussée devant le micro d'une scène ouverte, dans un café de North Beach, pour que je le récite. Peu de poètes et d'amateurs de poésie présents ce soir-là m'ont comprise, d'autant que j'ai déclamé le poème en français à la vitesse de la lumière – la plupart des gens ont trouvé néanmoins que c'était «super sympa», et papa avait le sourire jusqu'aux oreilles.

Il a illustré son premier recueil de poèmes, *Transmuting God*, avec ma sirène et mes dessins de Cloud House. Nous en avons réalisé ensemble la couverture. Parfois même, il m'embauchait pour ses affiches au graphisme proche de la bande dessinée. Plus tard, nous avons posé tous les deux pour son livre *Wrecked Hearts*. Papa avait enfilé une tunique médiévale par-dessus son blue-jean. Ensuite, revêtue de mes plus beaux habits, impeccablement peignée, j'ai joué des scènes avec lui dans les buissons du Golden Gate Park tandis qu'un ami photographe prenait des photos de nous. J'ai adoré ça.

Et puis à l'automne 1977, des vandales ont saccagé notre Coccinelle Volkswagen ; tard le soir, ils ont brisé la vitre arrière et ont dérobé notre radio. «Elle ne marchait même pas !» s'est exclamé papa, comme si nous sortions vainqueurs de l'opération et que nous n'en étions pas les victimes. Papa a scotché un sac plastique sur la vitre arrière avec du gros adhésif, mais des semaines de pluie ont réduit le sac en lambeaux, et l'eau a détrempé la banquette arrière. Au milieu des ordures et de la saleté, un champignon a poussé. Papa a jugé que ma réaction méritait un autre poème :

C'est une journée bizarre, dit Alysia – poème de Steve Abbott [1977]

C'EST UNE JOURNÉE BIZARRE, DIT ALYSIA

« C'est une journée bizarre », dit Alysia. « Un insecte vert
dans ma chambre & maintenant ce champignon qui pousse
    dans la voiture. »

Elle a raison. Sous les journaux humides & les mégots
de cigarettes pousse un truc brun visqueux.

Je ferais peut-être bien de m'acheter une nouvelle voiture ou
    du moins
de la laver, d'arranger les vitres comme disent les mômes.
Mais comment je pourrais faire ça & continuer de parler aux
    anges ?

Les poètes s'absorbent dans de drôles de quêtes,
ne remettent pas en question le régime créatif de la pauvreté.

Je voulais méditer à ce sujet mais avant que je le puisse
un auto-stoppeur qu'on prend écrase le champignon en
    s'installant.

Maintenant, la pluie m'en veut, je le vois à sa façon
de lécher & de gratter à la fenêtre.

J'en ai tellement marre des poèmes qui ressemblent à ça
mais ne disent absolument rien. Pas toi ?

Dans le cercle où évoluait papa, la pauvreté n'était pas seulement acceptable mais poétique et honorable. Elle était un moyen
de « parler aux anges ». Papa tâchait à Cloud House de désap-
prendre la civilisation, afin de se débarrasser de ce conformisme
qui plaçait l'ordre au-dessus de tout, qui lui avait été inculqué,

en vertu duquel les enfants ne pouvaient prendre la parole que si l'on s'adressait à eux, et qui nous contraignait à ne jamais poser sur la table un verre sans sous-verre. Dans l'espace qu'il s'efforçait de créer, les champignons étaient magiques, fantastiques, l'étoffe du lyrisme.

Mais tout cela ne me concernait pas. À l'école franco-américaine, tout particulièrement durant l'école élémentaire et au collège, notre voiture et notre appartement miteux, mes vêtements minables et mal coupés sont devenus un handicap, une manière supplémentaire pour moi d'être à part. En me conformant aux codes de mon père, j'étais nécessairement en porte-à-faux avec les règles de l'école. J'ai appris à évoluer entre les deux mondes, à changer mon fusil d'épaule selon la situation.

Il allait me falloir des années – au moins jusqu'à la classe de troisième, quand j'ai découvert le rock et les cours d'art dramatique – avant que je perçoive ma différence comme l'éclat désirable de la vie bohème. Et, même alors, je me garderais bien de parler ouvertement avec mes amis et ma famille au sens large des préférences affectives de mon père. Son homosexualité était un secret auquel je me suis cramponnée alors que c'était depuis longtemps devenu inutile, un secret auquel je me suis accrochée jusqu'à ce que les manifestations physiques de sa maladie m'obligent à sortir du placard.

7

Chaque été, papa préparait ma valise et m'envoyait à Kewanee, dans l'Illinois rural, un bourg situé à deux heures et demie au sud-ouest de Chicago où habitaient mes grands-parents maternels. À partir de l'âge de trois ans, je prenais donc l'avion de San Francisco jusqu'à Kewanee et j'y restais deux mois. D'après Munca, Grumpa et elle avaient mis au point cet arrangement pour que papa puisse souffler un peu – et de manière à passer du temps avec moi. Comme les enfants de moins de quatre ans n'avaient pas le droit de prendre l'avion seuls, papa m'avait briefée pour que je mente sur mon âge, de même qu'il m'avait briefée pour que je ne parle pas à mes grands-parents de ses petits copains. Je ne comprenais jamais pourquoi il ne venait pas avec moi en voyage, mais cela n'avait pas d'importance. J'aimais bien prendre l'avion seule.

Je portais autour du cou une étiquette indiquant «mineure non accompagnée», un statut qui m'ouvrait les portes d'un univers de privilèges. Je donnais la main à l'hôtesse de l'air en uniforme et montais la première à bord de l'avion, je visitais le cockpit et j'étais présentée au pilote. Sur mon siège m'attendait un sac de jouets : un badge à porter au revers de la veste, qui avait la forme et la couleur métallique des vrais badges du personnel de bord, des livres de coloriage à l'effigie de la compagnie aérienne, des jeux de mots mêlés, et une petite boîte contenant un minuscule labyrinthe doté d'une petite bille qu'on inclinait

94

d'un côté ou de l'autre jusqu'à ce qu'elle tombe dans le trou. Je buvais du chocolat au lait à la paille et sympathisais avec mon voisin ou ma voisine. Une fois le vol terminé, la jolie hôtesse de l'air revenait me chercher, me prenait par la main, et nous étions les premières à descendre de l'avion.

J'apercevais mes grands-parents qui m'attendaient à la porte de la zone passagers : Munca, avec sa chemisette de tennis, son pantalon kaki qui ne se repassait pas et ses baskets délavées, et Grumpa, assis à côté d'elle, le regard perdu au loin, l'air distrait. Elle me repérait et me faisait signe : «You-hou !» Elle donnait un coup de coude à mon grand-père, qui m'apercevait à son tour, se levait, souriait et me faisait signe lui aussi. L'hôtesse me confiait à mes grands-parents, Munca m'enveloppait dans ses longs bras et je me retrouvais plongée dans l'odeur de sa maison : laine fine et cèdre, lotion Jean Naté, et un infiniment discret relent de moisissure.

À partir du moment où j'étais à Kewanee, le monde de papa s'estompait. Finis, les grondements de la Coccinelle et le cendrier qui ne fermait pas. Circuler dans la Lincoln Town Car de Munca était aussi grandiose et confortable qu'une croisière en bateau. À la place des champignons magiques, des vitres magiques montaient et descendaient, actionnées d'une simple pichenette sur un bouton. La radio était tout le temps branchée sur la station locale de la radio publique ; de la musique orchestrale emplissait la voiture et, de temps en temps, Munca s'exclamait «Rachmaninov !» quand elle reconnaissait le compositeur.

Dans ce vaisseau propre et confortable, à l'abri des intempéries, je m'éloignais de l'aéroport O'Hare de Chicago et passais devant les hauts champs de maïs et devant les élevages de porcs à l'odeur fétide qui faisaient de Kewanee la capitale mondiale du cochon. Mon cœur se mettait à battre la chamade dès que j'apercevais la maison beige et blanc, construite à la manière d'un ranch, à l'angle de Bridge Road. Retentissait alors le cliquetis roulant de la porte du garage qui s'ouvrait tandis que la voiture avançait dans l'allée. Mon esprit se mettait à turbiner, imaginant tout ce que la maison promettait : les bols fumants de SpaghettiOs, les petits verres de jus d'orange bien frais, les longs couloirs recouverts de moquette, la télé câblée en couleur dans chaque pièce, et, à l'heure du coucher, des draps en lin tout propres.

Munca et Grumpa, tous deux immigrants juifs d'Europe de l'Est de la première génération, étaient venus de Chicago avec leurs enfants en bas âge pour s'installer à Kewanee quand Grumpa avait obtenu un poste de radiologue à l'hôpital de Kewanee. Munca était femme au foyer, mais n'en avait pas moins une vie bien remplie. Elle avait fondé la section locale de la Ligue des électrices, disputait des compétitions de golf et de tennis au Midland country club, et faisait un temps partiel à la bibliothèque municipale. Je lui ai demandé un jour : « Est-ce que vous êtes riches, toi et Grumpa ?

– Non, a-t-elle répondu. Nous sommes à l'aise. »

C'est cette aisance que j'avais hâte de retrouver, sur laquelle je fantasmais, dans les mois et les semaines qui précédaient mes étés à Kewanee. Et, pour l'essentiel, j'en profitais. Les premières semaines, j'étais l'invitée d'honneur. Munca m'inscrivait à des activités et m'organisait des séances de jeux avec les enfants ou les petits-enfants de ses partenaires de tennis. Elle m'emmenait manger des frites au Hardee's et des glaces Dilly Bar au Dairy Queen. Je pouvais choisir le lit jumeau que je voulais dans la chambre du fond – la chambre d'enfant de mon oncle David –, et je pouvais passer de l'un à l'autre à ma guise.

Avant le coucher, Munca me donnait un bain et me mettait du talc. Une fois que j'avais enfilé ma chemise de nuit, que j'avais les cheveux brossés et que je sentais bon, elle m'emmenait voir Grumpa, qui lisait dans son bureau. En me voyant arriver, il posait son livre sur le canapé. Les paupières papillonnantes, je passais les bras autour de son corps imposant et lui plantais un baiser sur la joue.

« Bonne nuit, Grumpa.

– Bonne nuit, Bee », répondait-il de sa voix de baryton.

Et puis tante Janet finissait par arriver avec son mari Jim et leurs deux enfants, Judson et Jeremy, pour un séjour de deux semaines. On m'installait alors sur le canapé du bureau de Grumpa pour que les deux cousins soient ensemble dans la chambre du fond. Et si, jusqu'alors, le programme était fonction de mes envies de nager à Midland ou d'emprunter des livres à la bibliothèque, il y avait désormais en plus une famille de quatre personnes avec qui il fallait négocier.

Voilà, me disais-je, ce que c'est qu'une vraie famille – le genre que je voyais à l'école et à la télé, sauf que là c'en était une que je pouvais observer de près. J'étais fascinée. Mais j'avais beau avoir trois mois de moins que le plus jeune fils de Janet et deux ans de moins que l'aîné, je n'ai pas souvenir que tante Janet m'ait une seule fois prise dans ses bras ou m'ait aidée à enfiler mon manteau ou à mettre mes chaussures, ni qu'elle se soit occupée de moi de quelque manière – sauf si, pour une raison ou pour une autre, Munca ne pouvait pas le faire.

Je sentais toujours l'existence d'une frontière discrète. Il y avait la famille Smith : les deux enfants, une maman, un papa, comme un carré parfait. Et puis il y avait moi.

C'est dans ces moments que mon père me manquait le plus. Papa arrivait toujours à me réconforter quand le monde extérieur était chez moi source de malaise. Papa était celui qui savait le mieux m'aimer au monde.

Pourtant, quand j'étais en visite à Kewanee, on n'évoquait mon père qu'en chuchotant. Il n'était qu'un détail parmi de nombreux autres dont il fallait s'occuper – organiser des appels téléphoniques et ensuite, lorsque je serais un peu plus âgée, réceptionner ses lettres et ses cartes, et se procurer les timbres pour les lettres que je finissais par lui écrire. Il ne venait jamais à Kewanee, ni durant l'été ni pour Noël. Et jamais on ne parlait de lui en ma présence, pas plus qu'on ne me demandait de ses nouvelles. J'ignore s'il n'était pas le bienvenu à Kewanee, s'il n'avait jamais voulu y venir, ou si c'était un mélange des deux. Mais je me souviens que je franchissais une ligne invisible à la porte d'embarquement de l'aéroport. San Francisco était notre monde, notre royaume enchanté, notre *Fairyland*, et, au-delà, papa disparaissait.

J'adorais les étés à Kewanee. On me conduisait à la piscine chaque jour, j'avais droit à de délicieux repas, à autant de bonbons que je voulais, on m'achetait des habits neufs en centre-ville à J. C. Penney. Je pouvais regarder la télé à ma guise. Et pourtant j'avais l'impression qu'il manquait quelque chose. Je ne savais pas quoi, mais j'avais ce sentiment d'incomplétude.

Les photos accrochées aux murs de la maison de mes grands-parents ou alignées sur leurs bureaux et leurs buffets me disaient ce qui clochait :

Il y avait tante Janet et oncle Jim posant avec leurs jeunes fils pour la fête annuelle du cochon.

Il y avait oncle David à neuf ans en chemise à motifs écossais, tout sourire.

Il y avait Alysia au cours préparatoire, en robe bleue au grand col marin et coiffée avec des barrettes en plastique blanches, que Munca prononçait toujours en accentuant la première syllabe : BAR-rettes.

Il y avait un portrait en studio des cousins Judson et Jeremy qui ressemblaient à deux magnifiques poupées, en pull à col roulé et pantalon à motifs écossais.

Il y avait Janet sur des skis à Lake Tahoe, en train de dévaler une pente, et une autre photo d'elle avec sa frange courte et sa silhouette assombrie, prise dans les années 1950.

Il y avait Munca qui souriait devant une oie rencontrée sur le terrain de golf et, quelques photos plus loin, qui posait avec un esturgeon d'un mètre cinquante qu'elle avait attrapé en Alaska.

Il y avait des photos amusantes, des photos pleines de tendresse, des photos célébrant des aventures et des étapes importantes de la vie : remises de diplôme, voyages, mariages, anniversaires de mariage.

Voici cependant ce qu'on ne voyait pas : la photo de ma mère à quinze ans, l'œil timide, affublée d'une frange et d'un appareil dentaire peu flatteur. La photo d'elle, gamine de deux ans qui glousse dans une crinoline, coincée dans un fauteuil à côté de sa grande sœur Janet. Son profil de trois quarts, lumineuse en blanc à l'occasion de la remise des diplômes de fin de lycée en 1964. Le portrait sépia de mes parents en panoplie hippie – maman en cachemire, papa, les cheveux longs, avec sa barbe et ses perles –, tous deux ont les yeux baissés vers leur petite fille qui vient de naître. Des instantanés de Barbara avec moi. Des instantanés de papa avec moi.

J'ai retrouvé ces images en fouillant les armoires et les buffets de mes grands-parents. Parfois je demandais à rester à la maison quand tout le monde, hormis Grumpa, allait au Midland country club. Il lisait dans son bureau, et moi je m'occupais au fond de la maison. En creusant sous les piles de vêtements d'hiver hermétiquement rangés, je trouvais des vieilles boîtes à chaussures remplies de Polaroïd et de photos amateur tenus ensemble à l'aide de vieux élastiques desséchés. L'armoire de la chambre du fond renfermait une autre boîte lourde dans laquelle étaient rangés des portraits encadrés au format 28 × 25 cm et qui cliquetaient bruyamment quand je fouillais dedans. Il n'y avait guère que dans ces recoins sombres qui sentaient le renfermé (j'adorais l'odeur de ces recoins !) que je trouvais les photos prises la première fois que Barbara avait amené Steve à la maison, et celles de sa visite en solo de 1972, quand elle a posé avec moi sur la véranda de l'ancienne maison de Roosevelt Street.

Les photos exposées au grand jour et celles cachées au fond d'une boîte mettaient en lumière une certaine vérité, à savoir que mes parents n'avaient jamais occupé le même espace que le reste de la famille. Durant une période brève, ils avaient formé une famille avec moi ; cependant, ils ne faisaient pas partie de *cette famille-ci*. Les portraits en noir et blanc, aux cadres en faux bambou, montrant ma mère quand elle était petite avaient été décrochés après sa mort. Sur toutes les photos de moi encadrées – au mur dans le bureau de Grumpa, ou posées sur le buffet de Munca et sur sa table de nuit –, j'étais seule.

Tout comme mes parents n'apparaissaient pas dans l'espace physique de la maison de mes grands-parents, de même, chez mes grands-parents, on ne parlait jamais d'eux. Jamais n'était évoquée la date du 7 septembre, jour de la naissance de ma mère, ni celle du 28 août, date de sa mort. Personne ne dissimulait ostensiblement cette information, mais personne ne faisait non plus état de ces dates. Personne ne racontait que ma mère avait emporté ses peluches et ses bandes dessinées au Smith College, ni ne se souvenait de la fois où, à son retour de Northampton, elle avait jeté dans les toilettes du train un cake de Noël à moitié mangé parce qu'elle ne pouvait pas s'empêcher de le grignoter. C'est oncle David qui m'a raconté ces anecdotes à l'époque où, jeune adulte, je me joignais à lui pour de paisibles promenades à pied ou en voiture, durant lesquelles nous passions devant l'ancienne maison.

Voilà qui m'embrouillait. Si la famille refusait de voir papa, qu'est-ce que cela disait de lui ? Et si moi je l'aimais, qu'il me manquait et que j'avais hâte de le retrouver, qu'est-ce que cela disait de moi ? De nous ? Y avait-il quelque chose qui n'allait pas dans notre monde, dans notre San Francisco ? Ou bien y avait-il quelque chose de désagréable à entendre dans l'histoire de mes parents ?

Ma relation à la famille de ma mère était manifestement entachée par la tragédie de sa mort. D'autant qu'au fur et à mesure que je grandissais, notre ressemblance s'affirmait. À l'âge de treize ans, je me suis coupé les cheveux à la garçonne, comme ma mère en son temps. Ce qui a poussé ma tante Janet à prévenir ma grand-mère avant qu'elle ne me voie – Janet étant persuadée que ma coiffure allait contrarier Munca. Cette réaction m'a électrisée ; si je n'arrivais pas à me souvenir de ma mère, je pouvais au moins lui ressembler – cette jumelle disparue, ma moitié, mon double. Mais peut-être rappelais-je à Munca non pas quelqu'un qu'elle avait aimé, mais quelque chose qui s'était mal passé, des questions demeurées en suspens. Si Steve n'avait pas été gay, Barbara serait-elle encore en vie ? S'il n'avait pas été gay et qu'il avait également eu un emploi régulier, un *vrai* boulot, aurions-nous été aussi à l'aise, aurions-nous formé un tout aussi pittoresque que la famille Smith ?

Tout cela ressemblait à une erreur colossale : quelque chose qui n'aurait pas dû arriver.

Des années plus tard, Munca m'a rendu visite à Paris alors que je passais ma troisième année universitaire à l'étranger, voyage qu'elle qualifia de « réussite ». À la fin d'un après-midi de promenade dans les jardins du Luxembourg, nous nous sommes assises dans un café des environs pour boire un thé. Installée à une table étroite qui donnait sur la rue, j'ai expliqué à Munca combien mon père était important pour moi. Elle a hoché la tête. « Ce n'est pas que je n'apprécie pas Steve, a-t-elle dit. Je regrette juste qu'il ait épousé Barbara. »

Alors j'ai compris. Barbara méritait la vie confortable dont jouissait sa sœur aînée. Elle méritait de vivre dans une belle maison à Kansas City, Lake Forest ou Saratoga, avec deux enfants, deux voitures, et un chien baptisé Pokey. « Demande le divorce » : oncle David se souvient d'avoir entendu Munca hurler cela au téléphone. « Demande le divorce, Barb ! »

La vérité, c'est que ma mère n'aurait pas été heureuse si elle avait habité dans une banlieue résidentielle. Elle aimait mon père et n'était pas choquée par le fait qu'il soit attiré par des hommes. Comme beaucoup de gens de leur génération, mes parents ont cru à une révolution – les règles de la famille avaient besoin d'être brisées et réécrites, et il devrait y avoir de la place dans la société et le mariage pour la curiosité sexuelle, voire la transgression. Mais qu'est-ce qui a pris à ma mère d'abandonner ainsi sa fillette de deux ans pour prendre la voiture et sortir de prison son petit copain ?

J'imagine parfois un monde dans lequel ma mère ne rencontre jamais mon père. Ou bien un monde dans lequel elle le rencontre mais le quitte aussitôt pour un brillant diplômé d'Emory avec qui bâtir sa vie. Elle serait peut-être encore en vie aujourd'hui. Elle aurait peut-être fait une prestigieuse carrière de psychologue et eu une grande famille ainsi qu'une maison pleine d'animaux, comme elle l'avait toujours voulu.

Oui mais alors, où serais-je, moi ?

TROISIÈME PARTIE

MÈRES D'EMPRUNT

Steve et Alysia Abbott [Lincoln, 1978]

Je ne pige pas. Alysia et moi sommes vraiment cool.
Pourquoi ne trouvons-nous personne
pour nous aider dans notre trip ?

Steve ABBOTT

8

Elle voulait «sauver les enfants». Au printemps 1977, une certaine Anita Bryant, promotrice du jus d'orange de Floride, se fit connaître de toute l'Amérique en s'opposant publiquement à un arrêté des droits civils visant à interdire la discrimination contre les homosexuels, femmes et hommes, dans le comté de Miami-Dade. Des lois similaires avaient été votées dans tout le pays. Miami était néanmoins la première ville du Sud à prendre une telle initiative, et Anita Bryant, une chrétienne évangélique mère de quatre enfants, était prête à tout pour que cela n'ait pas lieu. Dans des spots publicitaires à la télé, elle comparait l'esprit sain et bon enfant de la Rose Parade aux danses mi-nues du défilé de la Gay Pride à San Francisco. Bryant développait l'argument selon lequel les avancées de la communauté homosexuelle en matière de droits attaquaient les valeurs américaines et constituaient une menace pour les enfants. Dans des annonces publiées dans la presse, elle expliquait sa position: «Ce que ces gens veulent vraiment, tapi derrière un obscur jargon juridique, c'est le droit de suggérer à nos enfants qu'il existe un autre mode de vie acceptable… Je mènerai une croisade comme jamais notre pays n'en a connu pour que cela cesse.»

Elle a baptisé sa campagne «Sauver les enfants» et, au départ, elle rencontra le succès. Le 7 juin 1977, les électeurs du comté de Miami-Dade votèrent à une très large majorité en faveur de l'abrogation de l'arrêté portant sur les droits des homosexuels.

La victoire, que la presse a qualifiée de Mardi orange, a inspiré à Bryant l'idée de lancer une première manifestation contre les homosexuels à l'échelle nationale. Ce qui eut pour effet de faire reculer la législation dans le Minnesota, le Kansas et l'Oregon. Sa présence télégénique a personnifié la campagne : elle apparaissait dans les meetings avec son brushing auburn et, la larme à l'œil, chantait «The Battle Hymn of the Republic* ».

Si sa campagne a été un succès, Bryant n'avait toutefois pas prévu que son combat contre les gays allait en fait contribuer à renforcer le mouvement en faveur des droits des homosexuels – à la fois en faisant entrer le sujet dans les salles de séjour de tous les États-Unis (au mois de juin 1977, *Newsweek* titra en couverture : «Anita Bryant contre les homosexuels») et en galvanisant la communauté concernée. Les gays, hommes et femmes, qui jusqu'alors ne se mélangeaient guère, étaient désormais exposés à une menace commune. Après la victoire de Bryant, ils défilèrent côte à côte par milliers, cinq jours durant, lors de manifestations de colère, à San Francisco et dans le reste du pays.

Toute une génération d'homosexuels, dont beaucoup avaient convergé vers San Francisco afin de goûter aux joies des discothèques de la ville ou simplement pour y trouver refuge, s'impliquait pour la première fois dans la vie politique. En 1977, plus de trente organisations politiques gays se sont créées dans la ville, du Black Gays Caucus à la Tavern Guild (qui mit en place un «gaycott» du jus d'orange de Floride dans ses bars) jusqu'à l'Union des mères lesbiennes (qui se battait sur le terrain juridique pour protéger les droits de garde des mamans lesbiennes) en passant par la Coalition de défense des gays à l'armée.

---

* Cet hymne à la gloire de Dieu écrit durant la guerre de Sécession est très célèbre aux États-Unis, où il est joué dans des contextes funéraires ou patriotiques.

À San Francisco, maintenant qu'à peu près un votant sur cinq était gay, les édiles municipaux ne pouvaient plus ignorer cette communauté. George Moscone, élu en 1975, est devenu l'un des premiers maires à nommer au conseil municipal des hommes et des femmes qui proclamaient haut et fort leur homosexualité. Le 2 août 1977, après avoir échoué au terme de plusieurs campagnes, un homme ouvertement gay fut élu à la mairie de San Francisco : le conseiller municipal Harvey Milk.

Papa était un soutien local de Milk et a défendu les droits des homosexuels de la manière qui lui paraissait la plus logique : sur un plan artistique. Il a écrit un poème sur Anita Bryant, qu'il a transformé en affiche façon bande dessinée et qu'il a ensuite, en ce mois de mai, lu en direct à la radio libre KPOO :

> *… Ô Humanité ! Quand donc retiendrons-nous les leçons de l'histoire ?*
> *Si nos enfants ont besoin d'être sauvés de quoi que ce soit*
> *C'est des chasseurs de sorcières avec leurs étoiles roses et leurs fours à gaz.*
> *Plus jamais ! Cette fois-ci, nous résisterons.*

Pour la couverture de son deuxième recueil de poèmes, *Wrecked Hearts* (1978), mon père a dessiné Jésus se faisant abattre dans un bar gay par un voyou arborant à l'épaule un tatouage «Anita forever». Et Jésus de déclarer : «Ça ne va pas recommencer !» tandis que la balle lui transperce le cœur. La page de titre met en scène Jésus posant à cœur ouvert – mon père ayant eu une enfance dévote à Lincoln, dans le Nebraska, il connaissait intimement l'imagerie du catholicisme. Juste à côté, Jésus lance un appel à l'action : «Ce qu'il nous faut, à nous autres tarlouzes, c'est une bonne révolution.»

J'avais six ans, bientôt sept, et j'étais trop jeune pour comprendre exactement pourquoi nous étions passés du jus d'orange au jus de pomme pour le petit déjeuner. Cependant, j'ai été imprégnée d'un sentiment de persécution : ils ne veulent pas de nous. Ils veulent se débarrasser de nous.

De fait, les raids contre les homosexuels ont fortement augmenté après la victoire de Bryant. Les homos de San Francisco se munissaient à présent de sifflets de police et organisaient des patrouilles dans les rues. Un soir de la fin juin, Robert Hillsborough, un jardinier municipal que les enfants du terrain de jeu où il travaillait appelaient M. Greenjeans, a été assailli par quatre adolescents alors qu'il descendait de voiture avec son petit ami. L'un d'eux l'a poignardé en pleine poitrine avec un couteau de pêche en le traitant de pédale jusqu'à ce qu'il meure.

Je n'ai remarqué les fleurs en hommage à Hillsborough à la Gay Pride que plusieurs jours après son assassinat, et mon père n'a pas jugé bon d'attirer mon attention là-dessus. Ma main dans la sienne, je me suis réjouie de voir cette énergique défiance jubilatoire, ce défilé bruyant empreint de fierté. Les journaux ont estimé que les participants au défilé avaient été entre deux cent mille et trois cent soixante-quinze mille cette année-là. On agita en l'air des drapeaux nationaux de toutes les couleurs, tandis que des hommes torse nu dansaient les uns avec les autres. Chacun y allait de ses hourras quand passait un contingent d'hétéros pour les droits des homosexuels. J'ai vu des ballons jaune pimpant et la diva disco Sylvester James qui chantait, juchée sur un char étincelant. Et partout on pouvait lire les pancartes rédigées à la main : « Nous sommes vos enfants. »

Toutefois, j'avais beau me sentir entourée d'amis à la Gay Pride, j'étais mal à l'aise à l'école et chez mes grands-parents. Je savais à quoi était censée ressembler une famille, et je savais que la nôtre était différente. J'avais beau aimer profondément papa, j'avais vraiment envie d'une maman. Je me suis mise à écrire des histoires qui résolvaient le problème causé par cette absence – des histoires au cours desquelles des animaux orphelins retrouvaient leur mère, s'en trouvaient de nouvelles ou bien fondaient des familles avec d'autres animaux orphelins. Ces petites histoires me valaient des éloges de la part de mes professeurs et de papa. L'été 1977, ayant pris en compte mon désir de famille, il a pesé le pour et le contre de ses propres aspirations :

26 juillet 1977 : Je me rends compte, à présent, que mon seul engagement véritable, profond et satisfaisant, est celui que j'ai avec Alysia. Il fut un temps où j'ai eu le fantasme (en particulier en vivant avec Ed) de pouvoir trouver un homme que j'aime, avec qui je pourrais vivre, et que ce serait aussi une bonne vie pour Alysia. Mais Alysia — et cela se confirme au fur et à mesure qu'elle grandit — n'est pas d'accord avec ça. Elle n'a pas ce qu'elle veut, ce qui, par voie de conséquence, m'affecte. Que ce soit à cause de la télé, de l'école, du conditionnement ou du modèle inculqué par ses grands-parents OU simplement parce qu'elle est cette enfant honnête qui dit que l'empereur est nu, elle ne veut pas de deux papas. Et, avec deux hommes, il n'est pas possible que l'un des deux soit la maman.

Donc quelles sont mes options ?
1/ Continuer dans la même voie — en l'occurrence aux côtés de colocataires avec qui il n'y a pas d'engagement ferme. Une vie de dérive.
2/ Chercher plus activement un homme (garçon) poète qui partagera ma vie avec Alysia. Ce serait l'idéal, mais je me demande si cela ne relève pas du fantasme, de la pensée magique, et que par conséquent ce ne soit pas réellement une option.
3/ Tenter de vaincre mon homosexualité et me lancer en quête d'une relation hétérosexuelle.
4/ Chercher une femme qui accepterait ma part d'homosexualité mais avec qui la relation irait plus loin que l'amitié (elle pour moi et moi pour elle) et qui assumerait également un rôle maternel vis-à-vis d'Alysia.

L'option 4 me semble pour l'instant la plus réaliste. La question qui se pose alors est de savoir comment y parvenir ?

Quelques mois plus tard, papa a fait passer une petite annonce dans le *Bay Guardian* de San Francisco : «Recherche quelqu'un de créatif, qui s'intéresse particulièrement à la poésie, et qui pourrait également aider ma petite fille Alysia.» En décembre, Lynda Peel, une mère célibataire, a répondu à l'annonce. L'année précédente, elle et sa fille de treize ans, Krista, étaient arrivées de leur petite ville du New Hampshire pour se bâtir une nouvelle vie à San Francisco. Le petit ami de Lynda les avait accompagnées et les avait aidées à s'installer, mais, maintenant qu'il était parti précipitamment, elle avait besoin de quelqu'un avec qui partager la maison qu'elle louait à Noe Valley. Un rendez-vous a été organisé.

Papa et Lynda se sont immédiatement plu. Lynda était une photographe féministe, sympathisante de la cause gay, et le cercle d'écrivains dans lequel gravitait papa l'intriguait. Plus important, en tant que femme divorcée, elle comprenait parfaitement le défi que représentait la poursuite d'une vie créative pour un parent célibataire. Lynda a dit qu'elle pourrait l'aider à s'occuper de son enfant et à entretenir la maison – deux choses si problématiques pour papa. Il participerait quant à lui en payant une partie du loyer, en achetant à manger et en prenant en charge les travaux de la maison, selon les besoins.

J'étais tout excitée à l'idée d'habiter avec une fille de mon âge. Nous avions déjà vécu avec des colocataires, mais peu s'intéressaient à moi et, habituellement, je jouais toute seule. Krista n'était pas comme les autres. Elle était à la fois enfant, et déjà un peu adulte. Elle portait des jeans ultra-moulants, des tonnes de fard à paupières, et sentait le parfum et la laque. Par la suite, elle me ferait penser aux ados coquines dans des films tels que *La Vipère* et dans des groupes de rock comme les Runaways. J'espérais qu'elle m'apprendrait à me maquiller, ou au moins qu'on jouerait à s'habiller chic.

En janvier 1978, nous avons fait nos valises pour nous installer chez Lynda, dans une vraie maison, avec un étage et un jardin. Loin du centre-ville, la rue était calme, ce que papa a tout de suite apprécié. La première semaine, j'espérais pouvoir jouer avec Krista après l'école mais, manifestement, elle n'était jamais à la maison. Et puis, un beau jour, une voiture de police s'est arrêtée devant la maison, et elle en est sortie, les yeux rivés au sol, la mine renfrognée. Elle avait fugué. Bien des conversations ont été chuchotées derrière des portes closes. Mon père s'est efforcé de prendre tout cela à la légère : «Des histoires de famille, a-t-il dit. Inutile qu'on s'en mêle.»

Le lendemain soir, une fois Lynda sortie pour son cours d'espagnol, Krista a demandé à mon père si elle pouvait m'emmener pour retrouver son petit ami. Elle a promis qu'elle me ramènerait à la maison à 20 h 30, pour l'heure du coucher. Papa travaillait à un nouveau poème et, ravi à la perspective d'avoir un peu plus de temps calme, il a donné son accord. Il m'a aidée à enfiler mon manteau et mes tennis, puis m'a fait au revoir de la main. Le petit copain, un maigrichon en jean serré qui avait une petite moustache et des favoris nous a emmenées jusqu'à la 25ᵉ Rue dans sa voiture rouillée.

Quelques heures plus tard, je me suis retrouvée assise à l'avant, tandis que Krista et son petit copain se bécotaient à l'arrière. J'ignorais l'heure qu'il était, mais il faisait nuit et je savais que j'aurais dû être au lit. J'avais école le lendemain. Sur le coup, j'étais excitée de me trouver là sans mon père. La rue était éclairée par des néons rouges qui clignotaient. La radio diffusait des histoires de désir et de survie, des histoires racontées avec des orchestrations palpitantes et triomphantes : «If I Can't Have You…» Au bout d'un moment, je me suis sentie mal à l'aise. Je m'étais lassée d'ouvrir et de refermer la boîte à gants. Un courant d'air humide entrait par un trou situé dans la portière.

«Je veux rentrer à la maison, Krista.»

Pas de réponse.

J'en avais marre, j'avais froid, j'ai commencé à m'inquiéter. Qui sont ces gens sur la banquette arrière qui discutent entre eux ? Qu'est-ce qu'ils racontent ? Qui sont les personnes qui passent devant la voiture et parlent une langue inconnue ? Où sommes-nous ? Et est-ce qu'on va rester là longtemps ? Les autres enfants doivent être couchés à cette heure, me disais-je. Je les imaginais sous leur couverture, leur peluche blottie contre eux.

« Je veux rentrer à la maison, Krista, j'ai froid !

– Fais pas le bébé. »

J'ai collé mon nez au cuir du tableau de bord en essayant de me concentrer sur les chansons à la radio. La musique semblait en phase avec la nuit – exotique et adulte, sombre et sans fin. J'ai écouté jusqu'à m'endormir.

19 janvier 1978 : Krista est sortie jusqu'à minuit avec Alysia. Gary (l'ex-colocataire/amant de Lynda) est allé la chercher à l'angle de la 22ᵉ Rue et de Mission Street. Lynda était aussi en colère après moi. Après avoir accompagné A-R à l'école, j'ai eu une longue discussion avec Lynda. Je me retrouve exposé à de trop fortes émotions & je pleure (en partie à propos du rejet parental). Discussion à bâtons rompus, sujets abordés en profondeur, mais c'est exténuant... Lynda a énuméré tous les tracas que lui cause Krista. (Qui a essayé de mettre le feu à leur maison l'été dernier, a donné de l'alcool à des enfants du voisinage, etc.) Je me sens quelque peu épuisé, et je culpabilise qu'Alysia ne trouve pas là une figure de sœur. Mais la maison est calme et paisible.

Bien décidé à ce que cette famille alternative fonctionne, papa a tout fait pour qu'on s'adapte à notre nouvelle maison. Le soir, Lynda et lui cuisinaient des plats végétariens élaborés, suivis de longues séances de « causette » au cours desquelles ils vidaient moult bouteilles de vin. Papa se retirait périodiquement dans sa chambre pour fumer car Linda refusait qu'on fume dans la cuisine. C'était une de ses règles. Elle en avait tout un tas.

Mon père l'appréciait, et espérait encore qu'elle devienne la partenaire domestique qu'il avait imaginée dans son journal au mois de juillet. Avant de sortir danser et de me laisser à la maison avec elle, tous deux préparaient le dîner ensemble. Mais Linda était une «mère de remplacement» intimidante. De carrure imposante et musculeuse dans son pantalon de peintre et sa chemise de paysan mexicain, elle se déplaçait avec brusquerie d'une pièce à l'autre pour préparer ses séances photo, durant lesquelles il ne fallait surtout pas la déranger. Le simple fait que je joue dans la cuisine pouvait provoquer sa bruyante descente de l'escalier, et elle apparaissait, les yeux furieux. Elle était souvent en colère et se bagarrait constamment avec Krista. Les portes claquaient. Des hurlements retentissaient dans les couloirs. Cela me fichait la trouille.

Un soir, après m'avoir mise au lit, papa s'est décidé à s'en entretenir avec Lynda au moment de débarrasser la table. Il a ensuite rapporté cette conversation dans son journal :

Je lui ai fait part d'une ou deux préoccupations qu'éprouve Alysia (à savoir : elle souhaite qu'on ne discute pas dans sa chambre, que Lynda n'entre pas tout le temps dans sa chambre, et puis Alysia a peur de Lynda). Lynda a dit qu'elle voulait répondre directement à A-R sur ces questions, que je faisais du «sauvetage» en agissant comme un intermédiaire. «Il existe un terme en psychologie pour ça, tu sais ce que c'est ?» & après quoi elle m'a asséné que je transférais mes sentiments sur Alysia. J'ai répliqué que je détestais être rangé dans telle ou telle catégorie et j'ai évoqué des situations où il a bien fallu que je défende Alysia (lorsque des élèves lui chipaient ses repas, l'embêtaient à l'école, etc. – si les parents ne faisaient pas ça, l'espèce ne pourrait pas survivre ; c'est une question de survie). J'ai le sentiment que Lynda essaye de gagner sur les deux tableaux... Quand elle exprime un besoin, elle «exprime ses

sentiments ». Quand je fais de même, alors là «je rouspète après
elle ». Toutefois, je l'apprécie, j'aime sa vigueur & son optimisme, sa
manière de tenir compte de ce qui se trame sous les interactions. Je
suis persuadé que le fait de vivre ici sera pour moi une expérience
formatrice.

Loin de la maison, papa a continué à se concentrer sur la poésie. S'étant imposé à Cloud House, il participait désormais régulièrement à des lectures dans tout San Francisco : City Lights à North Beach ; Owl and Monkey, un café de folkeux dans la partie de Sunset située en centre-ville ; et The Rose and Thistle, un bar hétéro à l'angle de California et de Polk Street. Cependant, papa avait beau apprécier ces soirées au sein d'un public varié, il sentait que ses poèmes explicitement gays créaient un certain malaise. Il a commencé à établir le contact avec des auteurs qu'il admirait via les pages de *Fag Rag* et de *Gay Sunshine*. Ces journaux, qui avaient tous deux été lancés dans les années 1970, publiaient des poèmes, de la fiction et des entretiens avec des auteurs davantage établis, comme Tennessee Williams et Gore Vidal, ainsi que des œuvres d'auteurs émergents, parmi lesquels mon père ou le poète de San Francisco Aaron Shurin. Dans une lettre à ce dernier, papa fait part des difficultés que lui posent les problématiques liées à l'identité et l'écriture :

> *Existe-t-il une poésie gay ou une esthétique gay ? Est-ce que tout*
> *poème écrit par un poète gay est un poème gay (façonné par une*
> *certaine conscience non-hétéro unique), ou bien est-ce que ce sont*
> *seulement le sujet et le point de vue qui font qu'un poème est gay ?*

Il confiait à Shurin son envie de fonder une «scène» intellectuelle qui lui permettrait de débattre d'idées et d'œuvres en compagnie d'auteurs aux préoccupations similaires. En février 1978, papa a organisé une «lecture de Saint-Valentin pour hommes», à laquelle il a convié Shurin et d'autres auteurs notoirement gays, parmi lesquels Dennis Cooper, Paul Mariah et Harold Norse. Il a intitulé l'événement « From Our Heart to Yours » et a réalisé des affiches en bichromie, qu'il a fait imprimer par centaines. Malheureusement, le moteur de notre vieille Volkswagen ayant rendu l'âme, papa a dû faire sa promotion en circulant en bus et en BART*, colportant ses lourds paquets d'affiches et de tracts dans les librairies de toute la baie de San Francisco. L'événement a fait l'objet d'articles dans le *San Francisco Sentinel* et le *Chronicle*. Si les critiques étaient mitigées, papa n'en a pas moins été ravi : il les a toutes découpées pour les coller dans son journal.

Krista a quitté la maison et s'est installée avec son petit copain. J'ai appris plus tard qu'elle avait intégré un gang latino local et s'était mise à fumer de la poudre d'ange et de l'herbe. Lynda n'était plus en mesure de la contrôler. Fatiguée des bagarres perpétuelles, elle a simplement demandé à Krista de prendre une décision pour savoir où elle voulait habiter, afin qu'elle puisse trouver un autre colocataire. Papa a essayé de m'expliquer ce qui se passait, et, imprégnée comme je l'étais de l'esprit communautaire de San Francisco, j'ai suggéré d'organiser une réunion avec Krista pour voir ce qu'on pouvait faire en vue de la rendre heureuse. La réunion n'a jamais eu lieu.

Le 25 avril 1978, St. Paul, dans le Minnesota, est devenue la deuxième ville à suspendre la mise en application de l'arrêté en faveur des droits civils des homosexuels. Anita Bryant a endossé sa posture habituelle face aux caméras de télévision : « Une fois de plus, comme dans le comté de Dade neuf mois auparavant, la majorité qui a pris des engagements moraux a remporté une grande victoire. Le message adressé aux hommes politiques est

* Le BART, ou *Bay Area Rapid Transit*, est un système ferré électrique propre à l'agglomération de San Francisco.

clair : les Américains qui vivent dans le respect de Dieu ne se soumettront plus au joug oppressant de l'immoralité militante politiquement organisée. »

Tandis que se répandait la nouvelle de la défaite de St. Paul, des gens sont descendus par centaines dans les rues de San Francisco pour protester. Un ami de mon père a appelé pour l'inviter à une manifestation de grande envergure qui se préparait dans le Castro. La plupart du temps, mon père avait trop à faire avec moi pour participer aux réunions et autres manifestations organisées par Harvey Milk et son cercle. Mais ce soir-là, il m'a confiée à Lynda pour pouvoir en être.

Quand papa est arrivé, les manifestants, dont beaucoup arboraient des tee-shirts «Squeeze a Fruit for Anita*» et des badges «Anita Bryant suce des oranges», s'étaient égaillés dans divers bars. Il s'est rendu au Toad Hall qui grouillait de jeunes hommes en jean moulant et grosses chaussures. Papa a bien vite retrouvé des amis, vidé quelques verres, et commencé à danser avec un beau gosse qui s'appelait Stu.

Sur la piste bondée, tout le monde se déchaînait au rythme d'une musique disco à fort volume. La disco, jusqu'alors un «truc gay», était désormais partout. «Night Fever», des Bee Gees, était la chanson numéro un de la semaine, et ses paroles semblaient capturer l'esprit de la nuit :

Listen to the ground
There's a movement all around
There is something going down
*I can feel it.***

---

* En argot, le terme *fruit* désigne un homosexuel. Il s'agit ici d'un jeu de mots que l'on pourrait traduire par «Presse un homosexuel pour Anita ».
** Écoute le sol / Il y a du mouvement tout autour / Il se trame quelque chose / Je le sens.

Après avoir réglé leur addition au bar, papa et Stu ont pris un taxi et sont rentrés à la maison.

26 avril 1978 : ce matin, Lynda et Krista se hurlent à la figure. Je suis en retard pour conduire Alysia à l'école et, le temps que je revienne, le môme Stu s'est volatilisé, de même qu'une boîte de bijoux anciens et mon magnétophone. Le petit imbécile a même oublié le cordon secteur. Embarqué aussi ma cassette de Jack Spicer. Peut-être était-il financièrement aux abois. Je ne sais pas. Est-il réellement possible de me voler quelque chose alors que je ne « possède » rien ? Drôle d'événement. Le fantôme de Toad Hall — s'il ne vole que votre cœur, estimez-vous heureux !

Au départ, papa a fait en sorte que ce vol demeure secret, mais il s'est ensuite rendu compte qu'une partie du matériel photo de Lynda avait également disparu. Évidemment, elle en avait « vraiment ras-le-bol ». Elle ne pouvait pas croire que mon père avait ramené un inconnu à la maison. Papa souhaitait remplacer tout ce qui lui avait été volé, ce à quoi elle a répondu qu'elle avait réfléchi à ce dont elle avait besoin et qu'elle voulait monter un collectif de femmes. « [Elle] a l'impression d'avoir trop d'énergie mâle dans sa vie », note papa dans son journal. Il ne lui a opposé aucun argument. Il était tout simplement content de trouver une porte de sortie.

Et la quête d'un autre domicile a repris.

En feuilletant le journal de mon père, il est difficile de ne pas être déçu par certains de ses choix. Le fait qu'il me laisse sortir avec Krista la fugitive, qu'il s'obstine à rester pendant des mois avec Lynda quand bien même il était clair que son foyer n'était pas un foyer heureux, ou qu'il me laisse toute seule. À quoi pensait-il ? Comment pouvait-il faire passer son travail et sa communauté en priorité ? Était-il trop défoncé pour se rendre compte que cet environnement n'était pas favorable pour élever une petite fille ?

Pourtant, je retrouve partout des preuves de son amour. Papa a envisagé de dépasser son homosexualité pour moi. C'est pour moi qu'il a emménagé avec Lynda et Krista. Par la suite, quand nous avons trouvé un F2 dans le Haight, il m'a attribué la grande chambre avec le balcon, prenant pour lui le séjour, qui ne devenait sa chambre que la nuit. S'il a échoué parfois en tant que parent, son échec était noble. Il a tâché de faire au mieux, même s'il n'a pas toujours su discerner ce mieux ni déterminer le moyen d'y parvenir.

Selon moi, le plus frappant est que, en dépit de toutes nos mésaventures, il n'a jamais renoncé à sa passion pour la communauté. Il était décidé non seulement à améliorer la qualité de son propre travail mais aussi à organiser et à augmenter la visibilité des poètes et écrivains gays partout, en publiant des posters et plus tard des magazines qu'il finançait lui-même. Mon père a accompli cela tout en bataillant pour que je reste dans une école bilingue et en poursuivant sa vie d'homme ouvertement gay. Il fut un pionnier.

Car il n'était pas facile d'être un père célibataire homosexuel dans les années 1970. Il n'existait pas de livre à ce propos, pas de logiciel Listserv, comme il y en aurait quelques décennies plus tard. Il n'y avait pas de modèle. Pour le meilleur comme pour le pire, mon père inventait les règles au fur et à mesure. Son seul guide était la conviction solide qu'il ne voulait pas que je sois élevée comme lui l'avait été.

Parce qu'il ne s'était pas senti libre d'être véritablement lui-même durant son enfance et son adolescence à Lincoln, dans notre *Fairyland*, notre féerie, il m'a élevée au moyen de frontières mouvantes. Quand il était petit, les enfants n'avaient le droit de parler que si on leur en donnait l'autorisation et les punitions physiques étaient leur lot quotidien ; chez nous, mon père m'invitait à donner mon opinion sur tout, de ses petits copains à mes punitions. Après une enfance où il avait eu droit à la fessée pour avoir couru tout nu sur la pelouse et où les marques d'affection étaient rares, papa m'a élevée dans une maison au sein de laquelle un homme nu pouvait parader dans le couloir, où j'habitais sur ses genoux et l'appelais mon petit copain. Il n'y avait jamais cette notion selon laquelle «cela ne regarde pas les enfants». Mon père m'emmenait partout, me présentait à tout le monde et travaillait dur pour me mettre sur un pied d'égalité. Et comme j'étais une enfant précoce et que papa était un adulte enfantin, à certains égards, nous étions effectivement sur un pied d'égalité.

Des conservateurs tels que Anita Bryant ou le sénateur de Californie John Briggs craignaient que des professeurs homosexuels inculquent aux enfants un «mode de vie gay». Papa n'a jamais déployé de tels efforts. Voici ce qu'il a écrit en 1975 :

Je ne m'efforce pas de faire d'elle une homo. Je ne dissimule pas mon homosexualité pour qu'elle devienne une adulte hétéro. Mais elle peut voir qu'il y a de nombreuses orientations et maintes façons d'être. Espérons que lorsqu'elle sera adulte nous vivrons dans une société où les dichotomies homo-hétéro et homme-femme ne seront pas si importantes. Où les gens pourront simplement être ce qui leur paraît le plus naturel, là où ils sont le plus à leur aise.

J'ai toujours constaté que les gens passaient du temps avec ceux qu'ils aimaient.

9

Ken Weichel, un ami de papa qui a parfois été son éditeur, a eu vent de tous nos ennuis avec Lynda et Krista. Il a donc proposé de nous loger temporairement dans deux pièces de la maison qu'il partageait avec sa petite amie Patti, à Merced Heights. Nous avons emménagé en mai 1978.

Le trajet en voiture pour s'y rendre était assez long – au-delà de l'université de San Francisco, on passait Stonestown Galleria, puis le restaurant Doggie Diner, où se trouvait la statue haute de cinq mètres d'un teckel coiffé d'une toque de chef cuisinier. Mais la maison de Ken était jolie, avec son étage, ses bardeaux en bois et sa petite surface de gazon à l'arrière. Et puis c'était calme. On entendait les oiseaux dehors et, de la cuisine, on apercevait une étroite bande d'océan. Quand papa m'a annoncé qu'on allait emménager dans la «maison du Doggie Diner», je me suis exclamée «Youpi, chouette alors!»

Passé mon enthousiasme initial, je me suis retrouvée bien seule. J'avais peu d'amis avec qui jouer et je passais le plus clair de mon temps toute seule après l'école, papa étant toujours occupé à écrire. Afin que je me sente vraiment chez moi dans ma chambre, papa a demandé à Ken s'il voulait bien que nous réalisions une peinture murale. Avec l'aide de papa, j'ai peint une île magique avec des palmiers, des licornes qui galopaient et un arc-en-ciel qui s'étirait dans le ciel. J'ai baptisé l'endroit Ecnarf – France à l'envers – et j'ai écrit ce nom en petites lettres vertes. J'ai décidé d'ajouter un peu d'eau à la cime des palmiers, pour donner l'impression que le vent soufflait dans les arbres. Ça rendait bien. Dans l'espoir de réitérer l'effet avec le troupeau de licornes, j'ai étalé de l'eau sur leurs pattes... ce qui a juste fait une sorte de grande bavure grise. Il n'empêche, ma peinture murale me plaisait bien, c'était ma chambre, mon refuge à moi.

Pendant ce temps, mon père travaillait à ce qui constituerait son troisième recueil de poésie, *Stretching the Agape Bra*. Par le truchement de ses lectures à Cloud House et des événements qu'il organisait dans tout San Francisco, dont une lecture pour la Gay Pride de 1978, il commençait à se faire un nom. Et quand un ami lui a demandé si cela lui plairait de reprendre le travail éditorial qu'il menait pour *Poetry Flash*, un bulletin de poésie de la côte Ouest de bonne réputation, papa a sauté sur l'occasion. Quelques jours plus tard, lorsqu'ils sont arrivés pour la réunion des employés au QG d'East Bay, ils se sont rendu compte que l'ancien personnel, débordé de travail et exténué, avait décidé de démissionner en masse.

Richard Hoover, de Hoover Printing Co., à qui était due la somme de soixante-quinze dollars, a proposé de prendre la relève en tant qu'éditeur. Cependant, il avait besoin d'un directeur de publication. Après un long entretien, il a proposé à mon père de prendre le poste et de constituer une nouvelle équipe. Papa, au départ hésitant, a donné son accord lorsqu'on lui a promis qu'il pourrait également écrire une rubrique mensuelle – davantage de travail, certes, mais l'occasion aussi pour lui de mettre en avant sa propre voix.

Juste après le rendez-vous, mon père s'est rendu chez Joyce Jenkins, qui habitait non loin. Cette poète locale avait dirigé le San Francisco Poetry Festival de 1978, et papa la connaissait de réputation : elle avait une grosse capacité de travail et était efficace dans des domaines où lui l'était moins – tout particulièrement dans l'attention aux détails. Il lui a proposé de devenir directrice de publication associée, et elle a accepté.

Ensemble, ils ont remis le mensuel sur pied. Quand ils ont commencé, *Poetry Flash* était pourtant endetté. En outre, on reprochait à cette publication d'être élitiste et conservatrice. Mais, au fil des quatre années qui ont suivi, le tirage mensuel a quadruplé (il est passé de mille cinq cents à huit mille exemplaires), et le lectorat s'est élargi. Papa et Joyce s'attachaient à ne pas favoriser une clique de poètes au détriment d'une autre, cherchant au contraire à publier les meilleurs auteurs issus de tous les horizons. Il arrivait parfois que papa assiste chaque semaine à sept lectures, voire davantage – y compris à Cloud House et North Beach où lui-même lisait ses œuvres, mais aussi des lectures de femmes, des lectures afro-américaines et des lectures asiatiques.

L'investissement personnel de papa dans *Poetry Flash* a bien vite été considérable. Je l'accompagnais souvent lors de ses voyages mensuels à East Bay pour les réunions à l'imprimerie Hoover. Je me rappelle le bruyant «ja-*junk*, ja-*junk*» de la presse tandis que nous descendions dans les bureaux en sous-sol, l'odeur grisante de l'encre et le paysage industriel austère du centre d'Oakland. Il n'y avait strictement rien à faire pour une fillette de huit ans et, durant ces visites, j'étais terrassée par l'ennui. Je préférais les réunions qui se tenaient chez Joyce, dans sa grande maison de Berkeley. Mon père et elle étalaient les maquettes sur la grande table en bois flotté du séjour, discutaient des détails, pendant que je jouais avec les magnets sur le réfrigérateur de Joyce et son chat pelucheux qui s'appelait Jessica.

Joyce avait des cheveux bruns et ondulés, des lunettes à large monture et un sourire généreux. Elle était jolie, gentille, et me donnait toujours quelque chose à grignoter. Elle m'a plu immédiatement. Si papa passait autant de temps avec elle, me disais-je, alors une histoire d'amour allait peut-être voir le jour. J'imaginais qu'ils se mariaient et que nous emménagions dans cette grande maison avec vue somptueuse sur les collines de Berkeley. Quand mes cousins Judson et Jeremy m'ont cuisinée au sujet de la vie amoureuse de papa, cet été-là, alors que j'étais chez mes grands-parents dans l'Illinois, je suis même allée jusqu'à faire d'elle sa petite amie.

La plupart du temps, si quiconque (habituellement des professeurs ou des parents d'amis) me demandait pourquoi mon père ne s'était jamais remarié, je baissais le menton et j'évoquais la mort de ma mère, laissant entendre qu'il l'aimait trop pour songer à la remplacer. J'ai appris par la suite que cette stratégie marchait encore mieux avec les inconnus trop curieux. Non seulement elle les détournait de la piste de la sexualité de mon père, mais de plus elle recentrait la discussion sur la mort de ma mère.

«Comment est-elle morte ?

– Accident de voiture. Une voiture l'a percutée et elle a été éjectée dans la rue.»

Cette histoire était tellement triste que les gens n'insistaient pas. Je savais néanmoins que cette tactique ne marcherait pas auprès de mes cousins préadolescents.

Nous étions assis dans le bureau lambrissé de mes grands-parents. J'entendais la lourde pluie d'été tambouriner sur la véranda de derrière, empêchant notre expédition quotidienne à la piscine. Nous étions tous les trois en train de goûter en regardant la télé sur un énorme téléviseur. Comme d'habitude, les frères se chamaillaient, comme le font les garçons de cet âge-là. «Espèce d'homo. – Non, c'est *toi* l'homo.» C'est alors que Judson s'est tourné vers moi. J'étais assise sur un fauteuil inclinable face à lui, et il m'a dit : « *Ton père*, il est homo.» Ils ont échangé un regard et ont éclaté de rire. J'étais en train de grignoter un Milky Way, l'une des dizaines et des dizaines de barres chocolatées que Grumpa stockait pour nous dans le congélateur du garage.

«Non, c'est pas vrai.

– Ah bon? En tout cas, il a pas de petite amie.

– Si, il a une petite amie. Il en a une.

– Et comment elle s'appelle, alors?

– Joyce.»

J'avais beau fantasmer sur une hypothétique histoire d'amour entre Joyce et mon père, il a bien fallu que j'accepte que rien de tel n'existait entre eux. De fait, elle a épousé celui qui était son véritable fiancé, et j'ai été celle qui a accompagné les demoiselles d'honneur. Mais j'avais tout de même un nom de famille et un portrait pour aller avec ce prénom : je savais que mon mensonge serait plus convaincant grâce à ces détails, et je m'y accrochais vigoureusement. «Elle s'appelle Joyce et elle a des cheveux bruns et des lunettes!» Mes cousins ne m'ont plus jamais posé de questions sur le sujet.

Mon père tenait dans *Poetry Flash* une rubrique mensuelle intitulée «Up into the Aether», une référence au «Heads of the Town Up to the Aether» de Jack Spicer. Sa rubrique, truffée de ragots littéraires, régalait la communauté de poètes de San Francisco autant qu'elle l'agaçait. Le poète et dramaturge Ishmael Reed a qualifié papa de «Hedda Hopper* du monde de la poésie» en raison de passages tels que celui-ci :

> *Gregory Corso est revenu d'Europe. Je le sais parce qu'il est passé à ma lecture avec Jack Mueller au Grand Piano et a tout fait pour essayer de la perturber. N'a pas réussi, bien entendu. «Ma foi, Jack, lui ai-je dit après coup, si les grosses légumes viennent nous chercher des noises, ça doit vouloir dire qu'on commence à représenter quelque chose.»*

* La comédienne Hedda Hopper est célèbre pour avoir tenu une chronique de potins qui paraissait dans le *Los Angeles Times* à la fin des années 1930.

Au sujet d'une convention de l'association Modern Language, il a écrit : « Les critiques universitaires continuent à prendre du gras en tissant leurs toiles de pointillisme confucéen alors que les véritables activistes et façonneurs de poésie vivent à la lisière de la pauvreté. »

Selon mon père, même la remarque la mieux intentionnée pouvait être mal prise. Il a bientôt été dénigré en public par des poètes qui montraient les dents, se considérant injustement récupérés. Il y a eu cette fois où Leon Miller, un poète mécontent, a décidé d'orchestrer un sit-in de protestation à *Poetry Flash*. Sauf qu'il s'est trompé d'adresse et qu'il a déboulé chez un agent immobilier, quelques portes plus loin.

Nonobstant, des poètes plus connus se sont rendu compte que *Poetry Flash* disposait désormais d'une remarquable diffusion pour un journal littéraire régional, et ils ont commencé à lui témoigner le respect qui lui avait fait défaut jusqu'alors. Papa s'amusait de se voir cité dans des magazines publiés dans des villes lointaines, voire des pays lointains, comme « l'un des chefs de file de la poésie à San Francisco ». Cela l'amusait car, depuis qu'il avait repris la direction de *Poetry Flash*, il avait peu de temps à consacrer à ses propres poèmes. Il était inondé de propositions de lectures et de demandes d'articles pour les numéros spéciaux de ces mêmes magazines qui avaient pourtant dédaigné sans ménagement les textes qu'il leur avait spontanément envoyés. « Quelle ironie, écrivit-il dans son journal, que la renommée me poursuive alors qu'à nouveau je ne fais rien et me pose des questions et doute quant à la direction que je veux prendre à partir de maintenant. »

Dans les pages de *Poetry Flash*, mon père a également été le premier à considérer avec sérieux un nouveau mouvement poétique qui allait dominer la région de San Francisco pendant plusieurs années : la poésie Language, ou L=A=N=G=U=A=G=E, émanation du magazine éponyme, par opposition à la poésie orientée performances «brutes» des écrivains Beat et de leurs descendants.

Au départ, mon père a été un peu rebuté par les poètes L=A=N=G=U=A=G=E en raison de leurs querelles intellectuelles. «Nous nous soucions de ce qu'il y a sur la page et non sur la scène», lui a dit le poète Ron Silliman. Ils en étaient manifestement convaincus et, contrairement aux autres poètes de San Francisco, les poètes L=A=N=G=U=A=G=E lisaient effectivement sur un ton plat, monocorde, débité façon feu roulant. Même sur la page, ils s'intéressaient avant tout à une langue déconstruite au point de pouvoir presque être soustraite au discours ordinaire. Contrairement aux amis de papa à North Beach et Cloud House, ces auteurs se critiquaient constamment les uns les autres et se voyaient comme des activistes du Modernisme, dans la tradition de George Oppen et de Gertrude Stein. Ils fournirent en tout cas une occasion à mon père de mettre en avant ses propres écrits, tout particulièrement dans les années qui allaient suivre.

Quand notre vieille Coccinelle Volkswagen est de nouveau tombée en panne, papa a estimé que je pouvais prendre le bus toute seule pour rentrer de l'école. J'avais presque huit ans et j'étais très grande pour mon âge. Papa m'a donc installée à la table de la salle à manger, devant une grande carte du Muni* de San Francisco, il a soigneusement tracé mon itinéraire. Le trajet depuis l'école allait me prendre presque une heure, il me faudrait emprunter deux bus et un tramway.

Je me rappelle l'immense espace béant qui s'étendait entre l'école franco-américaine et la maison de Ken où nous vivions. Le dernier tronçon du trajet, dans le bus M direction Oceanview,

---

* Le Muni Metro, abrégé en Muni, est le nom qui désigne le réseau ferroviaire public de San Francisco.

était le plus pénible. Je griffonnais dans mes carnets et cherchais à me distraire comme je pouvais.

Les rues de la partie occidentale de San Francisco sont baptisées par ordre alphabétique – Anza, Balboa, Cabrillo – et, comme le bus tournait vers le sud, j'adorais entendre le conducteur annoncer le nom des arrêts de sa voix nasillarde, tout particulièrement «Wa-*wo*-na, Wa-*wo*-na». Je reprenais du poil de la bête chaque fois que nous passions à hauteur de Larsen Park, à l'angle d'Ulloa Street et de la 19ᵉ Avenue, où un bombardier F-8 de la marine américaine, retiré de la circulation, était exposé sur une immense pelouse et servait de structure de jeu. Depuis la vitre du bus, je voyais des enfants grimper sur l'avion, et même pénétrer à l'intérieur tandis que leurs parents étaient assis sur les bancs alentour. Chaque jour mon bus passait devant cet avion, et chaque jour j'avais envie de descendre du bus pour monter dessus.

Et puis, un après-midi, alors que nous approchions Larsen Park, un rayon de soleil a enflammé la pointe platine de l'avion à réaction. Au moment où le conducteur s'apprêtait à refermer les portes du bus, je suis sortie. Un frisson de transgression m'a traversée : je me dirigeais vers le jet, qui paraissait bien plus grand vu du sol. J'ai posé mon cartable dans l'herbe moelleuse, j'ai escaladé l'une des deux échelles qui donnaient accès à l'intérieur de l'avion et j'ai ainsi pu explorer son tunnel intérieur et en découvrir tous les boutons. Une fois sur l'aile d'argent, je me suis allongée en m'imaginant ce que ça ferait de voler au-dessus de San Francisco. À mon arrivée, des hordes d'enfants grouillaient autour de moi, puis, au bout d'un moment, le ciel s'étant assombri, les parents ont commencé à appeler leurs rejetons pour rentrer.

Je suis allée à un arrêt de bus pour retourner chez moi. Un L direction Taravel et deux K direction Inglesides sont passés, mais pas de M direction Oceanview. Quand un deuxième L s'est arrêté, j'ai décidé de monter dedans : s'il ne me conduisait pas chez moi, je savais au moins qu'il desservait plusieurs arrêts du M – ça valait le coup de se rapprocher de la maison. Quand le L a tourné en direction du zoo, je suis vite descendue, sachant que c'était la mauvaise direction.

Il fallait que je rebrousse chemin jusqu'au M en direction d'Oceanview, mais j'étais découragée à l'idée de retourner à pied à mon point de départ, d'autant que la nuit commençait à tomber. Quand l'humidité de San Francisco s'installe, elle vous glace jusqu'à l'os. Vous avez beau fermer les boutons de votre pull-over, remonter la fermeture de votre anorak, le froid s'empare de vous. Juste à ce moment-là, une voiture s'est approchée du trottoir et s'est arrêtée. Tout en restant au volant, le conducteur m'a fait signe de m'approcher.

«Tu es perdue?

– Oui.

– Où est-ce que tu habites?

– À l'angle de Shields et de Beverly Street.

– Ce n'est pas très loin. Je peux t'accompagner. Monte.»

J'ai réfléchi à la proposition. Je ne connaissais pas cet homme, mais il avait un gentil sourire. Je voulais juste rentrer chez moi. Je m'apprêtais à ouvrir la portière de la voiture quand une dame est apparue à côté de moi. «Excuse-moi, petite, tu peux venir me voir?»

Elle m'a conduite par la main jusqu'à l'arrêt de bus et a lancé par-dessus son épaule: «Je m'occupe d'elle, merci!» J'ai tourné la tête et vu le véhicule s'en aller. «Je ne voulais pas que tu montes dans cette voiture avec un inconnu», m'a-t-elle dit. Elle portait un tailleur-pantalon, un sac à main, avait des cheveux bouclés et de grands yeux pressants. Je ne la connaissais pas, tout en ayant l'impression de la connaître.

«Ça va? Tu es perdue? m'a-t-elle demandé.

– J'ai pris le mauvais bus.

– Où est-ce que tu habites? Comment t'appelles-tu? Tu connais ton numéro de téléphone?»

Je lui ai répondu comme j'ai pu, mais je ne me souvenais pas du numéro. J'ai ressenti un mélange de gêne et de culpabilité. J'avais fait une bêtise et je me retrouvais maintenant liée à cette dame, dont j'avais besoin pour que les choses s'arrangent.

«Je suis désolée», ai-je dit.

La dame m'a fait traverser la rue jusqu'à une station-service où elle a réussi à trouver le numéro de téléphone de Ken dans un annuaire. Lui et Patti sont venus me chercher. Je me suis assise sur la banquette arrière et j'ai regardé la dame échanger quelques mots avec Ken, puis faire au revoir de la main tandis que la voiture s'éloignait.

«Alysia est trop jeune pour prendre le bus toute seule», a dit Patti à Ken sur le chemin du retour. Il s'est contenté de hausser les épaules, sans quitter la route des yeux. Ensuite, Patti s'est retournée sur son siège de manière à me faire face : «Je sais que ce n'est pas à moi de dire ça, mais je pense que c'est irresponsable de la part de ton père.»

À la maison, papa attendait dans l'entrée. Il était rentré pendant que Patti et Ken s'étaient absentés pour venir me chercher. Après que Ken lui a calmement expliqué ce qui s'était passé, papa s'est accroupi et m'a regardée droit dans les yeux.

«Je ne comprends pas, a-t-il dit. Pourquoi es-tu descendue du bus ?»

Je me suis précipitée dans ses bras. Il s'est mis à me gronder et à me sermonner, mais, maintenant que j'avais la tête enfouie dans les plis de sa chemise en flanelle, je n'entendais plus ce qu'il disait. J'ai su qu'on allait devoir déménager à nouveau. Appuyant mon oreille contre sa poitrine, j'ai humé son odeur familière. Le reste n'avait plus d'importance.

En novembre de la même année, le San Francisco que papa et moi connaissions a cessé d'exister. En l'espace de deux semaines, deux tragédies ont transpercé le cœur de la ville.

Le 18 novembre, le révérend Jim Jones, fondateur du Temple du Peuple, qui représentait une force politique importante à l'échelon local, a conduit ses disciples à un suicide collectif dans la jungle du Guyana. Plus de neuf cents personnes ont péri, pour la plupart des Noirs pauvres de San Francisco, dont deux cent soixante-dix enfants, tous empoisonnés par du cyanure versé dans leur jus de raisins Kool-Aid. « Le Massacre de Jonestown », ainsi que l'événement a été baptisé, a établi un record de pertes humaines américaines sur un seul jour en temps de paix, qui a tenu jusqu'au 11 septembre 2001.

Neuf jours plus tard, au matin du 27 novembre, le maire George Moscone et le conseiller municipal Harvey Milk étaient tués par balles dans leurs bureaux. La plus grande confusion régnait à l'hôtel de ville. Des journalistes ont d'abord soupçonné le Temple du Peuple d'avoir engagé des assassins pour tuer le maire, de même qu'ils avaient tué le député de Californie Leo Ryan quand il avait pris l'avion pour se rendre en Guyane. La conseillère Dianne Feinstein est alors apparue, impeccablement vêtue mais le teint livide, et elle a pris la parole devant une foule d'employés municipaux et de journalistes : « En tant que présidente du conseil municipal, je me dois de vous faire part de cette nouvelle : le maire Moscone… et le conseiller Harvey Milk… ont tous deux été la cible de tirs… et sont morts. » Dans la foule, qui comptait des reporters de guerre chevronnés, il y a eu des cris et des sanglots ; Feinstein a poursuivi : « Le suspect est le conseiller municipal Dan White. »

Catholique irlandais conservateur, White avait été élu au conseil municipal en 1977, l'année où Anita Bryant avait mené sa campagne « Sauver les enfants » en proclamant « défendre les valeurs traditionnelles ». La veille du meurtre, White avait passé une nuit blanche à manger des petits gâteaux en buvant du Coca, détail que ses avocats allaient exploiter par la suite.

La nouvelle s'est répandue dans San Francisco comme une traînée de poudre. Les écoles municipales l'ont annoncée par haut-parleurs. À l'école franco-américaine, ma classe a passé l'après-midi à rédiger des lettres de condoléances à Gina Moscone, la veuve du maire.

À la maison, papa a appris la nouvelle par la télévision. Il a immédiatement fondu en larmes. «D'abord Jonestown, écrit-il dans son journal. Et maintenant ça.»

En début d'après-midi, une foule immense s'est amassée à l'hôtel de ville. Au milieu des fleurs et des photographies, quelqu'un a disposé un écriteau peint à la main: «Contente, Anita?»

Les avocats de White ont expliqué que son alimentation à base de Coca et de Twinkies avait plongé leur client dans une sorte d'état second. Le jury, où les gays et les «nouveaux venus» à San Francisco brillaient par leur absence, a été ému par l'enregistrement de la confession de White au bord des larmes. Ils y ont entendu le cri d'un homme brisé.

Dan White s'était tout de même glissé par une fenêtre au sous-sol de l'hôtel de ville pour y pénétrer, avait tiré à quatre reprises sur George Moscone, avait rechargé son arme, puis traversé le hall et tiré cinq fois consécutives sur Harvey Milk, la dernière à bout portant. Cependant, Dan White a été reconnu coupable d'homicide volontaire sans préméditation – la sentence la plus légère possible.

Quand la nouvelle du verdict s'est répandue dans les rues de San Francisco, des manifestants ont pris d'assaut l'hôtel de ville par milliers, ils ont brisé des vitrines et incendié toute une rangée de voitures de police. En mettant le feu à la dernière voiture, un des hommes a crié à un journaliste qui se trouvait à proximité: «N'oublie pas de mettre dans ton article que j'ai mangé trop de Twinkies!» Les policiers se sont vengés plus tard, cette nuit-là, en faisant une descente dans le Castro, armés de leurs matraques.

Dan White a passé cinq ans, un mois et neuf jours en prison. Moins de un an avant la fin de sa mise en liberté conditionnelle, il s'est donné la mort en utilisant un tuyau d'arrosage pour acheminer le monoxyde de carbone qui s'échappait du pot d'échappement vers l'intérieur de sa Buick blanche.

10

C'est de nuit que j'ai découvert notre appartement situé sur Ashbury Street, au 545. Le locataire précédent était un ami de papa qui, suite à une séparation douloureuse avec son amant, nous a vendu la totalité de ce qu'il possédait dans l'appartement pour la modique somme de deux cents dollars. Il était pressé d'aller s'installer en Amérique du Sud avec le moins d'affaires possible, nous a-t-il dit, et voulait se débarrasser de toute «mauvaise énergie». Il gardait sur le balcon son chien Molly, un lévrier irlandais qui avait mâchonné la poignée de la porte, dont il ne restait plus qu'un minuscule moignon. Des paquets de poils gris de Molly jonchaient la moquette de la chambre qui donnait sur balcon.

«Ce sera ta chambre, a décrété papa. On peut remplacer la poignée et passer l'aspirateur sur la moquette. Ça te dirait d'avoir un balcon? Comme une vraie princesse!» En me cédant l'unique chambre à coucher de l'appartement, il m'offrait de l'intimité et de l'espace, cadeau auquel il aspirait lui-même, mais dont il mesurait l'importance aux yeux d'une fillette qui grandit.

Nous avons emménagé dans cet appartement victorien en janvier 1979. Sur la célèbre photo où le groupe Grateful Dead pose autour du panneau Haight-Ashbury, notre immeuble est celui avec les balcons, sur la droite des musiciens, celui qui donne l'impression d'être coiffé d'un chapeau de sorcière. Des clichés comme celui-ci allaient bientôt transformer notre coin de rue en lieu de pèlerinage pour des âmes venues du monde entier gonfler les rangs des clochards et des touristes munis de leurs appareils photo. Mais, à cette époque, les années 1970 touchaient à leur fin, et nous avions le 545 Ashbury Street pour nous tout seuls : c'était un superbe nouveau départ.

Durant notre première année dans l'appartement, papa a travaillé pour que nous nous y sentions bien : il a repeint les murs de ma chambre en lavande, ma couleur préférée, et m'a construit une mezzanine en pin pour mon neuvième anniversaire. Chaque soir, j'escaladais la frêle échelle, m'allongeais sur mon matelas en mousse et regardais par la fenêtre, contemplant Ashbury Street et les nombreux drames qui s'y déroulaient, comme sur une scène de théâtre.

La pièce adjacente, séparée de ma chambre par deux portes-fenêtres, était la salle de séjour, qui servait également à papa de chambre à coucher et de bureau. Il s'était aménagé un bureau pour écrire dans l'arrondi des fenêtres, face à Ashbury Street, et avait isolé cet espace du reste de la chambre par un grand carré de dentelle irlandaise jaunie qu'il avait tendu entre quatre bâtons de bambou. Il s'était également construit une bibliothèque de fortune contre le mur en empilant des cageots à bouteilles de lait orange et gris, sur lesquels il avait placé des planches en bois qui me collaient des échardes chaque fois que je passais la main dessus. Au fil des années, il a rempli ces étagères de différents ouvrages : services de presse de petits éditeurs de poésie et livres de poche aussi rares que poussiéreux glanés dans ses librairies préférées de San Francisco.

La porte à double battant de sa chambre donnait directement sur la salle à manger, qui était occupée par une table de trois mètres de diamètre fabriquée à partir d'un gros dévidoir pour câbles. Ce touret nous servait de table à manger, de table de réunion, de table à dessin, de table *à tout faire*. J'ai vu des tables similaires recouvertes d'une surface impeccablement lisse, mais la nôtre n'a jamais fait l'objet d'un tel traitement et, quinze ans durant, les miettes de milliers de repas se sont accumulées dans les nombreuses fissures et rainures de la table.

Une autre porte battante séparait la salle à manger de la cuisine, dotée d'une fenêtre lumineuse au-dessus de l'évier, mais dans laquelle on ne tenait pas à plus de deux – et encore, même à deux, c'était limite. La cuisine était peinte couleur caramel, avec un réfrigérateur vert avocat, un évier chromé, et un four datant de Mathusalem. Le four n'avait pas de conduit d'aération et les parois étaient visqueuses de graillon. Graillon que l'on retrouvait particulièrement aux abords du plafond. La crasse était toutefois compensée par une grande étoile pimpante que quelqu'un avait découpée dans du carton, peinte à la bombe pour qu'elle soit argentée, et suspendue en hauteur au-dessus du four. Vu par la porte ouverte de la cuisine, l'étoile semblait nous surveiller.

Nous avons passé presque quinze ans dans cet appartement, nulle part ailleurs nous n'avons habité aussi longtemps.

Du 545 Ashbury, nous avions accès à tant de choses à pied que nous avons cessé d'utiliser la voiture. Papa l'a garée à deux rues de chez nous, sur Oak Street, et elle y est restée du printemps 1979 à l'été 1980. Comme il ne tenait pas compte des avis sur son pare-brise, les contraventions se sont vite accumulées sous les essuie-glaces. En me baladant dans Panhandle Park, je les voyais claquer au vent comme un essaim de papillons blancs – jusqu'à ce qu'on découvre un beau jour que la voiture avait été enlevée par la fourrière.

« Quel soulagement, a soupiré papa. Cette voiture ne m'a causé que des ennuis ! »

Nous n'avons pas payé pour récupérer la Coccinelle et nous ne nous sommes pas non plus donné la peine d'acheter une nouvelle auto. Et papa ne s'étant jamais résolu à me donner des leçons de conduite, je n'ai appris à conduire qu'après mon quarantième anniversaire. Non pas que cela eût la moindre importance : nous habitions à proximité d'une demi-douzaine d'arrêts de bus et de tramway. Pour la modique somme de cinq cents, je pouvais me rendre n'importe où en ville, et les correspondances étaient valables toute la journée. Maintenant que j'étais plus grande, je pouvais utiliser les transports en commun toute seule.

À force de prendre le bus pour aller à l'école chaque jour et pour me rendre chez ma copine Kathy Moe les week-ends, j'ai commencé à parler couramment la « langue Muni ». Certes, le bus 71 direction Limited était techniquement plus rapide pour regagner la maison que le 7 direction Haight ou que le 6 direction Parnassus, mais ça ne valait jamais le coup de le prendre à cause de la cohue des gens qui sortaient du travail et qui ralentissaient inévitablement le service. Je savais aussi que je pouvais monter dans la voiture du milieu du N direction Judah avant Duboce Tunnel puis descendre juste après, ce qui m'évitait d'avoir à payer le trajet quand j'étais ric-rac. J'ai appris à me rendre à Fisherman's Wharf en partant d'Union Square en tramway sans payer. Et quand j'attendais un bus ou un trolley qui arrivait de l'autre côté d'une colline, je pouvais déceler et reconnaître le bruit du courant électrique, pareil au claquement d'un élastique géant, qui provenait du câble en l'air où des rails au sol. Ce son annonçait l'apparition imminente du bus, comme un écho inversé. J'adorais être capable de décrypter ainsi les itinéraires du Muni. J'avais l'impression d'écouter en douce les rouages internes du corps de la ville.

Un après-midi, après être descendue du bus au retour de l'école, j'ai cherché ma clé dans ma poche, mais elle avait disparu. En fouillant dans mon cartable, je n'ai rien trouvé. J'ai sonné chez nous, personne n'a répondu. Mon doigt s'est alors déplacé vers le bouton blanc et rond de la sonnette du numéro 2 et, après une brève hésitation, j'ai appuyé fort.

Robert Pruzan habitait en face de chez nous, de l'autre côté du couloir, dans un minuscule studio. Je ne connaissais pas Robert, en revanche je connaissais son jardin, découvert lors de mon premier après-midi au 545. En explorant seule l'escalier de derrière, j'avais suivi un corridor souterrain sombre et étroit, qui se terminait sur une porte fermée par un loquet. J'ai actionné le verrou, et là je suis tombé sur une oasis des plus extraordinaires, emplie de fleurs rares et exotiques : des orchidées, des lis et des bonsaïs à la silhouette déchiquetée. J'adorais jouer dans ce jardin. Nos compteurs électriques et à gaz devenaient une machine à remonter le temps. En réglant celle-ci sur « Préhistoire », j'arrivais près d'un marais après avoir échappé à des ptérodactyles, et me cachais alors sous les feuilles. Horticulteur passionné, Robert était paysagiste pour toute la ville, et devait sa renommée au travail qu'il avait effectué sur les jardins situés derrière le Shady Grove Café, dans le Haight. Il faisait tout pour éviter l'appauvrissement du Buena Vista Park, et a par la suite inspiré le Bosquet en souvenir du sida au Golden Gate Park.

« Bonjour...

– Salut. Vous êtes Robert ? ai-je crié à l'interphone.

– Oui...

– C'est Alysia. De l'appartement 1. J'ai oublié mes clés à l'école ! »

Il a ouvert la porte d'entrée de l'immeuble et m'a accueillie en souriant sur le seuil de son appartement. Je n'ai pas été surprise d'apprendre plus tard qu'il avait joué le rôle du fou dans *Le Roi Lear,* en 1969, au Roundabout Theatre.

« Hé, bonjour A-*lyyy*-sia. Entre donc ! »

Après un bref échange, Robert m'a fait traverser son appartement jusqu'à l'escalier de secours pour que je vérifie si ma porte de derrière était restée ouverte. Elle était verrouillée, alors nous sommes retournés dans son appartement, où j'ai attendu le retour de papa. Robert avait passé une bonne partie des années 1960 à Paris ; il y avait étudié le mime avec un élève de Marcel Marceau, et il avait une façon délicate et précise de se déplacer dans les limites étroites de son studio. Entre mes appels téléphoniques répétés à la maison, Robert m'a montré sa collection de pierres et de coquillages, m'expliquant avec un air théâtral la provenance de chaque pièce. Quand je lui ai dit que j'avais faim, Robert m'a donné des cœurs d'artichaut macérés dans le vinaigre, le seul aliment qui se trouvait dans son frigo. Nous avons regardé « Entertainment Tonight » sur son téléviseur à l'image tremblotante jusqu'à ce que mon père revienne.

Comme il m'est souvent arrivé d'égarer mes clés, j'ai été amenée à faire plus ample connaissance avec Robert. J'avais l'impression qu'il était chez lui en permanence. J'ai appris plus tard qu'il vivait sur un héritage familial et qu'il n'avait ainsi jamais été obligé de travailler. Il passait des journées entières derrière le rideau de la chambre noire qu'il s'était construite à l'intérieur d'un placard, à développer et imprimer des photographies prises en arpentant les rues de San Francisco – les défilés de la Gay Pride, les meetings de Harvey Milk, les kermesses de quartier. Nombre de ses photos étaient destinées au *Bay Area Reporter*, un hebdo gay de la ville pour lequel il travaillait comme journaliste photographe, mais il gardait la plupart de ses clichés pour lui.

Les murs de l'appartement de Robert étaient couverts de portraits encadrés de personnalités qu'il avait rencontrées et avec qui il avait souvent sympathisé : les écrivains James Baldwin et Thom Gunn, ou encore Sylvester, la diva disco. J'observais son matériel entreposé un peu partout, ses appareils photo et ses téléobjectifs, ses trépieds hauts sur pattes, tout cela m'évoquait les pièces éparses d'un robot démonté.

Un après-midi, quelques semaines après avoir fait la connaissance de Robert, je jouais à me déguiser. J'avais enfilé une longue robe blanche éclatante et j'avais fouillé dans ce qui restait des écharpes de papa et de ses bijoux datant de l'époque où il s'habillait en femme. J'ai enfilé son lourd collier égyptien incrusté d'ambres et de turquoises et un bracelet recouvert de fausses feuilles en cuivre. J'ai noué sur ma tête de longues bandes de dentelle. J'ai étudié mon reflet dans la glace de la salle de bains puis, satisfaite de ma transformation, je me suis mise à la recherche de papa, que j'ai trouvé à son bureau, en train de taper bruyamment sur sa machine à écrire. Une cigarette se consumait dans le cendrier à côté de lui. Il m'a adressé un sourire chaleureux mais, les doigts sur les touches, il s'est vite remis à taper.

Alysia Abbott [San Francisco, date inconnue]

C'est alors que j'ai pensé à Robert, et j'ai traversé le couloir.

J'ai frappé à sa porte, écouté le son étouffé de l'opéra, jusqu'à ce qu'il vienne ouvrir. Il m'a regardée des pieds à la tête, à présent l'opéra parvenait à plein volume de derrière lui, et un grand sourire a illuminé son visage.

«Oh, alors ça, dis donc! Tu es d'accord pour que je te prenne en photo?»

J'ai hoché la tête avec enthousiasme.

Il est allé chercher son Nikon. Puis il a réapparu, il m'a conduite dans le couloir recouvert de moquette qui reliait nos deux appartements. J'ai pris la pose, menton en l'air, le bras gauche tendu vers le haut, le bras droit vers le bas, la main gauche accrochée à la rampe de l'escalier. Quelques jours plus tard, il a remis à mon père un tirage 20 × 25 cm de notre séance photo, une photographie qu'il avait intitulée «Alysia en habits de communion», et que papa a ultérieurement publiée dans l'un de ses magazines. En contemplant le cliché aujourd'hui, je remarque ma montre Snoopy que l'on devine sous la manche immaculée, et je suis étonnée de voir combien je parais petite devant la rampe de l'escalier – bien plus petite et bien plus empruntée que je croyais l'être à l'époque.

À la fin des années 1980, un nouveau propriétaire a obligé Robert à quitter son studio au loyer plafonné. Nous avons perdu contact, et son jardin fabuleux a été envahi par les mauvaises herbes. Avant cela, j'ai rendu si souvent visite à Robert, les yeux écarquillés, toujours à réclamer quelque chose, qu'il devait avoir trouvé que j'étais une terrible enquiquineuse, même s'il ne me l'a jamais fait sentir. Avec son Nikon et par la suite son Polaroïd, il a patiemment documenté mes séances de déguisement et a même pris une photo de mon chat le jour où on l'a ramené de la fourrière. Robert s'arrangeait toujours pour que je me sente bien chez lui, comme si j'étais la fillette de neuf ans la plus fascinante qui fût.

Au début des années 1980, papa ne manquait pas de travaux d'écriture. Son poste de chroniqueur et de directeur de publication à *Poetry Flash* lui valait de nombreuses propositions de critiques de livres et d'entretiens avec les journaux gays locaux, avec *The Advocate*, un magazine basé à Los Angeles, et avec divers périodiques de poésie dans tous les États-Unis. Les échanges entre auteurs et rédacteurs en chef, qui accordaient davantage d'importance aux idées qu'aux considérations économiques, ont contribué à forger une culture qui a prospéré en se nourrissant d'art et de réflexions. Cela a constitué l'un des grands apports du San Francisco de cette époque. Toutefois, il fallait tout de même gagner de quoi payer les factures.

Pour arrondir les fins de mois, papa s'est fait embaucher dans le quartier financier : installé dans un petit box, il faisait des études de marché ; il a gardé ce job pendant des années.

En période de vaches maigres, il passait l'aspirateur dans les couloirs de notre immeuble en échange d'une partie du loyer. Cet emploi l'a conduit à accepter un poste d'homme de ménage dans des tours d'habitation de San Francisco. Je me souviens d'avoir grimpé Nob Hill jusqu'à un bâtiment particulièrement chic. Pendant que papa travaillait, je m'allongeais sur la moquette et, appuyée sur mes coudes, je terminais mes devoirs. Par les fenêtres, j'admirais la vue sur le centre-ville, alors en pleine phase de «manhattanisation» sous la houlette du maire Feinstein. Les façades des immeubles de l'Embarcadero étaient éclairées et ressemblaient à des cadeaux de Noël. J'avais dans les oreilles le vrombissement de l'aspirateur industriel. Me tournant vers papa qui bataillait gauchement avec une rallonge, j'ai éprouvé un mélange d'amusement et de pitié. «Ça va?» ai-je demandé avant de venir l'aider à démêler l'épais fil marbré.

J'ai appris ultérieurement qu'il avait exercé ces petits boulots pour financer de nouvelles aventures littéraires. Maintenant que nous vivions seuls et que nous n'avions plus de drames comme il y en avait avec les colocataires, papa pouvait véritablement se concentrer sur son œuvre. En tant que directeur de publication de *Poetry Flash*, il se branchait sur l'incroyable diversité et vitalité de la scène poétique de San Francisco. Il a supervisé plusieurs numéros spéciaux, dont «Écrits black de la côte Ouest» (septembre 1979), «Poètes amérindiens de Californie» (octobre 1980), la série de lectures «Grand Piano» (février 1981) et «Écrits gays» (mars 1981). Et en janvier 1980, il a lancé *SOUP*, énonçant clairement son projet dans le premier numéro :

Être dans la soupe, pour moi, c'est être dans le pétrin, dans la panade! Je m'y suis retrouvé quand j'ai commencé à écrire à des rédacteurs en chef et à des directeurs de publication : «Fichtre, j'aime votre mag, mais pourquoi ne soulignez-vous pas davantage les aspects historiques, politiques, les idées? pourquoi ne pas vous

attaquer à des sujets graves et effrayants ? pourquoi ne pas publier
ceci, cela ?» Ils me répondaient : « On dirait qu'il est temps que vous
lanciez votre propre magazine.» Justement, le voici.

Papa a conçu *SOUP* comme un moyen de pointer de
nouvelles directions littéraires. Il avait la vision d'un magazine
qui serait à la fois varié et progressiste, qui comporterait des
entretiens et des travaux en collaboration avec des auteurs gays
et lesbiens (Judy Grahn), des auteurs issus de minorités (Luisah
Teish), des auteurs transgressifs (Dennis Cooper et Kathy Acker),
ainsi que des figures plus anciennes qui avaient inspiré ces œuvres
plus récentes (Robert Duncan, Diane di Prima, Jack Kerouac).
Robert, notre voisin, a même fourni des photographies.

Comme cela se passait des années avant Internet, papa a
avancé lui-même l'argent pour faire composer, imprimer et
distribuer le magazine. Il espérait rentrer dans ses frais grâce
aux ventes. Le premier numéro s'est soldé par une perte sèche
de mille huit cents dollars, ce qui faisait une grosse somme
pour nous. Entre ses nombreux boulots et son poste dans la
société de marketing, le stress était considérable, comme en
atteste la lettre sous forme de BD qu'il a envoyée à John Dale.

Malgré ce stress, papa avait trouvé sa vocation en lançant
SOUP. Lorsqu'il s'agissait de promouvoir son propre travail – ses
bandes dessinées et ses recueils de poésie –, il pouvait se révéler
assez timide. Cette réticence était un reliquat de sa période de
formation à l'ère hippie, où l'autopromotion, et même le professionnalisme, était considérée comme bourgeoise. En revanche,
lorsqu'il s'agissait de chanter les louanges d'autres poètes, mon
père ne se perdait pas dans de tels atermoiements. Au fil de ses
interviews et de ses critiques pour *Poetry Flash*, et désormais
pour *SOUP*, papa mettait farouchement en avant les œuvres
d'autres auteurs, en particulier s'il estimait leur perspective perti-
nente, nouvelle et sous-exposée. Il a été l'un des premiers à

Lettre de Steve Abbott à John Dale [janvier 1980]

reconnaître l'importance du travail de Dennis Cooper et de Kathy Acker, mais, une fois que leur renommée a dépassé la sienne, il a eu l'impression d'être laissé en plan.

Quelques mois après la sortie de *SOUP*, papa et son ami Bruce Boone, un auteur homosexuel plus âgé que lui, marchaient dans la rue quand mon père a fait remarquer que tous les auteurs qu'ils connaissaient étaient blancs. Papa et Bruce venaient de terminer un séminaire de deux semaines avec le critique littéraire marxiste Fred Jameson et étaient d'humeur à initier un changement, surtout à la lumière de la récente intronisation de Ronald Reagan et de l'autoproclamée Majorité morale qui avait

143

contribué à le faire élire. « Ma foi, que pourrions-nous faire ? »
a demandé Bruce. Après avoir discuté et réfléchi, ils ont décidé
d'organiser une conférence de deux jours, qu'ils ont intitulée
« Left/Write » – jeu de mots à la fois sur le pas cadencé gauche-
droite-gauche-droite des militaires et sur l'orientation gauchiste
des auteurs qui, espéraient-ils, allaient participer. Le but était de
réunir des auteurs aux préoccupations esthétiques divergentes,
voire concurrentes, dans l'espoir d'encourager « un sens militant
d'unité à gauche ».

Plus de deux cents personnes sont venues occuper le presby-
tère de Noe Valley en février 1981. Plusieurs ateliers étaient
proposés : « La critique comme outil politique », « Impact
politique des écrits gays et lesbiens », « Écrits radicaux d'Américains d'origine asiatique », et bien d'autres encore. Ron Silliman,
le seul poète L=A=N=G=U=A=G=E participant, a imploré le
public de « laisser [ses] divergences esthétiques à la porte, comme
les cow-boys avaient coutume de laisser leurs armes à la porte ».
On a pourtant tiré parfois à boulets rouges, et nombre de tables
rondes se sont terminées dans les cris. Mais toutes ces rencontres
ont fait salle comble.

Au cours de la décennie précédente, chacune de ces différentes coalitions avait organisé des meetings et des manifestations pour sa propre cause. « Left/Write » était important
dans la mesure où il s'agissait d'amener les groupes à discuter
ensemble, certains pour la première fois. L'événement a inspiré
de nombreuses rencontres à thématique identitaire, dont « Out/
Write ». Et si « Left/Write » ne lui a financièrement rien rapporté,
papa était fier d'en assumer la paternité.

Le fait que papa s'implique davantage en littérature signifiait que je passais encore plus d'après-midi et de soirées toute
seule. En rentrant de l'école, je trouvais le plus souvent un mot
griffonné et un plateau-repas de chez Swanson au congélateur,

ou cinq dollars pour m'acheter quelque chose dans le quartier. Si je n'étais pas d'humeur à embêter Robert, j'organisais des interviews avec Heidi, notre chatte tigrée grise, que nous avions baptisée ainsi parce qu'elle avait tendance à se cacher sous les meubles chaque fois que j'entrais dans la pièce*. Je posais une question à Heidi, puis lui pinçais l'oreille avec mes ongles pour obtenir une réponse, et j'enregistrais nos échanges à l'aide du magnétophone de papa. Mais ce type d'initiative ne faisait que la rendre plus insaisissable.

À l'âge de dix ou onze ans, j'étais très forte dans l'art de me faire inviter à dîner chez mes copines. En prenant le bus tous les jours pour aller à l'école franco-américaine et en revenir, j'étais devenue amie avec plusieurs enfants qui effectuaient le même trajet, dont certains n'habitaient pas très loin de chez moi.

J'étais particulièrement proche de Yayne, dont le père était éthiopien et la mère afro-américaine. Née le premier jour du printemps, expliquait-elle, elle s'appelait Yayne Abeba, «Prunelle de mes yeux» en éthiopien. Elle m'avait aussi dit qu'elle descendait d'une famille royale et je l'avais immédiatement prise au mot, scellant ainsi notre amitié. Bientôt nous nous saluions dans les couloirs de l'école en déclamant nos prénoms dans leur intégralité :

«Yayne Abeba Mengeshe Wondafarow!

– Alysia-Rebeccah Barbara Abbott!»

Les parents de Yayne étaient propriétaires d'une boutique d'articles de sport, Hoy's Sport où nous nous rendions après l'école, et nous chahutions jusqu'à ce que sa mère finisse par grogner – «Vous me tapez sur le système, les filles!» – et nous fasse sortir sur Haight Street. Nous allions traîner à la bibliothèque du quartier, lisions de vieux exemplaires de *Rolling Stone*

* En anglais, le verbe *to hide*, à la sonorité proche de «Heidi», signifie «se cacher».

et du *National Lampoon*, et nous finissions presque toujours à Kiss My Sweet, un café sur Haight Street identifiable grâce à son enseigne en néons : une paire de lèvres plissées dont le rose étincelait dans les vitrines jumelles. Nous y buvions du thé à la menthe que nous sucrions à grand renfort de miel. Assises devant nos tasses fumantes, nous pressions le flacon de miel en forme d'ours, de manière à ce que le miel «passe» comme dans un percolateur, en synchronisation avec le jingle du café Maxwell : «*Da* na na na *na* na / Na na na *na na.*»

Nous revenions au magasin Hoy's Sports juste avant la fermeture. Une fois que la mère de Yayne était montée à l'étage pour faire la caisse, nous braquions vers le sol les spots qui éclairaient le présentoir des chaussures de jogging. Puis nous montions à fond le volume de la radio, réglée sur la station KFRC, et chacune de nous imitait à son tour les poses suggestives des chanteuses que nous avions étudiées en regardant «Solid Gold», un hit-parade hebdomadaire présenté par Marilyn McCoo.

Chez Yayne, à l'étage, au-dessus du magasin, nous jouions aux poupées Barbie, imaginant des vies adultes : aller à l'université, passer chercher nos charmants petits amis au volant de nos Corvette violettes. Quand j'entendais le bruit des couverts et des assiettes sur la table et que je sentais les effluves du dîner, je n'étais pas pressée de rentrer à la maison. Ma stratégie, qui avait commencé de manière inconsciente, était de traîner sur place jusqu'à ce que, inévitablement, ce soit l'heure de passer à table. Chez Yayne, de même que chez mes autres copines, j'avais appris à m'attirer les bonnes grâces des parents, avec mon regard d'orpheline. Je faisais mine d'être étonnée quand l'invitation était finalement lancée mais, avec le temps, je m'y attendais.

«Voudrais-tu rester dîner avec nous, Alysia?

— Il faudrait que j'appelle mon père», disais-je.

Dans l'autre pièce, je composais le numéro de chez nous, et ça sonnait dans le vide, vu que mon père était de sortie.

Je retournais alors voir les parents de mon amie et j'annonçais : « Il a dit qu'il était d'accord. »

Pendant ces années-là, j'ai peaufiné certaines techniques et mes bonnes manières plaisaient aux familles. À court terme, cela me permettait de me joindre gaiement au repas du soir et, à long terme, cela suscitait de nouvelles invitations. J'étais polie, je disais toujours « s'il vous plaît » et « merci », je posais des questions, riais de bon cœur, et j'aidais toujours à débarrasser.

Les parents de mes camarades semblaient généralement heureux de m'accueillir. Ma présence apportait parfois une distraction bienvenue aux frères et sœurs qui avaient tendance à se chamailler. Ils savaient également que j'habitais seule avec mon père, et, le temps aidant, j'étais traitée comme un membre de la famille. Mengeshe, le papa de Yayne qui sentait bon l'eau de Cologne, avait pris l'habitude de m'appeler *monster* (monstre) de son épais accent éthiopien, et moi, en modifiant à peine sa prononciation, je l'appelais *man star*.

J'étais fascinée par ces papas, mais plus encore par ces mamans qui travaillaient, ou qui restaient à la maison et faisaient en sorte que le frigo soit toujours rempli de bonnes choses, qu'il y ait toujours des serviettes propres et des bols pleins de pots-pourris dans la salle de bains. J'adorais rechercher des ressemblances physiques entre mes copines et leur maman, et j'étais réceptive à tout témoignage d'affection et de tension.

Kathy Moe, la fille de David Moe – le poète de Cloud House –, vivait avec sa mère dans le quartier de Sunset depuis que ses parents s'étaient séparés. Elle habitait à quelques rues seulement de l'océan. Sa mère était une artiste à la frêle carcasse, originaire du Kansas, toujours en train de peindre par petites touches d'imposants portraits de femmes au clair de lune. Ses modèles lui ressemblaient : de grands yeux, pâles de peau. Mais si la chevelure des femmes qu'elle représentait en peinture était toujours épaisse et abondante, j'ai remarqué que la sienne était clairsemée et cassante. Je suis certaine que Kathy lui mettait les nerfs en pelote. Elle se réfugiait dans l'encens et le bouddhisme. De l'autre côté de la porte close, Kathy et moi ricanions en l'entendant psalmodier «Nam-myoho-renge-kyo».

Je passais parfois des week-ends entiers chez Kathy à regarder les films d'horreur du vendredi soir, et *La croisière s'amuse* suivie de *Fantasy Island* le samedi soir, en mangeant des macaronis au fromage de chez Kraft et des bols de céréales ultra-sucrées qui coloraient notre lait d'un gris bleuté. Cependant, et ce n'était pourtant pas l'envie qui m'en manquait, je ne pouvais jamais rendre la pareille à Kathy. Elle était asthmatique et ne pouvait pas passer plus d'une heure chez moi avant de se précipiter sur son inhalateur.

La poussière qui incommodait tant Kathy était invisible pour papa et moi. Nous n'avions personne pour faire le ménage et nulle convention explicite entre nous quant à l'entretien de l'appartement. De temps en temps, papa me demandait de faire la vaisselle et j'en faisais un jeu. Notre bac en plastique dans l'évier devenait une marmite posée sur le feu dans laquelle moi, grand chef cuisinier, je préparais une «bonne soupe de vaisselle». Papa et moi nous relayions pour sortir les poubelles au bout de la ruelle chaque semaine mais, en termes de ménage, c'est à peu près là que s'arrêtaient nos corvées. Nos chambres respectives étaient envahies de livres et de papiers, la moindre surface était couverte de vêtements. Nous ne mettions un peu d'ordre que lorsque papa organisait un dîner à la maison ; même dans ces cas-là, les gens qu'il invitait appréciaient toujours un certain degré de saleté et de bazar.

Et puis un soir, en me lavant les dents, j'ai remarqué qu'il y avait de la crasse dans le lavabo de la salle de bains – par curiosité, j'ai pris un peu de papier toilette et je l'ai passé sous le robinet avant de frotter pour ôter la crasse. Quelle satisfaction ! C'était rigolo de nettoyer quelque chose de sale, c'était comme faire disparaître à la gomme des inscriptions au crayon de papier. Je me suis donc mise à «nettoyer» périodiquement la salle de bains en prenant du papier toilette que j'humidifiais au préalable sous le robinet; j'éprouvais toujours une certaine fierté car, si papa ne me demandait jamais de m'occuper du lavabo, il remarquait toujours quand je l'avais nettoyé.

À force de passer tant de soirées et de week-ends chez mes copines, je me dis que j'ai dû ennuyer certains parents, qui n'avaient peut-être pas prévu d'avoir une bouche supplémentaire à nourrir. Mais j'étais extrêmement attentive à cette éventualité. Si je détectais la moindre hésitation quand une copine demandait à ce que je reste, si j'entendais des murmures derrière la porte ou si je surprenais les parents levant les yeux au ciel, je m'empressais de rentrer à la maison. J'avais toujours Haight Street.

Quand nous avons emménagé au 545, le quartier se remettait doucement de son passé miteux. Il y avait un grand nombre de bars et de magasins dédiés à la vente d'alcool, et nombreuses étaient les devantures condamnées par des planches. Mais, au fil des années 1980, le quartier est devenu plus chic. Des magasins comme Coffee Tea & Spice, Bakers of Paris, Auntie Pasta et la boutique de la famille de Yayne ciblaient une classe moyenne soucieuse de son alimentation et de sa santé. Dans le même temps ouvraient de nouveaux magasins, dont les propriétaires étaient gays, et ceux-là parmi d'autres avaient des noms suggestifs. Outre le café Kiss My Sweet, il y avait une boutique d'artisanat qui s'appelait The Soft Touch, un antiquaire spécialisé en meubles anciens nommé Sugartit, et un grand magasin de jouets avec une fontaine glougloutante baptisé Play With It. Gamine, j'adorais le Haight.

Les week-ends, Kathy et moi achetions des sandwichs au Viking Sub, puis nous allions faire du roller au Golden Gate Park. Nos longs cheveux volaient au vent tandis que nous dévalions la colline vers le tunnel. Sur le terrain de jeu, nous enlevions nos patins et chevauchions les balançoires en demi-lune puis glissions à toute vitesse sur des bouts de carton dans les toboggans en ciment. Nous finissions par rouler jusqu'au De Young Museum, à proximité de là où les danseurs de boogie en rollers s'installaient chaque week-end. J'adorais leurs petits shorts aux couleurs vives, leurs ondulations gracieuses, la façon qu'ils avaient de manœuvrer autour de gobelets disposés à l'envers et les acrobaties qu'ils réalisaient sur les rampes pendant que la voix de Donna Summer sortait d'un gros magnéto à piles.

Après l'école, j'allais souvent à Wauzi Records, un magasin de disques qui se trouvait de l'autre côté de la rue, en diagonale par rapport à notre appartement. Le plafond était orné de présentoirs en carton suspendus, les murs du fond étaient couverts d'affiches, et des haut-parleurs diffusaient de la musique à fond. J'y restais des heures à passer en revue des rangées entières de vinyles, naviguant entre la pop rock, le heavy metal et le R&B. Je faisais toujours halte devant les pochettes suggestives des disques de Vanity 6 où l'on voyait trois femmes en noir et blanc avec des vestes rouges, toutes outrageusement maquillées et faisant la moue sous le titre gribouillé « Nasty Girl ». Dans la section heavy metal, je scrutais les pochettes d'albums de Judas Priest, de Scorpions et de Black Sabbath sur lesquelles étaient dessinés des démons bouillonnants de colère vêtus de camisoles de force et des squelettes vengeurs à la coupe mulet, brandissant des haches ou rampant hors de tombes – autant d'images sorties tout droit d'un cauchemar. Avant YouTube, avant que tout le monde ait MTV, c'est ainsi que nous abordions la culture et que nous mûrissions nos choix vestimentaires : en « surfant » du coq à l'âne. Où est ma place ? me demandais-je. Quelle tribu est la mienne ?

Quand on arpentait le Haight dans les années 1980, l'air ambiant sentait les effluves d'herbe, la pisse et le patchouli. Et à vos oreilles, le murmure constant : « Une dose ? Une dose ? » Ou : « Beuh, bonne beuh. » Ma drogue préférée, à l'époque, c'était les bonbons, et avec les cinq dollars que papa me laissait pour dîner, je me rassasiais d'une cuisse de poulet frit chez Fat Fong's, après quoi il me restait encore plein d'argent pour aller m'acheter des friandises à Coffee Tea & Spice.

La cloche de la porte d'entrée retentissait, et le carillon était suivi de l'odeur puissante et légèrement amère du café fraîchement moulu. Mon attention se portait alors sur les comptoirs en bois poli où se trouvaient les gros bocaux en verre remplis de bonbons : raisins secs enrobés de chocolat, framboises rouges et noires aux minuscules «grains» de sucre qui craquaient sous la dent. À côté, il y avait les oursons allemands que j'adorais, vendus vingt-cinq cents la livre. Je contemplais éberluée la petite pelle en métal de l'employé qui versait les oursons dans le sachet blanc, puis savourais le bruit mat de la balance lors de la pesée. Les bons jours, j'arrivais à avoir dix-huit oursons ; les moins bons jours, seize seulement.

Dans toutes les boutiques du Haight que je fréquentais, je finissais par faire connaissance avec les vendeurs, qui étaient prisonniers derrière leurs caisses enregistreuses. À Coffee Tea & Spice, je me suis liée avec Sean, originaire du Kentucky. Il avait des yeux bleus éblouissants, une moustache victorienne à la pointe cirée, et un mélodieux accent du Sud. Il m'adressait toujours de grands sourires et était généreux avec la balance, allant souvent jusqu'à me donner dix-neuf voire vingt oursons contre mes vingt-cinq cents. Tant et si bien que, lorsque j'ai reçu mes photos de sixième, j'en ai soigneusement découpé une au format 4 × 8 cm, je suis allée à Coffee Tea & Spice et l'ai offerte à Sean, qui était derrière son comptoir. Quand j'y suis retournée la fois suivante, il m'a invitée à passer derrière la caisse et m'a montré qu'il avait scotché la photo et gribouillé des petites cornes de part et d'autre de ma tête. La photo allait rester sur la caisse pendant des années.

Après Coffee Tea & Spice, j'allais à Etc. Etc., un magasin de gadgets fantaisie dont l'attrait principal était les rouleaux d'autocollants. Mes copines et moi collectionnions dans des classeurs des stickers de licornes, des autocollants à gratter pour en sentir les arômes et des disques qui révélaient un arc-en-ciel quand on les inclinait dans la lumière. Je feuilletais aussi des éphémérides Garfield et convoitais des assiettes Betty Boop ou Popeye, du baume odorant pour les lèvres, vendu dans de petites boîtes en métal, en plus de peluches de tous types et de toutes tailles. Je lorgnais tout particulièrement une horloge Félix le Chat qui était suspendue au mur derrière la caisse. Les yeux et la queue du célèbre chat noir et blanc étaient ornés de pierres précieuses et bougeaient de gauche à droite et de droite à gauche à chaque tic-tac.

Kent Story, le propriétaire de Etc. Etc., était extrêmement gentil et a bien voulu que je l'interviewe pour un exposé que je devais faire en sixième. Nous nous sommes assis sur les marches à l'arrière du magasin. Le magnétophone de papa lourdement posé sur mes genoux, je tenais dans ma main la liste des questions que j'avais rédigées. « Quel est l'article le plus cher du magasin ? Quel est le moins cher ? »

Quelques années plus tard, Kent allait contracter le sida et, comme beaucoup lors de cette première vague épidémique, il est rapidement tombé malade. Etc. Etc. (et les autres magasins qu'il possédait dans la rue) allait changer de main et finirait par être remplacé, laissant place à des boutiques de chaînes aux vitrines ultra-éclairées. De même, Gaston Ice Cream au coin de Haight et d'Ashbury Street serait supplanté par un Ben & Jerry's et Wauzi Records, sur le trottoir d'en face, serait remplacé par Gap. À côté de Gap, le Seeds of Life allait devenir Z Galleries… Et ainsi de suite.

Au début des années 1980, je croyais aux licornes et aux arcs-en-ciel, au pouvoir des lacets scintillants et du gloss goût cerise. Mes copines et moi reprenions en chœur les chansons d'Olivia Newton-John. Nous étions persuadées de vivre « la plus belle période » de notre vie. D'être réellement magiques. Comme Newton-John dans le film *Xanadu*, nous pensions être des muses ayant pris la forme de simples mortelles en rollers. Je croyais dur comme fer que cette décennie allait nous emporter loin à dos de chevaux ailés. Mais, à la fin de la décennie, les créatures fabuleuses avaient pour la plupart péri. Je ne croyais plus aux licornes. Nous n'étions pas magiques. Nous n'étions pas capables de transcender notre moi de chair. En réalité, nous étions esclaves de ces corps et de leur tragique fragilité.

Si j'aimais explorer le Haight, je désirais tout autant passer du temps avec papa. Pendant l'été 1980, alors que j'étais chez mes grands-parents à Kewanee, je lui ai écrit une histoire assez limpide :

Il était une fois un père qui écrivit un poème sur sa fille Alysia. Quand il le lut, le public fut ébahi. C'était le plus beau poème qu'ils avaient jamais entendu. À côté de cela, le reste de la poésie parut bien fade. Il était tellement beau qu'il le lut à la radio et à la télévision ! Il fit d'autres poèmes sur Heidi en plus de ceux sur Alysia. Un jour, le Président lui demanda de les lire pendant les élections, tellement elles étaient ennuyeuses.
Qu'est-il arrivé à Alysia ? demandes-tu. Eh bien, elle était à la maison avec Heidi, misérable et seule car son papa travaillait. Elle était la raison du « succès soudain » mais elle n'en tirait aucun profit. Aussi décida-t-elle d'écrire une lettre pour lui dire ce qui s'était passé en même temps que ce succès. En lisant la lettre, il décida qu'aucun succès ne l'empêcherait de voir sa fille et Heidi.

À mon retour de Kewanee, papa a décidé que nous devions faire un dîner spécial ensemble un soir par semaine. Il nous préparait parfois un de mes plats préférés : spaghettis au beurre, ou bien poulet au four, que nous mangions à table et non pas sur nos genoux devant la télé. Certaines semaines, il m'invitait dans un des nombreux restaurants du quartier.

À la pizzeria All You Knead, j'étais assez grande pour regarder par-dessus le comptoir et voir le pizzaiolo préparer notre pâte au poivre, que nous mangions ensuite dans un box en bois. Au Grand Victorian, près de Clayton Street, le serveur moustachu nous conduisait jusqu'à notre table préférée près de la vitre qui donnait sur Haight Street. L'élégance décontractée du restaurant, la nappe blanche et le vase avec une rose me donnaient toujours envie de me tenir la nuque et le dos bien droit.

Mon restaurant préféré était Friends, an Upstairs Café. On y accédait en grimpant l'escalier étroit d'un édifice victorien de deux étages. À l'intérieur, un alignement de tables pour deux occupait l'espace, et les murs étaient décorés par des photos noir et blanc de vedettes de l'âge d'or de Hollywood : Joan Crawford, Elizabeth Taylor, Bette Davis, Veronica Lake, Marlene Dietrich. Sous le regard glamour de ces femmes, je commandais des *linguine* aux palourdes. La grande assiette ronde de pâtes était toujours trop copieuse pour moi, mais j'aimais manger jusqu'à ce qu'elle ressemble à un croissant de lune étincelant.

À chacune de ces sorties, papa et moi nous installions face à face, lui sirotait un verre de vin, moi un 7-Up avec des glaçons. Je lui parlais de ma classe et de mes nouvelles copines du quartier, et il me racontait ses souvenirs d'école, me posait des questions ou, tout simplement ravi, il me souriait. Après dîner, nous rentrions à pied à la maison en passant par Haight Street, main dans la main, et nous regardions les vitrines : le mannequin punk chez Daljeet, les vitraux délicats d'Acacia Glass. Chemin faisant, nous observions les nombreuses personnalités de la rue accomplir leurs combines et forfaits jusqu'au milieu de la nuit.

QUATRIÈME PARTIE

LE SÉISME

Il est peut-être normal que les adolescents soient grossiers & maussades & rebelles mais je ne tiens pas particulièrement à le subir. En fait, j'ai moi-même à peine l'énergie de me gérer ou de m'aimer convenablement.

Steve Abbott,
lettre datée du 30 juillet 1985

11

Malgré la liberté dont je jouissais désormais en habitant au coin de Haight et d'Ashbury Street, je souffrais d'un sentiment bizarre qui m'assaillait certains après-midi quand je rentrais à la maison après l'école et que je découvrais sur la table à manger un message griffonné par papa. Cela m'envahissait brusquement en ouvrant une fois de plus l'emballage d'un poulet frit tout préparé de chez Swanson, en écoutant la chanson du générique d'une sitcom télé que je connaissais par cœur depuis belle lurette. Je réalisais que, durant ces soirées, papa était ailleurs, dans un endroit qui ne me concernait en rien, avec quelqu'un qui n'avait rien à voir avec moi.

Papa s'efforçait de m'éviter ce sentiment. Lorsqu'il le pouvait, il m'emmenait toujours avec lui dans son monde d'adultes écrivains, de mots et d'idées qui habituellement me dépassaient et que je comprenais rarement. Assise dans un coin pendant que mon père interviewait Robert Duncan chez lui, à Berkeley, ou à côté de lui lors d'une réunion pour *Poetry Flash*, je n'arrivais jamais à suivre ce qui se disait, et je peinais à trouver quoi que ce soit susceptible de stimuler mon imagination.

Au sein de ces sphères dans lesquelles gravitait papa, j'étais le plus souvent la seule enfant parmi des adultes et la seule fille parmi des hommes. Et dans les couloirs de l'école franco-américaine, j'avais l'impression d'être l'unique enfant au monde à avoir un père gay et à ne pas avoir de mère.

Personne n'est comme moi. Personne ne sait ce que ça fait, avais-je coutume de penser.

En fait, nombreux étaient les enfants qui avaient des pères ou des mères homosexuels – parfois les deux – dans les années 1970 et 1980. Le plus souvent, ces parents gays avaient eu des enfants avec des partenaires hétérosexuels avant de finir par vivre au grand jour leur sexualité. Soit ils faisaient leur coming-out et divorçaient pour pouvoir assumer leurs aventures homosexuelles, soit ils ne franchissaient pas le pas et demeuraient mariés, recherchant désespérément des rencontres fugaces. À certains égards, j'avais de la chance. Bien que souvent déçu sur le plan amoureux, au moins papa était libre d'être lui-même, il ne subissait pas la confusion et la haine de soi qui étaient le lot des parents n'ayant pas fait leur coming-out.

Je n'ai rencontré des enfants de parents homosexuels qu'une fois arrivée à l'âge adulte. J'ai noué des liens puissants avec ces *queerspawns*, ainsi que certains ont choisi de s'appeler, en particulier parce que nous avions tous éprouvé ce sentiment similaire à la solitude, mais qui relevait davantage de l'isolement. Durant les premières décennies qui ont suivi les émeutes de Stonewall, nos familles n'avaient aucun moyen d'entrer en contact les unes avec les autres, de comprendre ce qui était à l'œuvre et les processus en jeu. Nous ne passions pas de vacances en famille à Provincetown, des séries comme *Modern Family* n'existaient pas, et les célébrités ouvertement homos comme Ellen ou Dan Savage n'étaient pas légion. Nous ne trouvions pas de versions de nos parents dans des livres ou à l'écran. Si bien que nous nous considérions en dehors du tissu social, coupés de «la normalité». En tant qu'enfants, nous étions souvent dans un état d'insécurité, un peu trop homos pour le monde hétéro et un peu trop hétéros pour le monde homo.

Vivre son enfance avec un parent gay dans les années 1970 et 1980, c'était vivre dans le secret. Je gardais pour moi le secret des petits amis de papa, dont je ne parlais ni à mes amies, ni à mes professeurs, ni à ma famille – ils savaient peut-être que papa était homo, ou bien ils s'en doutaient, mais ils ne tenaient pas à être au courant des détails. Il y avait aussi ces dessins au pastel d'inconnus dévêtus que je trouvais à la fin des carnets de croquis de papa dans lesquels je griffonnais mes propres paysages. Qui étaient ces hommes ? Que se passait-il entre eux et mon père ? Et puis il y avait la poésie et la prose de papa, qui si souvent décrivaient les difficultés rencontrées par les hommes qui assumaient leur homosexualité, et ce que ces hommes faisaient ensemble.

Mon père ne m'a jamais demandé de ne pas parler de ses orientations sexuelles. Lui-même était tout aussi fier de participer à des défilés que d'écrire et de lire en public des poèmes à thématique gay. Mais je ne partageais pas cette fierté. En quatrième, attendant le bus avec une grappe de copines, j'ai pointé du doigt une affiche qui proclamait « No On Prop 6 » mise sur la vitre d'une maison victorienne. La Proposition 6 était une initiative défendue par le sénateur John Briggs, et qui visait à interdire aux homosexuels ainsi qu'à quiconque soutenant leurs droits de travailler dans les écoles publiques de Californie.

« Mon père, il l'a, cette affiche, ai-je annoncé, sans trop savoir de quoi il était question.

– Beurk ! Tu sais ce que ça veut dire, hein ? s'est exclamée une de mes camarades de classe. C'est quand les garçons aiment les garçons et que les filles aiment les filles. »

Décidée à échapper à l'attention, je n'ai rien répondu, j'ai essayé de prendre mes distances avec tout ça et de ne pas être associée à quoi que ce soit de « dégoûtant ». Et, dans les années qui ont suivi, j'ai redoublé d'efforts afin de dissimuler les détails de notre vie domestique *queer*.

Au printemps 1983, quand papa s'est laissé pousser une fine queue-de-rat qu'il décolorait en blond et qui lui tombait sur la nuque, je l'ai pourchassé dans toute la maison avec des ciseaux pour la couper. Au début, il trouvait ça drôle : la préadolescente choquée par les simagrées rebelles de son père ! Sauf que moi, j'étais vraiment en colère. Il réduisait à néant les efforts que je faisais pour m'intégrer. Je me suis obstinée à le courser dans l'appartement avec les ciseaux jusqu'à ce qu'il hausse le ton et me demande sévèrement de les poser. *Immédiatement.*

Si des copines prévoyaient de passer chez moi après l'école, je consacrais vingt minutes à réarranger la pagaille de papa dans le but de dissimuler toute preuve de son mode de vie transgressif – les numéros de *Gay Sunshine* et de *Fag Rag*, les pinces à joints avec leur plume de paon, les pochons plastique remplis d'herbe. Il était plus facile pour moi de faire en sorte que les copines ne passent pas à la maison.

Finalement, la manière dont nous vivions allait devenir à la fois mon plus gros motif de plainte et mon plus grand confort. En devenant adolescente, j'en venais à considérer que notre différence était quelque chose de puissant, comme une arme secrète. Papa et moi n'étions pas juste bizarres, nous étions *à part*. Nous ne possédions certes pas une parcelle de terrain dans le comté de Marin, comme c'était le cas de bon nombre de mes camarades de classe, et nous n'avions pas non plus de voiture. Mais nous étions des artistes.

Si ridicule et prétentieux que cela puisse paraître, je croyais sincèrement – et j'avais besoin de le croire – que notre posture bohème était née de notre mise à l'écart et que la douleur causée par ce rejet pouvait justement être compensée par le panache de notre marginalité.

Vautrée dans le futon tout affaissé du salon, qui se dépliait pour servir de lit à papa, je feuilletais ses innombrables livres et bandes dessinées, sautant les passages bizarres ou cochons, me concentrant à la place sur le potentiel de transformation. Dans une BD qu'il avait réalisée quand j'avais cinq ans, je n'étais plus une timide fillette de CP qui se faisait harceler à la récréation mais une farouche tueuse de monstres ! En étudiant la couverture de son recueil de poèmes intitulé *Stretching the Agape Bra*, je ne voyais pas une gamine de neuf ans isolée qui portait des Nike, mais une enfant-fantôme victorienne dans un costume à manches blanches et à la mystérieuse expression sombre.

Dans le deuxième numéro de *SOUP*, publié en 1981, papa a transformé la petite fille que j'étais. Je passais du statut d'élève désorganisée dont les résultats en français laissaient à désirer à celui de chanteuse lead sexy d'un groupe de rock en pleine expansion baptisé Toxic Schlock ! Sous sa plume, j'étais Sylvan Wood, ma copine Kathy est devenue la bassiste Sarah Lee Wood et Juliana Finch une guitariste dont le nom de scène était Twinkie. Yayne aurait dû être Picture Tube, notre batteuse, mais comme elle s'est décommandée le jour de la séance photo, papa a dû la remplacer en se mettant une couverture sur la tête.

Sur la page en regard de notre photo de groupe toute en attitude (le photographe nous ayant demandé de prendre un air ennuyé), papa a rédigé une fausse interview et a transcrit les paroles de notre nouveau hit, « Burning to Speak ». Il m'a même fait recopier les paroles de mon écriture arrondie de fillette de dix ans.

Burning to speak, burning to speak
Been waiting on the phone for nearly a week
Burning to speak, burning to speak
*I guess you think I'm just some kind of have-to.**

Il m'arrivait d'inventer une mélodie pour chanter « Burning to Speak » toute seule dans une chambre en me contorsionnant devant la glace. Les paroles de papa canalisaient mes propres

---

* Je brûle de prendre la parole, brûle de prendre la parole / Ça fait presque une semaine que je poireaute au téléphone / Je brûle de prendre la parole, brûle de prendre la parole / J'imagine que tu penses que je suis juste une espèce de boulet.

désirs, mon envie de l'avoir pour moi, au moins de temps en temps. J'aimais papa, et je supposais que cet amour était réciproque, cependant, je m'inquiétais de n'être pour lui qu'une « espèce de boulet ». Si bien que je sautais dès que possible sur l'occasion de jouer le rôle de muse du poète. Je devenais l'Alice occasionnelle du Lewis Carroll qu'était papa. Et si je devais pour cela combattre des champignons magiques ou quelques grandes folles, le jeu en valait la chandelle !

Un soir de l'automne 1983, mon père m'a montré une lettre qu'il avait reçue l'invitant à participer au Festival international de poésie One World, à Amsterdam. Cette manifestation annuelle se déroulait sur quatre jours et proposait des rencontres et des lectures dont le point d'orgue était un cocktail de prestige donné à l'ambassade du Liban à La Haye. Papa était invité à faire une lecture, aux côtés de poètes et d'auteurs de premier plan comme Marguerite Duras, Richard Brautigan, Robert Creeley et William Burroughs. Cette invitation légitimait le sérieux de son statut d'auteur et de directeur de publication. Il s'agissait là d'une opportunité qu'il ne pouvait pas se permettre de laisser passer.

Le club hollandais organisateur de l'événement proposait de lui offrir le billet d'avion et l'hôtel. Il aurait facilement pu m'envoyer chez mes grands-parents ou me confier à des amis, mais il était convaincu qu'il fallait que je l'accompagne. Depuis le temps qu'il nous imaginait voyager en Europe… En 1978 déjà, il écrivait : « Je pense à Paris… je me projette en train de dessiner Notre-Dame à nouveau, Alysia @ mes côtés, elle aussi avec son carnet de croquis posé devant elle – la môme du dessinateur. » Afin d'acheter mon billet, papa a accepté de rédiger des articles supplémentaires et de prendre en plus un boulot en intérim. Il est même allé jusqu'à emprunter de l'argent à ses parents, peu enthousiastes.

«Tu sais, moi, j'ai dû attendre d'avoir terminé l'université pour me rendre en Europe, m'a confié papa lors de notre halte à Paris. C'était en 1968 et les rues étaient pleines de révolutionnaires, pas aussi commerçantes qu'aujourd'hui. Il n'y avait pas de McDonald's.» D'un geste de la main, il indiquait le trottoir d'en face tandis que, endormie, je croquais dans ma tartine beurrée.

C'était en octobre, aussi étions-nous installés à l'intérieur d'un vaste café miteux du XIXe arrondissement, épuisés, sous le coup du décalage horaire, assis près de la vitre donnant sur la rue, nos bagages appuyés contre les genoux, scrutant les passants dans l'espoir d'apercevoir Michael Koch, le poète à queue-de-cheval, ami de papa, qui habitait dans un appartement du quartier. Michael s'était installé à Paris avec sa femme artiste peintre et leur petite fille de trois ans, Piaf. Il faisait vivre sa famille en étant traducteur.

«Piaf est poète, comme son père, a déclaré papa en guise de présentations quand Koch est arrivé. L'autre jour, Michael l'aidait à enfiler ses chaussettes, elle a repéré un trou et a dit: "Un trou dans ma chaussette, un balcon pour mes doigts de pied!"» J'ai écouté cette histoire et je me suis renfrognée. Je me demandais si papa ne souhaitait pas secrètement que je sois davantage poète, davantage portée sur l'écriture. Fallait-il que toutes les filles de poètes écrivent elles aussi?

Le lendemain, Michael et sa famille nous ont rejoints pour une visite du Centre Pompidou. Nous avons clos l'après-midi par un passage chez Berthillon, un glacier de l'île Saint-Louis qui attirait les foules y compris les après-midi froids d'automne. Tout en léchant mon succulent sorbet aux fruits rouges, j'embêtais papa – en pleine discussion avec Michael à propos de ce qu'était la vie à Paris pour un poète américain – en venant me cogner contre lui à répétition. Je m'éloignais en tournoyant au milieu de la foule puis je me rapprochais et revenais le heurter. À un moment donné, j'ai senti quelque chose d'étrange, une main, qui touchait l'arrière de mon jean entre les jambes. Tout mon corps s'est raidi, j'ai brutalement tourné la tête et surpris le regard d'un petit homme aux cheveux noirs et gras. Ses yeux ont croisé les miens avant de se poser sur une grande femme blonde à côté de lui – sa petite amie, ai-je supposé – puis de me toiser effrontément. Je me suis empressée de me rapprocher de mon père, mais j'étais trop gênée pour lui raconter ce qui s'était passé.

«Je veux qu'on rentre chez Michael, réclamais-je en le tirant par le bras vers la station de métro la plus proche.

– Attends un peu. Laisse-moi terminer ma glace.

– Je veux rentrer!»

Plus tard dans la soirée, endormie à côté de papa sur le sol du salon de Michael, j'ai rêvé que je donnais des coups de pied à l'homme aux cheveux noirs. Je n'arrêtais pas de le frapper, encore et encore, alors qu'il roulait dans le caniveau. Et je continuais à lui asséner des coups dans le ventre.

Le lendemain, notre dernier jour à Paris, tandis que mon père et moi traversions les quais en direction de la tour Eiffel, il m'a demandé si ça me dirait d'habiter à Paris.

«Non, je veux pas.

– Mais tu as bien aimé, non?

– Non.

– Mais tu parles déjà français! On pourrait probablement te trouver une école ici.»

J'ai frissonné et soudain, violemment, j'ai craché par terre.

«Je déteste Paris. J'aime pas du tout ici.»

J'ai refusé de dire à papa pourquoi je m'opposais si farouchement à son idée, et il n'a pas insisté. Je n'aurais jamais pu me douter que je reviendrais un jour vivre à Paris, et encore moins que je m'y installerais non pas une mais deux fois! Je n'aurais jamais imaginé non plus que, dix ans plus tard, par un matin couvert de février, je chercherais un bord de Seine sur l'île

Saint-Louis, non loin de chez Berthillon, et que c'est là que je répandrais les cendres de mon père, conservées dans une boîte en carton dorée, conformément à son souhait.

Le lendemain matin, à la gare du Nord, nous avons pris notre train à destination d'Amsterdam. Le festival de poésie se tenait au Melkweg (ou Milky Way, la «Voie lactée», en français), une ancienne laiterie transformée en galerie et en espace de performances, qui attirait aussi bien les hippies hollandais vieillissants que la scène punk européenne en pleine expansion.

Nous sommes arrivés au deuxième jour du festival et avons rapidement pris nos marques. Pendant que les lectures se déroulaient sur les scènes principales, des poètes parlant français, danois, allemand, hongrois ou hollandais investissaient les loges poussiéreuses du club et les salles à l'étage. Je les observais boire paisiblement du café léger, picorer des pâtisseries desséchées en papotant.

Les deux premiers jours, je n'ai discuté avec personne hormis papa, qui, comme moi, était intimidé. Bientôt cependant, je me suis sentie libre de circuler seule dans l'enceinte du Melkweg. C'est là que j'ai commencé à traîner avec un drôle de poète américain, Richard Brautigan, célèbre pour *La Pêche à la truite en Amérique*, son roman paru en 1967. Il mesurait plus d'un mètre quatre-vingt-cinq, portait un tee-shirt «Montana» rouge sous lequel on devinait un torse puissant, et possédait une présence formidable. Mais, avec ses lunettes à monture ronde, sa casquette bouffante de chasseur et ses épaisses moustaches rousses en guidon de vélo, on aurait dit qu'il sortait tout droit d'une BD. Son style lui donnait un air triste, comme Yosemite Sam.

Brautigan s'est tout particulièrement intéressé à moi. Il n'avait plus de contacts avec sa propre fille, qui, bien qu'ayant une dizaine d'années de plus que moi, avait à peu près mon âge quand il l'avait vue pour la dernière fois. Au bout de deux après-midi passés à bavarder avec moi dans l'arrière-salle du Melkweg, il a décidé de me donner un conseil qu'il aurait aimé, a-t-il dit, partager avec sa fille. « Fais attention. Si tu vois un petit bouton au bout du pénis d'un homme, ne t'approche pas. » J'avais douze ans et je n'avais encore jamais embrassé un garçon, si bien que ses paroles sont restées comme en suspension dans l'air, certes impérieuses mais sans que je puisse me les approprier. « C'est de l'herpès, a ajouté Brautigan. Et c'est pas beau. » Je suis restée assise à écouter ses avertissements et ses divagations, flattée de l'intérêt qu'il me portait et, même si je ne comprenais pas toujours, je n'en étais pas moins curieuse d'entendre les trucs bizarres qu'il allait me raconter.

L'après-midi suivant, j'ai surpris une conversation entre papa, Brautigan et Jan Kerouac, la fille de Jack, qui participait également au festival. Ils racontaient des anecdotes au sujet de cette forme de poésie bien particulière qui vient aux enfants de manière spontanée. Jan a parlé de la fois où, petite fille, elle avait pris la lune pour le soleil et avait réveillé sa maman : « Il fait jour, maman », avait-elle expliqué en lui démêlant ses longues nattes. Mon père s'est alors rappelé le jour où j'ai demandé : « Pourquoi est-ce que la lune nous suit ? », citation qu'il a intégrée à l'un de ses poèmes. Brautigan, quant à lui, est revenu sur une journée passée à la plage avec sa fille. Elle jouait avec un seau tout neuf jusqu'à ce qu'une grande vague déferle et emporte l'objet au large. Affolé, Brautigan a couru dans l'eau, et s'est mis à taper frénétiquement dans l'eau tout autour de lui. Sa fille, qui l'obser-vait depuis la rive, lui a intimé calmement : « Laisse tomber, papa. Il est perdu », comme si c'était elle l'adulte et lui l'enfant angoissé qui avait besoin d'être apaisé.

Les années ont passé depuis ce voyage, mais je me suis cramponnée au souvenir de cette conversation comme à un galet qui se serait échoué dans ma poche, je l'ai frotté entre mon pouce et mon index jusqu'à ce qu'il devienne lisse et plat.

J'ai toujours désiré être intégrée au dialogue de mon père, être l'appendice nécessaire à sa vie d'écrivain. Ce moment, parmi d'autres, incarne la quintessence de mon fantasme de bohème.

Ce soir-là, j'ai assisté à la lecture de mon père dans l'une des galeries sombre et enfumée du Melkweg. Il a terminé avec « Élégie », le poème de clôture de *Stretching the Agape Bra* (1980). Dans ce poème, il évoque toutes les morts auxquelles il a été confronté sa vie durant, y compris celle de ma mère :

> Quand j'ai appris que le crâne de ma femme avait été écrasé
>   par un camion, ma tête
> a nagé comme un sablier percutant un téléviseur. Toutes les
>   chaînes ont disjoncté.

Mon père n'avait jamais parlé avec moi en détail de l'accident de voiture de ma mère, et j'ai éprouvé un sentiment de malaise à l'entendre partager quelque chose de si personnel avec des inconnus. Il était également étrange de sentir la puissance que pouvaient avoir les mots de mon père sur une assemblée a priori turbulente. Sa voix se déployait comme un lourd rouleau de tissu dans la salle ; les conversations se sont éteintes, et le cliquetis des verres s'est fait plus discret. À mesure qu'il continuait, ses mots emplissaient la pièce et dissipaient la fumée, jusqu'à ce que toute l'attention se focalise sur lui, pâle et mince debout sur la scène, jusqu'à ce que je n'entende plus que ses mots, des mots qui semblaient s'adresser uniquement à moi :

> Nous prenons nos distances pour nous protéger
> Portons des écharpes quand il fait froid.
> Ce qui paraît le plus saugrenu dans notre autobiographie est ce
>   qui s'est vraiment passé.

Le dernier soir, l'ambassadeur libanais a fait venir tous les poètes dans son manoir étroitement surveillé pour y donner un cocktail. L'ambassadeur écrivait lui-même des poèmes, semblait-il, et tenait à leur faire écouter un enregistrement rare d'Apollinaire sur son vieux gramophone. Mais aucun des poètes présents ne s'est montré très attentif: tous préféraient boire et fumer, assis sur ses nombreux canapés luxueux.

Comme il n'y avait pas d'enfants avec qui jouer, j'avais apporté mon appareil photo pour m'occuper. J'ai pris une photo de mon père en pleine conversation avec divers poètes, expliquant une pensée compliquée en s'aidant de ses mains. J'ai également immortalisé Brautigan en gilet et blue-jean, confortablement assis en bordure d'un canapé. Il n'arrêtait pas de se lever pour aller chercher du gin-martini à l'open-bar, demandant chaque fois que son martini soit «un peu plus sec» – jusqu'à ce que le serveur, exaspéré, finisse tout simplement par lui tendre une bouteille de gin. Brautigan rigolait en rejoignant les poètes sur le canapé, exhibant le gin comme un trophée. Dans le bus, il a de nouveau brandi la bouteille, s'en envoyant de bonnes lampées pendant tout le trajet vers le centre-ville. Tous les adultes étaient alors très saouls, assis sur les genoux les uns des autres, s'embrassant avec la langue, et dansant dans la travée centrale malgré les remontrances répétées du chauffeur. J'ai continué à prendre des photos.

«Hé, Alysia! a lancé Brautigan. Prends-moi en photo. J'ai besoin de dessaouler.» Alors j'ai placé mon appareil à quelques centimètres de son visage, et j'ai déclenché un flash aveuglant. Au tirage, l'image a révélé un Brautigan saturé de blanc, où seuls le contour de ses lunettes et sa drôle de casquette étaient visibles. Il a cligné des yeux en regardant au loin. «Merci, ma chérie.»

Pour mon père, le moment fort du séjour a eu lieu le lendemain matin, quand nous avons pris un petit déjeuner avec William Burroughs à l'hôtel. Je ne voyais pas du tout pourquoi papa était nerveux à l'idée de rencontrer ce vieux monsieur en costume trois pièces qui portait un chapeau. Même mon père a été un peu déçu. Par la suite, il a écrit à propos de cette rencontre : « Notre discussion au petit déjeuner fut plutôt banale (nous avons parlé de chats, des différences qu'il y a entre une vie à Lawrence – dans le Kansas – et dans des zones plus urbaines, etc.). » Toutefois, le célèbre auteur du *Festin nu* a été extrêmement intéressé d'apprendre que mon père avait étudié dans un séminaire du Missouri pendant deux ans, avant son troisième cycle. Papa était sur le point de fictionnaliser cette expérience pour son roman *Holy Terror*, et Burroughs écrirait quelques mots de louanges à faire figurer sur la couverture. Papa a montré à Burroughs le troisième numéro de *SOUP*, qu'il a apprécié.

Mon moment préféré de la semaine a eu lieu le dernier soir du festival, quand la chanteuse punk Nina Hagen a donné un concert au Melkweg devant une salle comble. Cette semaine-là, des milliers d'Européens avaient convergé vers la capitale allemande pour manifester contre la poursuite du déploiement de missiles américains en Europe de l'Ouest. Toute cette énergie et cette colère accumulées se sont mêlées, au Melkweg. J'ai observé la scène du haut d'un balcon réservé aux techniciens : des hordes de punks aux coupes iroquoises couleur néon, bardés de pointes métalliques, de vêtements déchirés et de maquillage couleur ecchymoses, vibraient en phase avec le chant spasmodique de Nina. La foule poussait vers l'avant et vers l'arrière, dansait. Mais cette façon de danser ressemblait à un pugilat, les corps se tordaient, se percutaient, s'écartaient puis se heurtaient derechef. Si les poètes invités n'ont témoigné qu'un intérêt mitigé aux punks en contrebas, moi, j'ai été fascinée. Quelle énergie ! Quelle violence ! Et je voyais tout ça du haut de mon balcon particulier.

Un an après notre retour à San Francisco, je suis tombée sur une photo de Richard Brautigan dans notre journal du matin.

Il s'était suicidé avec un Magnum calibre 44 dans sa maison de Bolinas, en Californie. Il s'est révélé impossible de dater sa mort avec exactitude : son corps décomposé a été retrouvé gisant devant une grande baie qui dominait l'océan Pacifique. À côté de lui, une lettre de suicide sur laquelle figuraient ces simples mots : « C'est le bazar, hein ? »

12

Par une soirée humide de novembre 1983, deux semaines après notre retour d'Europe, j'ai pris le téléviseur posé sur des caisses de lait dans la chambre de papa pour l'installer dans notre salle de bains. Je l'ai posé avec précaution par terre, dans un coin, je l'ai branché et j'ai allumé Channel 7.

Je me suis déshabillée, me suis glissée dans l'eau du bain dont le niveau montait, et j'ai regardé le générique d'un téléfilm intitulé *The Day After*. Rien de bizarre pour moi à regarder la télé depuis ma baignoire. Papa était de sortie et j'avais besoin de prendre un bain, mais je ne voulais pas manquer «l'événement télé» annoncé depuis des semaines. Tout en me passant un gant de toilettes plein de savon sur les bras et les jambes, j'ai suivi la vie de deux familles du Kansas jusqu'à ce que survienne une frappe nucléaire soviétique sur les États-Unis, avec toutes les conséquences que cela implique. À partir du moment où la bombe était larguée, Channel 7 a cessé d'entrecouper le film de pauses publicitaires et j'ai rapidement été happée par l'horreur du drame. Un jeune garçon ayant regardé l'explosion devient aveugle à cause de l'impact. Des maisons sont réduites en ruines fumantes. Des centaines de passants se métamorphosent en silhouettes vaporisées. Des survivants couverts de cloques meurent lentement des suites des radiations.

J'ai été incapable de sortir de la baignoire avant la fin du film; l'eau était froide et j'étais assise toute nue, frissonnante.

J'ai escaladé l'échelle de ma mezzanine, les doigts fripés comme des pruneaux, profondément secouée. « Qu'est-ce que c'est que ce monde ? » me demandais-je. Je suis restée allongée jusqu'au retour de mon père.

J'ai eu du mal à m'endormir ce soir-là. Allongée dans mon lit, j'ai tendu l'oreille pour écouter les skinheads, nouveaux venus dans le quartier, qui se rassemblaient à l'angle de Haight et d'Ashbury Street. Ils hurlaient des obscénités teintées d'angoisse et d'agressivité, et ils descendaient des canettes dont l'écho retentissait dans les rues lorsqu'ils les jetaient au sol.

Au cours de la même semaine, en allant à l'épicerie avec papa, et plus tard seule, je les ai observés. Chaussés de Dr. Martens, ils erraient en bande. J'étais fascinée par leurs scènes au coin de la rue et par leur accoutrement, en particulier celui des filles qui s'étaient rasé la tête mais avaient gardé des boucles de cheveux au-dessus des oreilles et sur le front. Les skinheads ne m'ont jamais cherché noise, ne m'ont jamais réclamé d'argent. Dans l'ensemble, ils m'ignoraient. Il est arrivé une ou deux fois que l'une des filles sourie dans ma direction en me lançant un « Hé ». Je détournais alors timidement le regard, et je me demandais si elle ou ses amis me considéraient comme l'une des leurs.

Fin 1983 et début 1984, je me sentais de plus en plus isolée du monde qui m'entourait. Papa et moi regardions presque quotidiennement les infos sur CBS en dînant. Chaque soir, ce n'étaient que manœuvres diplomatiques qui dissimulaient à peine le fait à la fois limpide et incompréhensible que n'importe quel chef de l'une des deux superpuissances mondiales pouvait à tout instant tuer des centaines de milliers de gens en appuyant sur un bouton. Le Président Reagan avait déployé des troupes sur l'île de la Grenade, au Salvador, au Panama, au Nicaragua et à Beyrouth où, en octobre, le soir même du cocktail chez l'ambassadeur du Liban, deux cent vingt-neuf marines étaient tués par une bombe artisanale. Dans notre rue, des affiches placardées dans la vitrine de la pharmacie prévenaient de l'existence d'un «cancer gay». En plus de la guerre froide, nous devions compter avec le «grand froid*». Les enfants du baby-boom semblaient pris dans une nombriliste spirale de la honte, essayant de réconcilier leurs idéaux des années 1960 avec leur portefeuille des années 1980.

Au printemps, c'est en faisant glisser le curseur radio de ma chaîne stéréo que j'ai découvert une nouvelle station : KQAK, alias The Quake (Le Séisme). La station passait de la musique comme je n'en avais encore jamais entendu, en rupture avec Def Leppard et Michael Jackson qui dominaient alors le paysage FM. The Quake proposait une musique pour les dingues et les paumés, une musique *dark* à base de rythmiques synthétiques énergiques, en phase avec notre ère atomique. Une musique toute de désillusion et de peur − ce que le groupe Tears for Fears appelait «un monde fou». Cela a été pour moi une révélation.

Chaque jour après l'école, je me retirais dans ma chambre et j'allumais la radio, griffonnant le nom de chaque groupe dont les chansons passaient à l'antenne. The Quake contribuait à faire découvrir des groupes américains (Romeo Void et The Call), mais faisait généralement la part belle aux groupes britanniques avant même que leurs albums ne soient distribués aux États-Unis : Scritti Politti, Depeche Mode, The Cure, The Smiths, New Order, Tears for Fears, Duran Duran, etc. J'adorais ces groupes anglais dont les origines me semblaient si exotiques, et dont les chanteurs cultivaient une certaine ambiguïté sexuelle. Plus j'en apprenais à leur sujet, plus je m'attachais à leur musique.

* Référence à *The Big Chill*, film de 1983, qui sortit en France sous le titre *Les Copains d'abord* et inspira la série *Thirtysomething* (*Nos meilleures années* ou *Nos plus belles années*).

Dans les boutiques Wauzi et Rough Trade Records, je dévorais des yeux les albums et les singles maxi quarante-cinq tours en import. Comme je n'avais pas de quoi me les offrir avec mon argent de poche, je plaçais le magnétophone de mon père au pied de l'une des grandes enceintes de la chaîne stéréo et j'enregistrais des heures et des heures d'émissions, interrompant mon enregistrement au moment des annonces publicitaires, avant d'appuyer à nouveau sur le bouton « enregistrement » à la fin des pubs. La plupart de ces cassettes étaient d'une qualité douteuse, parasitées par des bruits de froissement. Mais elles avaient une valeur inestimable pour moi. J'adorais les cassettes car je pouvais les écouter quand je voulais sur la chaîne et, à partir de mon treizième anniversaire, sur mon Walkman bas de gamme.

Seule dans ma chambre, le casque sur les oreilles, le volume poussé à fond, je passais des heures à me familiariser avec l'Angleterre de Thatcher en pleine dépression, que l'angoisse existentielle des Smiths rendait romantique. Des groupes comme Depeche Mode et Tears for Fears faisaient apparaître un paysage industriel peuplé de synthétiseurs et de boîtes à rythmes dont le son pouvait faire penser à des tuyaux frappés les uns contre les autres. Ce monde semblait être l'avenir et, en écoutant cette musique, j'avais l'impression d'appartenir à cet avenir. Plus important, c'était un monde que je choisissais, et non pas une chose de plus que j'héritais de mon père.

Au kiosque à journaux, je traquais les magazines musicaux importés, tels que le *NME*, le *Melody Maker* et *Smash Hits !* Je les épluchais page après page, avide d'en savoir plus sur mes groupes chéris, me régalant lorsque je découvrais leurs visages, leurs coupes de cheveux, leurs tenues. Je n'avais pas les moyens d'acheter ces magazines, alors je m'imprégnais avidement de chaque détail, tournant furieusement les pages jusqu'à ce que le commerçant me somme de sortir.

La New Wave, comme on l'appelait, était un monde où les garçons cool mettaient de l'eye-liner, et où les filles cool portaient des vêtements d'hommes. À treize ans, j'étais encore plate, maigre, je n'avais pas encore mes règles – et soudain déferlait cette esthétique androgyne que je pouvais adopter facilement.

Je me suis coupé les cheveux à la garçonne en laissant une longue mèche me tomber sur un œil et j'ai commencé à piocher allègrement dans la garde-robe de mon père. Je mettais ses vieilles chemises et un de ses Levi's, tenu à la taille par une grande épingle de nourrice, les genoux déchirés, les cuisses décorées de gribouillages que je faisais en classe. Je portais une unique boucle à l'oreille gauche (une batte argentée suspendue à une chaîne), une paire de bottes en cuir à revers façon Beatles et un badge acheté sur Haight Street, épinglé à ma chemise, et sur lequel on pouvait lire l'inscription «Punk Preppy». La pièce maîtresse de mon accoutrement était le feutre mou gris des années 1940 de mon père, que je gardais résolument vissé sur la tête, et que je ne retirais que pour me doucher et dormir.

Dès ma treizième année, je dépassais en taille la plupart de mes copines préadolescentes. Je ne voyais plus autant Yayne, qui avait quitté l'école franco-américaine et étudiait désormais dans un établissement public. Kathy Moe s'intéressait de plus en plus à la scène heavy metal, usant sans vergogne de fond de teint, arborant une coupe ébouriffée, solide comme un heaume. Elle traînait avec les WPOD (White Punks on Dope), une bande à chapeaux melons qui faisait la loi dans le quartier de Sunset et avait un penchant pour le LSD, ce qui n'était pas mon cas. Mes autres copines, qui avaient été si gentilles avec moi quand j'avais onze et douze ans, qui m'avaient invitée à dormir et chez qui j'avais mangé tant de pancakes, me paraissaient à présent trop gentilles avec leurs barrettes à ruban et leurs calendriers muraux Piggy la cochonne.

À l'école franco-américaine, je me suis mise à fréquenter un nouveau groupe de filles qui, comme moi, aimaient David Bowie, The Cure et Duran Duran. Elles avaient toutes des parents divorcés, et chacune d'elles avait un humour acéré et un sens du style bien affirmé. Niki avait pris l'habitude de délivrer chaque jour la palme du pauvre con pour récompenser un comportement stupide. Andrea ne se départait jamais de sa mine renfrognée, de ses pulls à col en V enfilés à l'envers et de son rimmel noir aux yeux.

Au déjeuner, nous nous retrouvions toutes les cinq dans l'escalier de service du parking derrière l'école, et, après les cours, nous prenions le bus jusqu'à chez moi. Si, à une époque, j'avais pu avoir honte d'inviter des copines à la maison, je savais maintenant que c'était un truc cool que je pouvais partager. S'il faisait assez chaud, nous nous installions sur l'épaisse margelle du balcon qui dominait Haight Street, et Anne-Marie et Andrea fumaient des Marlboro Light qu'elles avaient chipées dans le sac à main de leur mère, ou bien des Export-A achetées à l'unité chez Pipe Dreams, au coin de la rue. Anne-Marie, la plus âgée et la plus expérimentée d'entre nous, faisait tourner les bagues qu'elle avait aux doigts et gloussait en nous racontant de bon cœur les derniers développements de son idylle avec son petit ami. Camille, coupe au carré, enveloppée dans une longue écharpe blanche, se contentait d'observer en prenant un air décontracté.

Papa était parfois à la maison, à écrire dans son carnet, mais, la plupart du temps, il n'était pas là. Dans un cas comme dans l'autre, je faisais très attention à ce que personne n'empiète sur son espace, interdisant à quiconque d'entrer dans sa chambre, dont je barrais l'accès à l'aide du paravent. J'étais moins motivée par son intimité que par la sauvegarde de la mienne. Je pensais encore pouvoir empêcher l'accès à tout ce que je ne pouvais guère contrôler. J'étais persuadée que son orientation sexuelle, notre « étrangeté », serait trahie par le bazar ambiant − et par les livres de sa bibliothèque assurément, à cause d'anthologies aux titres évocateurs tels que *Man Muse* et *Men on Men*. Même dans mon cercle de marginales éclairées, je ne me sentais pas assez en confiance pour faire mon « coming-out ». Anne-Marie et Niki m'avoueraient par la suite qu'elles savaient que papa était homo et qu'il leur arrivait d'en discuter entre elles. Elles avaient identifié les journaux du Castro qui traînaient sur la table et remarqué que, quand papa était à la maison avec des amis, il n'y avait que des hommes, jamais de femmes.

Les week-ends, nous allions toutes les cinq dans les boîtes de nuit interdites aux moins de dix-huit ans dont on trouvait les cartes format 12,5 × 10 cm au lettrage en relief brillant qui s'empilaient sur les comptoirs des boutiques punks du Haight, en nombre sans cesse croissant. Deux d'entre nous avaient des pièces d'identité trafiquées et les autres arrivaient à entrer en boîte grâce à la mansuétude des videurs. Au I-Beam sur Haight Street, au Noh Club à Japantown et au Palladium de North Beach, je dansais pour oublier l'anxiété que m'inspiraient les changements corporels qui tardaient à venir et les transformations trop rapides du monde, l'anxiété générée par mon père, également, et tout ce que je ne comprenais pas.

Un vendredi, j'ai annoncé à mon père que j'allais dormir chez Andrea. Andrea a dit à sa mère qu'elle passait la nuit chez moi, et nous nous sommes retrouvées chez Camille, dans la maison qu'elle partageait avec sa sœur et sa mère divorcée à Stanyan Heights. Là-bas, nous nous sommes enduites de rouge à lèvres et de mascara bleu électrique devant la glace de la salle de bains, puis nous nous sommes cotisées pour payer la course de taxi jusqu'à North Beach. Au Palladium, tout le monde dansait les yeux rivés au sol. Je serrais les poings et j'activais les bras en les maintenant près du corps, comme si épaules, bras, hanches et genoux étaient une série de petits leviers de vitesse qui s'approchaient les uns des autres puis s'éloignaient, en rythme avec la musique.

La musique que j'écoutais sur The Quake retentissait à présent au Palladium, emplissant mes oreilles. La basse vrombissait dans mes molaires. Au plafond, des spots en cascade striaient le dance-floor – rouge-bleu, rouge-bleu –, avant de diffuser une lumière noire qui faisait étinceler les dents et les yeux comme des néons, révélant les soutiens-gorge blancs et les maillots de corps. Cela nous faisait sourire. Nous étions toutes électriques désormais, branchées sur le même *beat*, chacune dansant seule, mais nous étions puissamment ensemble. Une de mes chansons préférées ce soir-là, «Dancing with Myself», de Billy Idol, allait même jusqu'à célébrer cet isolement collectif.

Juste avant une heure du matin, le Palladium a fini la soirée, comme chaque semaine, en passant «How Soon Is Now» des Smiths. La foule s'est enflammée tandis que déferlaient les ondes à la réverbération perverse de la ligne de guitare de Johnny Marr, qui nous découpait en deux, trois, quatre, nous hachait en petits morceaux avant que la voix veloutée de Morrissey et ses paroles pleines d'esprit nous recollent en un seul morceau.

Une fois la soirée terminée, j'ai retrouvé Camille et Andrea à la porte et nous avons fendu la cohue pour nous retrouver sur Broadway dans l'air frais de décembre. Les rues de North Beach grouillaient de monde ; on aurait dit que tous les gens se connaissaient entre eux. Même eye-liner noir, mêmes habits noirs, même peau blanche et cheveux teints. Sans rien faire, sans rien dire, j'ai eu l'impression électrisante d'appartenir à un groupe. Nous sommes restées ensemble et avons traversé la ville, pressant le pas quand les rues empestaient trop. Nous sommes passées devant la pancarte «Live Nude Girls» du Lusty Lady, devant l'enseigne de Big Al, et sa mitrailleuse à portée de main, puis sommes arrivées à la hauteur d'une grande pancarte dessinée dans un style BD. Dessus, la strip-teaseuse Carol Doda annonçait le Condor Club, et ses tétons (des néons clignotants) ressemblaient à des bonbons en forme de cerise. À travers une porte battante, nous avons observé des strip-teaseuses qui tiraient sur leur cigarette, et des types ont essayé de nous attirer à l'intérieur en débitant leur laïus habituel à toute vitesse et à grand renfort de haussements de sourcils.

Nous avons déguerpi et continué de marcher l'oreille basse, fixant du regard le bout de nos chaussures, comptant les rues jusqu'à l'imposante bâtisse de Pacific Heights où habitaient le père d'Andrea et sa nouvelle famille. Andrea vivait chez sa mère, néanmoins elle s'était dit qu'elle pourrait échapper au couvre-feu que celle-ci lui imposait en allant pioncer chez son père sans se faire repérer.

Sur le chemin, les voitures nous klaxonnaient, mais nous faisions comme si de rien n'était. Quelqu'un a crié : « C'est combien ? » et j'ai répondu : « Laisse tomber, c'est au-dessus de tes moyens ! » Nous avons ricané et, pour couronner le tout, j'ai fait un doigt d'honneur.

Chez Andrea, nous sommes entrées par la porte de derrière dans l'appartement en sous-sol de son demi-frère Deke, et nous nous sommes affalées sur son canapé ou par terre. Quand il nous a vues le lendemain matin, vautrées un peu n'importe où, avec le maquillage de la veille qui avait dégouliné, encore toutes habillées, il a ri des simagrées adolescentes de sa petite sœur. Serrée dans mon blouson noir en cuir dont j'avais remonté la fermeture Éclair jusqu'en haut, j'ai attendu le bus qui devait me reconduire à la maison. Vingt minutes plus tard, en arrivant à l'appartement, j'ai été étonnée de voir papa, assis le dos bien droit sur le futon replié, me dévisageant d'un air sévère.

« Où as-tu passé la nuit ?

— Comment ça ? J'étais chez Andrea.

— J'ai parlé à la maman d'Andrea hier soir. Tu *n'as pas* passé la nuit là-bas. Où étais-tu ?

– On a dormi chez son père.

– La mère d'Andrea n'était pas au courant. Elle ne savait pas où vous étiez. Et moi non plus. Tu imagines à quel point c'est dur de ne pas savoir où est son enfant?

– Tout s'est bien passé, papa.

– Je n'en doute pas. Mais il faut que tu appelles, dans ces cas-là. Je ne savais pas où tu étais!

– Parfois, moi non plus je ne sais pas où tu es. »

Papa s'est contenté de me regarder fixement. Au nom de quoi pouvait-il me punir? La liberté d'aller et venir à notre guise était vite devenue une règle tacite entre nous. Si papa se piquait de m'imposer un couvre-feu, alors lui non plus n'aurait pas la liberté de circuler à toute heure de la nuit.

« Je veux juste qu'il ne t'arrive rien, a-t-il conclu. Est-ce que tu t'es bien amusée, au moins?

– Ouais. Je me suis bien amusée. »

Papa aussi avait de nouveaux amis cool. Frustré par les querelles intestines qui rongeaient Cloud House et le manque de professionnalisme qui y régnait, papa a commencé à suivre des ateliers d'écriture à Small Press Traffic, une librairie sise dans un hôtel particulier de Noe Valley. Dans un tout petit salon à côté de la cuisine, Bob Glück animait plusieurs ateliers grâce à l'argent d'une bourse du NEA, le fonds national pour les arts. Papa a assisté à plusieurs séances et s'est particulièrement rapproché des membres du groupe des auteurs homos, dont l'intellectuel dégingandé Bruce Boon et Kevin Killian, grand buveur de Tab. Ce dernier épouserait par la suite l'auteure Dodie Bellamy; ce couple félin deviendrait le couple en vue du tout San Francisco. Chaque semaine, le groupe des auteurs homosexuels discutait d'un texte – parfois de la poétesse lesbienne Judy Grahn, un extrait de théorie féministe, un essai de Roland Barthes ou de Georges Bataille (que papa a fait découvrir au groupe). Puis les auteurs se mettaient vigoureusement au travail, tâchant de faire reculer les limites de leur propre écriture. À force de se réunir pendant des années dans ce séjour victorien à l'atmosphère confinée, les participants ont fini par devenirs proches.

La scène littéraire de San Francisco était alors dominée par les poètes L=A=N=G=U=A=G=E. Dans *Biting the Error : Writers on Narrative*, Bob Glück résumait : « Il serait difficile de surestimer l'intensité dramatique qu'ils ont apportée à la scène littéraire de San Francisco qui claudiquait tant bien que mal dans les années 1970… La rigueur puritaine de la poésie L=A=N=G=U=A=G=E, son intérêt pour le vocabulaire technique et son professionnalisme étaient nouveaux pour une génération de poètes dont les influences dans la région étaient les Beats, Robert Duncan et Jack Spicer, l'École de New York (dont Bolinas était un avant-poste), le surréalisme et le surréalisme psychédélique. Soudain, les gens prenaient parti… »

Papa était justement de ceux qui prenaient parti : initialement intrigué par le groupe, il a fini par trouver leur travail trop abstrait et trop formel. Dans un numéro de *Poetry Flash* daté de 1979 (« Language Poets : An Introduction »), il affirmait sur un ton de réprimande que « l'hermétisme n'est pas une vertu en soi ». Dans sa rubrique mensuelle, il remettait en cause la puissante influence du groupe sur la scène, qu'il voyait comme une entrave à d'autres voix.

Je constate que les gardiens de la moralité sont de nouveau sur la brèche : Kathy Acker devrait-elle écrire comme ceci ? Bruce Boon devrait-il parler comme cela ? Ces deux questions résumaient les préoccupations du forum « Poésie et Politique » du 80 Langton. C'est la même vieille scie qui opposait [Robert] Duncan & [Denise] Levertov il y a plusieurs années. Je n'ai rien contre les théories, mais il faut aller là où le poème ou le roman vous emmène (vision passive ?), et si l'on ne peut pas dire ce qu'on veut dans sa propre écriture, comme Kathy l'a fait remarquer, eh bien, ma foi, qu'on

m'explique... Ce qui n'implique pas pour autant que la remise
en question de certains modes de discours n'est pas bénéfique (là,
l'éditorialiste tente une « danse de la Distinction subtile », tâchant
d'éviter de piétiner les orteils de qui que ce soit).

Ces auteurs, dont Acker et tout particulièrement ceux que papa fréquentait à Small Press Traffic, avaient une approche très personnelle de leur travail et revendiquaient souvent une conscience politique que les poètes L=A=N=G=U=A=G=E ne partageaient pas. Kevin Killian a écrit que le groupe voulait «récupérer la narration tombée dans le piège du modernisme en le réarticulant en tant qu'art conceptuel postmoderne». Dans le deuxième numéro de *SOUP*, publié en 1981, mon père qualifiait leur style de «New Narrative» (littéralement, «nouvelle narration»).

Les relations que mon père entretenait avec la communauté de la New Narrative n'étaient pas uniquement d'ordre professionnel. Dans un essai sans titre sur Georges Bataille, papa a d'ailleurs écrit «L'amitié authentique a pour fondement cette extrémité où les lignes de frontière entre les gens s'effondrent. C'est comme lorsqu'on est dans un ascenseur avec un groupe d'inconnus et que l'ascenseur tombe en panne. Soudain, on se regarde droit dans les yeux et on n'est plus des inconnus les uns pour les autres. Il n'y a de communication réelle que lorsqu'on se rend compte qu'on est face à un possible désastre.»

Le désastre, pour papa et d'autres qui ont eu à l'affronter, c'était l'émergence de la crise du sida et les attaques culturelles lancées par les conservateurs à l'encontre des homosexuels, hommes et femmes, au début des années 1980. Le sida a tout d'abord suscité la cruelle indifférence du Président Ronald Reagan, qui n'a pu faire état publiquement de l'épidémie qu'à la fin de son second mandat, après la mort de vingt mille Américains, et la rhétorique hostile de conservateurs proches de Reagan, comme Jerry Falwell, fondateur de la Majorité morale, et Pat Buchanan, futur rédacteur de discours pour Reagan. En 1983, Buchanan a écrit à propos du sida : « Les pauvres homosexuels – ils ont déclaré la guerre à la nature, et voilà que la nature leur inflige un terrible châtiment. »

Pour les homosexuels, le sida a radicalement transformé le paysage des années 1980. D'après des auteurs comme Bob, Bruce, Kevin et mon père, il n'était pas possible d'en rendre compte par la poésie L=A=N=G=U=A=G=E, qui, focalisée sur la langue pour la langue, était déconnectée de l'expérience quotidienne. Dans la mesure où la poésie L=A=N=G=U=A=G=E s'efforçait de supprimer le « je », la New Narrative s'est imposée comme un moyen de revendiquer l'espace personnel dans l'écriture, un moyen d'aborder cette crise collective.

En 1983 et 1984, papa a régulièrement invité à boire ou à dîner à la maison des membres du groupe de la New Narrative, les présentant souvent à des auteurs et artistes de passage, notre grande table ronde faisant office de salon pivotant. Au fil du temps, de nombreuses personnalités ont défilé chez nous : des réalisateurs (Curt McDowell et George Kuchar), des célébrités littéraires (Bob Kaufman, Gregory Corso et Robert Duncan) et divers personnages sur lesquels mon père a fait des articles à l'époque. Parmi eux : l'anthropologue Tobias Schneebaum, fameux pour ses livres dans lesquels il avoue avoir eu des relations sexuelles avec les tribus insulaires qu'il étudiait, au Pérou et dans le Pacifique.

En tant qu'adolescente, je considérais souvent ces visiteurs comme d'excentriques intrus dans notre minuscule appartement. Quand je me plaignais de notre semi-pauvreté chronique, qui était particulièrement dure pour moi qui fréquentais une école privée, je remettais ouvertement en question la légitimité du travail de mon père. « Comment peux-tu dire que tu es écrivain si personne n'a entendu parler de toi et que tu ne gagnes pas d'argent ? » En outre, et plus important encore, l'appétit de papa pour les marginaux transgressifs menaçait mon propre sens de l'identité déjà fragile. Peu de choses séparent le cool du bizarre, et je ne voulais plus passer pour quelqu'un de bizarre. Si bien que je me montrais indifférente, voire hostile, envers les gens que fréquentait papa, à l'exception de Sam D'Allesandro, un auteur d'une vingtaine d'années, aussi beau gosse que les rockers britanniques dont les images couvraient les murs de ma chambre.

Papa a fait la connaissance de D'Allesandro en 1984, après avoir chroniqué son recueil de poésie *Slippery Sins* pour *The Advocate*. Richard Anderson de son vrai nom, né dans une famille modeste qui élevait du bétail dans un ranch à Modesto, en Californie, Sam avait modifié son nom à la fois pour le côté glamour de son personnage et pour éviter d'entacher la réputation de ses parents plus conservateurs. Il m'avait convaincue qu'il était le fils de l'acteur Joe Dallesandro (dont, à l'âge de treize ans, je n'avais pas entendu parler) et fut par la suite attaqué en justice par l'acteur de Warhol suite à une lecture donnée dans un club de Los Angeles, au coin de la rue où il habitait. Les amis de papa n'étaient pas aussi impressionnés que lui par le premier recueil de poésie de Sam mais, à partir du moment où ce dernier a commencé à écrire en prose, il a développé un style pur et d'une grande maturité. Kevin Killian le considérait même comme un «génie».

J'ignorais tout de ce qu'écrivait Sam, mais, comme tout le monde, j'étais captivée par sa beauté. Il était grand, mince, avec des yeux d'un bleu perçant et des lèvres pulpeuses. Et il irradiait, on aurait dit qu'il était illuminé de l'intérieur ; je ne pouvais pas m'empêcher de le fixer.

J'ai flirté sans la moindre honte avec Sam, sans jamais considérer ses préférences sexuelles comme un obstacle à son affection. Certains amis de mon père ont remarqué que j'en pinçais pour lui. Kevin disait en rigolant que c'était du gâchis. Néanmoins, Sam semblait aussi s'intéresser à moi. Il se joignait souvent à nous pour des promenades au Golden Gate Park, pour aller au cinéma, ou pour acheter des chaussures. Comme je ne connaissais pas Andy Warhol, il m'a fait cadeau de ses anciens numéros d'*Interview*, le magazine créé par Warhol en 1969. Sam est même venu à ma fête d'anniversaire, il m'a offert une carte Hallmark écrite en espagnol, dont il avait barré le texte pour rédiger un mot de sa main énergique.

Sam compatissait tout particulièrement avec mon ennui adolescent, mon besoin d'excitation et de nouveauté. Il m'emmenait au café Double Rainbow sur Haight Street, où les garçons avaient les cheveux teints et étaient chaussés de creepers à semelles épaisses, les filles arborant des jupes à crinoline, des bottes de cow-boys et du rouge à lèvres. Sam m'a aussi présentée à Jono, un ami à lui, un jeune peintre qui habitait en face du Double Rainbow.

Il m'arrivait de passer chez Jono après l'école. J'appuyais sur le bouton de l'interphone et je pénétrais dans sa « caverne », un atelier qui occupait tout un niveau, remplis de grandes toiles, des portraits vernissés par blocs de couleurs qui représentaient des hommes au visage long et au nez étroit, comme Jono. Quand il peignait, il écoutait à fond The Mutants ou Talking Heads. J'étais tout simplement contente de pouvoir l'observer, d'épier ses discussions, ses va-et-vient : il recevait des coups de fil, préparait des projets, et peignait. Il m'aidait à imaginer ce que pourrait être ma future vie adulte, pleine d'amis, de musique et d'art.

Au printemps, je suis retournée voir la coiffeuse anglaise de Haight Street qui m'avait coupé les cheveux court la première fois. Je lui ai demandé de désépaissir ma frange pour que mes cheveux fassent l'effet d'une coupe courte qui aurait repoussé. Dès que ç'a été fini, j'ai foncé chez Jono. Je ne me souviens plus si je lui ai suggéré de me prendre en photo ou si c'est lui qui en a eu l'idée. Je me rappelle juste que j'avais quatorze ans, les cheveux teints noir de jais, et que j'ai posé devant des portraits à gros nez réalisés par Jono. Sur les photos, je suis coiffée d'une toque gris ardoise, j'ai une veste à boutons-pressions, un tee-shirt noir et un leggings, et je porte du rouge à lèvres plus rouge que rouge. Comme autrefois avec mon voisin photographe Robert, je savourais la possibilité de transformation au gré des poses.

Lorsque Sam est passé chez Jono ce soir-là, je lui ai demandé s'il voulait bien aller acheter une bouteille de bourbon pour mes copines et moi. Nous avions prévu une sortie au Golden Gate Park. Il a ri, m'a révélé qu'il avait fait la même chose à notre âge, et a accepté de me retrouver le vendredi devant Cala Foods sur Haight Street. Je l'ai attendu sur le parking avec mes copines – on dansait et on sautait toutes sur place pour lutter contre le froid humide quand la silhouette vigoureuse de Sam a émergé de l'ombre. Il a souri, nous a saluées, et je lui ai tendu les dix dollars que nous avions réunis pour notre achat commun. Il m'a remis la bouteille protégée dans un emballage papier, et le sang m'est monté à la tête : j'ai ressenti une bouffée de chaleur tant j'étais fière que ce gars à la coule, ce charmant garçon, soit mon ami.

Un peu plus tard, complètement par accident, j'ai découvert que Sam sortait avec Sean, le Sudiste souriant qui me vendait des oursons en guimauve à Coffee Tea & Spice deux ans auparavant. Sam l'avait repéré au magasin derrière sa caisse enregistreuse et avait noté son numéro sur une boîte d'allumettes qu'il avait d'autorité placée dans la main de Sean en lui disant : «Sers-t'en.» Mais Sean avait été intimidé : «Il était trop beau et trop intense», m'a-t-il confié par la suite. Cinq années se sont écoulées avant que Sean tombe sur Sam dans un café et qu'ils sortent ensemble. Quand Sam a contracté le virus du sida, Sean s'est occupé de lui. Il a fait de même pour Jono, devenu malade plusieurs années plus tard, en l'invitant à manger du homard dans des restaurants de luxe. Et, bien que séropositif, Sean n'a lui-même jamais été déclaré malade.

J'ai rencontré Sean presque vingt-cinq ans plus tard : il n'avait plus sa moustache et l'éclat dans ses yeux avait pour l'essentiel disparu. « Je suis l'un des seuls de tous les gens que je connaissais à cette période ayant été diagnostiqué séropositif qui est encore là, m'a-t-il dit. Personne ne peut piger. Le sujet dans son ensemble est tellement… Comme si c'était un phénomène du passé. »

À force de traîner avec Sam et Jono et de m'immerger dans la scène New Wave du Haight, j'ai fini par prendre davantage confiance en moi à l'école. Au lieu de me perdre dans les lignes des dessins de ma période artistique ou de me cacher derrière mon appareil photo pendant les spectacles de danse de fin d'année, je défilais maintenant dans les couloirs de l'école franco-américaine vêtue d'un tee-shirt anti-Reagan que papa avait reçu pour son quarantième anniversaire et d'une veste Fiorucci en nylon bleu électrique qu'il avait achetée en Europe.

J'ai passé une audition pour «Bac À Dos», une soirée organisée par l'établissement où l'on présentait des pièces de théâtre en un acte, parmi lesquelles *Propriété condamnée*, de Tennessee Williams, et j'ai décroché le premier rôle. Je jouais Willie, une fille qui habite seule dans une maison abandonnée après avoir «quitté sans diplôme» le lycée. Elle passe ses journées à marcher sur la voie ferrée, habillée de la robe de soirée de sa sœur défunte, chantant toute seule, cramponnée à une poupée crasseuse. Cet épisode a constitué le point d'orgue de ma carrière de comédienne. Ginger, une rouquine de terminale, m'a dit qu'elle avait pleuré en assistant à ma performance. Ma prof d'anglais continuait de m'appeler «Willie» des semaines après la représentation pour vérifier que je répondais bien à ce prénom, ce que je faisais toujours – et de bon cœur. La pièce m'a valu un respect public que je n'avais encore jamais connu. J'éprouvais en outre la sensation de me forger une version de moi-même qui m'appartenait en propre, qui valait le coup et qui ne dépendait pas de mon père. Dans l'annuaire scolaire de cette année-là, un terminale qui interprétait l'un des rôles principaux dans une pièce en français a écrit que, tout comme l'héroïne de *La Ménagerie de verre*, de Williams, il fallait que je sois prudente parce que les «magnifiques licornes en verre ont tendance à perdre leur corne».

Et puis un matin, dans les couloirs de l'école franco-américaine, Sarah, une étudiante qui avait la cote et venait d'un autre établissement, a dit qu'elle aimait ma veste Fiorucci, mais, au moment où j'ai souri, elle a ajouté avec une petite moue moqueuse : «Par contre, il faudrait peut-être que tu la laves.» C'est à ce moment-là seulement que j'ai baissé les yeux et que je me suis rendu compte que je l'avais tant portée que les poignets et les coutures étaient noirs de crasse. Elle a éclaté de son rire de gosse de riche – un rire de poitrine, profond – puis a poursuivi son chemin dans le couloir, et j'ai senti comme un malaise au creux de l'estomac. J'aurais voulu disparaître de la surface de la terre.

Un autre après-midi, ma bonne copine Niki m'a fait venir après l'école et m'a demandé si je mettais du déodorant. Comme je la regardais d'un air perplexe, elle m'a expliqué : «Quand on devient ado, on ne peut pas juste se contenter de prendre des douches.» Je la fixais toujours d'un air éberlué, alors elle a soupiré, a regardé au plafond et m'a dispensé le topo que mon père aurait dû me dispenser : «Ton corps est en plein *changement*. Il faut que tu mettes du déodorant.» Sur ce, elle a sorti de son sac un petit tube bleu pastel baptisé, cela tombait bien, «Secret», et me l'a gracieusement posé au creux de la main. «J'ai acheté ça pour toi. Il faut que tu t'en serves… tous les jours.»

La semaine suivante, j'étais avec Niki et les filles à Uncle Gaylord's, un marchand de glaces au coin de la rue de l'école franco-américaine où nous sirotions parfois des cafés *latte* après les cours. J'ai remarqué à la table d'à côté qu'un couple se levait et partait sans même finir sa coupe de glace à la Chantilly. Nonchalamment je me suis approchée, j'ai pris une cuillère et je me suis mise à finir leur glace.

«Qu'est-ce que tu fabriques ? s'est écriée Niki.

– Je termine leur Chantilly, ai-je répondu en avalant une cuillère de caramel fondu.

– Tu ne peux pas faire ça !

– Et pourquoi ? De toute façon, ça va être jeté.

– Viens ici. Viens *ici*, je te dis. Tu ne peux pas manger les restes des autres. C'est dégoûtant.»

Toute penaude, j'ai reposé la cuillère. Je ne voyais vraiment pas où était le problème, cependant, je soupçonnais Niki d'avoir raison, et je me suis sentie envahie de ce sentiment familier de honte et de confusion.

Pourquoi était-il une fois de plus si difficile de contenir mon étrangeté, de cacher ma crasse et de masquer mon odeur ? Il m'est pénible de ressusciter ces souvenirs, aujourd'hui encore. « J'espère ne pas t'avoir trop fait honte, me dira Niki par la suite. Mais il fallait que quelqu'un te le dise. »

Munca, ma grand-mère de Kewanee, dans l'Illinois, voulait être cette personne. Toutefois, je ne la voyais que l'été, et bien qu'elle m'ait appris à me débarrasser discrètement de mes serviettes hygiéniques, j'avais envie de rentrer sous terre chaque fois qu'elle employait l'expression « menstrues imminentes ». En outre, elle avait omis de me parler du déodorant et même des tampons – c'est Niki qui me révélerait ultérieurement cet autre secret féminin.

Et puis il y avait Dede.

Quand notre télé est tombée en panne, j'ai erré dans l'appartement en me plaignant de m'ennuyer. Papa a décidé de m'inscrire à Big Brothers Big Sisters of America, une association à but non lucratif qui avait vocation à mettre en contact des enfants orphelins de père ou de mère avec des adultes sans enfants. Sur la fiche d'inscription, j'ai précisé que j'aimais la musique et les animaux. On m'a bientôt mise en relation avec Dede Donovan, une prof de droit de La Jolla, en Californie, qui approchait de la quarantaine, aimait Cat Stevens et les lévriers irlandais, et n'était pas encore mariée. Dede et moi nous voyions une fois par mois. Elle passait me prendre au volant de sa Dodge Colt, la banquette arrière couverte de poils de chiens, et m'emmenait dîner. Elle a toujours été gentille mais nous n'avons jamais été très proches, en tout cas pas au point de discuter de ma puberté.

Pourquoi mon père ne pouvait-il pas m'en parler ? Bien sûr, il m'emmenait chaque semaine au cinéma – alternant entre les films du Brat Pack que j'avais envie de voir (*Seize bougies pour Sam*, *Breakfast Club*, *St. Elmo's Fire*) et son austère cinéma d'art et d'essai (*La Déchirure*, 1984) – et, s'il était tendre et qu'il n'était pas avare de câlins et d'encouragements, il ne savait pas trop comment élever une adolescente. Il ne se doutait pas des choses auxquelles j'étais confrontée au quotidien dans mon école privée.

De même que j'avais été harcelée en CP, ces expériences me révélaient une chose fondamentale : je ne pouvais compter sur personne, et, ainsi livrée à moi-même, j'étais exposée au jugement imprévisible de la société, où je pouvais être bizarre sans vouloir l'être, sans même en avoir conscience. (Les recoins mal rangés de *Fairyland* dépassaient des portes du placard.) Conséquence de cette prise de conscience, je me suis de plus en plus refermée sur moi-même. Ce que j'ai trouvé là, c'est de la colère.

Par un bel après-midi de juin 1984, mon père se préparait pour se rendre au défilé annuel de la Gay Pride. J'ai toujours apprécié l'énergie contenue dans cette manifestation, mais je n'y étais pas allée depuis des années. Le soleil pénétrait dans la salle de séjour par la fenêtre derrière moi, et je sentais au pied léger avec lequel mon père circulait dans l'appartement qu'il était de bonne humeur.

Je l'ai observé se regarder dans le miroir de la salle de bains, se nouer un bandana rouge autour du front, puis se servir d'un tube de rouge à lèvres. Il s'est approché de moi alors que je mangeais mon bol de céréales, et m'a gentiment demandé : «Je suis comment?»

J'étais morte de honte. Je revenais juste d'une virée avec ma bande de copines dans laquelle je trouvais enfin ma place, je voulais être quelqu'un de «cool». Papa n'avait pas un look «cool». Il ressemblait au chanteur du groupe Loverboy, mais avec du rouge à lèvres. Enhardie et insolente, je lui ai répondu la première chose qui m'est venue à l'esprit :

«C'est fou ce que t'as un look de pédé, papa.»

J'ai prononcé ces mots comme mes camarades de classe auraient pu les dire – j'entendais par là craignos, idiot, bizarre, gênant. En tant qu'adolescente, j'étais persuadée que c'était mon droit, voire mon devoir, d'être honnête en toutes choses. Non seulement je faisais remarquer que l'empereur ne portait pas de vêtements, mais il fallait en plus que j'insiste sur ce qui n'allait pas avec le corps nu de l'empereur.

À l'instant où le mot «pédé» a franchi mes lèvres, tout le visage de papa s'est métamorphosé. Son sourire confiant a disparu, ses yeux se sont durcis, pleins de reproches.

«Tu ne peux pas dire ça.»

À présent, il avait l'air tellement blessé et tellement sérieux que je n'ai rien pu faire d'autre que le regarder. Je ne me souviens pas qu'il m'ait giflée. C'est pourtant l'impression que j'ai eue. Mon visage est devenu cramoisi et j'ai regardé le sol.

«Tu ne peux pas utiliser ce mot», a-t-il répété.

Je n'ai pas demandé pardon. Je n'ai rien dit. Je me suis contentée de regarder fixement le sol jusqu'à ce que papa sorte de l'appartement, me laissant seule avec ma culpabilité.

Enfant, je n'avais aucun problème à accepter l'exubérante homosexualité de papa. Qu'il soit en pantalon ou en jupe, il était toujours mon père, celui qui me préparait mes flocons d'avoine avec du lait et du miel, celui qui me poussait sur les balançoires du parc chaque fois que je m'écriais: «Encore!», celui dont les genoux tremblaient quand il éclatait de son grand rire tantôt discret tantôt tonitruant.

Toutefois, en grandissant, au fur et à mesure que je me mettais en phase avec le monde alentour, ce à quoi j'aspirais le plus, plus que tout autre chose, c'était à être acceptée. Son côté homo affiché est devenu mon point faible, mon tendon d'Achille. Non seulement il constituait pour moi une source potentielle de rejet et de ridicule, mais c'était en outre quelque chose que je ne pouvais contenir. Très bien, songeais-je, si papa était gay – il était gay! Mais fallait-il qu'il ait l'air *si gay*? Et *en public* de surcroît?

Moi, au moins, j'avais un certain degré de contrôle sur mon étrangeté... Tandis que papa était là à faire tout ce qui lui passait par la tête, à dire tout ce qu'il avait envie de dire, à s'habiller comme bon lui semblait, à sortir avec qui il voulait. Y compris avec Charlie.

13

Un après-midi de 1984, en rentrant à la maison, j'ai posé mon cartable sur notre grande table recyclée à partir d'un touret, et j'ai appelé papa. N'obtenant aucune réponse, j'ai aperçu un message posé sur la table :

Alysia
Je serai à la maison à 20 heures. Voici 5 dollars pour ton repas.
Merci de sortir tes affaires à dessin de ma pièce.
Je t'aime,

Ton papa

J'avais plusieurs heures devant moi. Je suis entrée dans la pièce de papa, j'ai repéré son grand cendrier en marbre orange et des allumettes, et j'ai disposé l'un et l'autre sur le parquet. Puis, en me déplaçant dans l'appartement, je me suis employée à récupérer divers trucs dans la poubelle : des cheveux sur une brosse, un magazine, un journal, une gomme, et une paille qui avait été coupée en deux.

Assise sur mes talons sur le tapis oriental de papa, je me suis penchée au-dessus du grand cendrier avec mon tas d'objets et les allumettes. À l'intérieur de la cuvette taillée dans le marbre, j'ai placé l'allumette enflammée sous les objets afin de comparer la façon dont chacun se consumait. Les cheveux ont brûlé le plus vite. Dans un grésillement et une explosion de fumée âcre, ils se sont évanouis dès le premier contact avec la flamme. Un bout de papier journal brûlait plus rapidement qu'un morceau de couverture de magazine, ce qui, selon moi, était dû à l'épaisseur et au pelliculage brillant en couleurs. La gomme ne brûlait quasiment pas, mais son extrémité devenait marron en diffusant une odeur fabuleusement forte. Les pailles étaient les plus rigolotes à regarder : leurs bords fondaient et, une fois refroidis, durcissaient, créant de nouvelles formes plastiques. Les quelques fois où j'ai sorti le cendrier en marbre orange, je me suis mise en quête de ces demi-pailles qui, allez savoir pourquoi, étaient disséminées dans tout l'appartement.

Ce n'est que plusieurs mois plus tard que j'ai compris pourquoi il y avait tant de pailles coupées en deux chez nous, et c'est plus tard encore que j'ai appris le rôle qu'avait joué Charlie dans cette histoire.

Papa a rencontré Charlie à Finella's, un sauna et salon de massage qui se trouvait à côté du Café Flore, dans le Castro. Charlie travaillait à la réception. Grand et mince, le visage en forme de cœur, une tignasse de cheveux châtain clair en bataille, Charlie était tout à fait le genre de garçon que papa attirait. Mon père avait un faible pour les profils du genre mouton égaré – de jeunes hommes ayant vaguement un petit boulot, susceptibles de nous piquer notre sèche-cheveux. Ce qui arrivait souvent. L'été précédent, tandis que j'étais chez mes grands-parents, un gars de dix-neuf ans que mon père avait rencontré s'était installé dans ma chambre. En échange du gîte et du couvert, il faisait la vaisselle et le ménage de l'appartement. C'est seulement après son départ que papa s'est rendu compte qu'il avait piqué les deux cents dollars que nous avions mis de côté pour notre voyage en Europe.

Mon père regrettait souvent ses goûts en matière de petits amis, il aurait voulu avoir une relation avec un partenaire plus «convenable», mais cela arrivait rarement. «Je pense que c'est un défaut de caractère, écrit-il dans son journal. Je ne suis attiré que par ces jeunes gars moins puissants que moi… Est-ce parce que je me sens faible, perdu, désespéré ? »

Je peux me figurer aujourd'hui ce que papa appréciait chez Charlie. Il était enjoué, ouvert d'esprit et avait le rire facile. Et hormis son accoutumance à la coke, qui lui coûtait mille dollars par mois, il avait un mode de vie sain. Qu'il pleuve, qu'il vente, il circulait à bicyclette dans les collines de San Francisco. Il prenait des cours de jardinage, aimait tricoter et était végétarien.

Mais je ne supportais pas Charlie. Non pas parce qu'il prenait de la drogue − ce que papa m'a caché jusqu'à ce qu'il arrête d'en consommer −, ni même parce qu'il aurait été méchant avec moi. Ce que je ne supportais pas, c'est justement qu'il était *gentil* avec moi. De même qu'il refusait de traverser un piquet de grève, il avait tendance à prendre mon parti, à se ranger aux côtés de l'adolescente « opprimée » quelle que soit la dispute que je pouvais avoir avec papa. Un soir, alors que nous regardions tous les trois *Dynasty* à la maison, papa m'a demandé de sortir de sa chambre. Il m'avait déjà laissé entendre à plusieurs reprises qu'il voulait être tranquille avec Charlie. Comme je refusais obstinément de bouger, il a déclaré que je me comportais comme une garce. En guise de protestation, Charlie a quitté l'appartement.

Je ne voulais pas que Charlie prenne ma défense. Je n'appréciais d'ailleurs pas qu'on soit dans la même pièce s'il y avait moyen de l'éviter. Avec son jean miteux et ses écharpes informes qui sentaient le patchouli, il ressemblait aux mômes qui faisaient la manche au coin de la rue. Je n'ai pas tardé à le classer définitivement dans la catégorie *loser*. J'estimais que Charlie n'était pas digne de l'attention de mon père, surtout si c'était pour le détourner d'un centre d'intérêt bien plus important, en l'occurrence, moi. Et je me sentais évidemment en position de faire savoir mon sentiment à papa, en vertu de ma politique de franchise, laquelle a été la cause de maintes querelles.

Mais quand j'y réfléchis aujourd'hui, je me dis que j'aurais pu faire preuve de plus de mansuétude, car, sans Charlie, papa ne se serait peut-être jamais désintoxiqué.

Un autre après-midi d'automne, en revenant de l'école, j'ai trouvé un nouveau mot sur la table :

Alysia,
Retrouve-moi chez Charlie : 1236 Cole, Appartement 4G.
Nous descendrons dîner en partant de chez lui.
Je t'aime,

                                          Papa

C'était la première fois que j'allais chez Charlie, dans un appartement du quartier qu'il partageait avec deux autres gars. J'ai appuyé sur le bouton de l'interphone du 4G et la porte de l'immeuble s'est ouverte. En grimpant les quatre volées de marches, j'ai remarqué la moquette à motifs en cachemire rouge, bleu marine et or, et j'ai deviné à l'odeur moite de renfermé qu'elle dégageait qu'elle datait de la grande époque hippie. En arrivant au quatrième, j'ai réfléchi à la manière dont j'allais saluer papa. Mentalement, je n'ai cessé de me répéter : «La moquette laisse quelque peu à désirer», m'imaginant que papa serait amusé par cette formule un peu ampoulée. Le menton en avant, j'ai répété la formule je ne sais combien de fois dans ma tête, mettant l'accent sur différents mots pour voir l'effet que cela produisait : «La *moquette* laisse quelque peu à désirer», «La moquette *laisse* quelque peu…», de plus en plus convaincue de ma précocité. Je suis finalement arrivée au 4G, j'ai frappé, Charlie m'a ouvert la porte, et là, de manière théâtrale, j'ai crié à la cantonade : «La moquette laisse *quelque peu* à désirer!»
Le visage de Charlie s'est décomposé.
«Steve, ta fille est arrivée.»

Je me suis tournée vers papa, qui m'a foudroyée du regard. Il s'est vite excusé auprès de Charlie et m'a demandé de le suivre dans le couloir, me tenant fermement le bras.

«Charlie a passé l'aspirateur dans les couloirs tout l'après-midi, m'a dit papa. Qu'est-ce qui t'a pris de débarquer comme une princesse, en faisant une réflexion sur la moquette?»

Sidérée par la colère de mon père, je n'ai rien répondu. Lui qui appréciait tant ce genre de réplique dans *Dynasty*… Il aurait au moins pu apprécier ma tournure de phrase.

«C'était juste pour rigoler.

– Eh bien, ce n'était pas rigolo. Il faut toujours que tu te montres antipathique avec Charlie, a continué mon père, alors que tu *sais* à quel point il compte pour moi.»

Sauf que je ne savais pas à quel point il comptait pour lui. Comment l'aurais-je su? Il allait me falloir des années pour voir en mon père autre chose qu'une source d'amour dévoué, d'attention et d'argent qui, estimais-je, m'était dû. Mon raisonnement était à peu près le suivant: puisque maman était morte, papa était obligé de compenser son absence en m'offrant deux fois plus d'amour et deux fois plus de soutien qu'il l'aurait fait normalement. Cela me semblait parfaitement logique. Charlie ne l'entendait pas de cette oreille.

Mais voilà que papa exigeait que je le considère comme une personne indépendante, un adulte en quête du réconfort d'une relation amoureuse. C'est longtemps après sa mort, en étudiant son journal, que j'ai compris ce que Charlie représentait pour papa. Que Charlie le rendait heureux. «J'aime être avec Charlie simplement parce que c'est agréable. Nulle raison ni analyse. Pourquoi apprécie-t-on des fleurs, par exemple?» D'accord, mais qui a envie de penser aux besoins sexuels et amoureux de son propre père? J'avais à peine quatorze ans et je m'en tenais à l'idée de l'amour implacable de mon père pour ma mère dont la mort lui avait tellement brisé le cœur qu'il était irrévocablement devenu homo. Même à l'époque, je soupçonnais que cette histoire ne tenait pas vraiment debout – mais cette vision des choses étant bien commode, il n'était pas facile d'y renoncer.

Peu après le fiasco de la moquette, Charlie a commencé à passer plus de temps avec un dealer du quartier. Mon père était convaincu qu'il le fréquentait pour obtenir gratuitement de la coke. Au cours des deux années pendant lesquelles Charlie et papa sortaient ensemble, Charlie n'a jamais été monogame – et pourtant, Dieu sait si mon père aurait voulu qu'il le soit. Il rapportait leurs disputes par écrit. «Je ne sais pas si je vais pouvoir supporter longtemps cette espèce de pression amoureuse», lui aurait dit Charlie un soir, l'accusant d'être «trop attaché», et ajoutant qu'il n'avait jamais été avec quelqu'un qui aimait à ce point «comme une femme».

Mon père avait essayé de sortir avec d'autres personnes, mais cela n'avait fait que l'exposer à une palette de risques plus grande. «Qui sait si j'ai dépassé ma dépendance émotive, je n'ai peut-être fait que la disséminer davantage autour de moi, écrit papa dans son journal. Coucher à droite à gauche sans vergogne, ça irait s'il n'y avait pas les dangers du sida.»

Il se sentait trop attaché à Charlie pour mettre un terme à leur relation, toutefois, la situation continuait de le faire souffrir. Charlie lui posait parfois un lapin, ou arrivait en retard, les pupilles dilatées, manifestement défoncé. Si papa aimait bien fumer de l'herbe et prendre de l'acide avec lui de temps en temps, il tâchait de freiner sa consommation de coke, dont il avait l'impression qu'elle commençait à attaquer la santé de Charlie. «Est-ce qu'il existe un moyen pour moi de te faire cesser de prendre de la coke, à part en te balançant aux flics?» demandait-il. Charlie lui rétorquait que prendre de la cocaïne n'était «pas plus dangereux que de manger du sucre», arguant même qu'il pouvait en consommer davantage sans la moindre réaction toxique, car il était végétarien.

Amoureux, mais de plus en plus jaloux et incapable de contrôler les allées et venues de Charlie, papa a sombré dans l'obsession, remplissant des pages et des pages de son journal de lettres qu'il n'enverrait jamais et tirant des plans sur la comète pour le reconquérir. Papa a envisagé de crever les pneus du vélo de Charlie, ou de verser de la superglue dans son antivol. Considérant que ces stratagèmes étaient trop dangereux car il risquait de se faire prendre en flagrant délit, il fomenta un autre plan. Muni d'un stylo-feutre, mon père écrivit sur un paquet d'étiquettes autocollantes : « Salut. Je suis mignon, blond et je couche pour un demi-gramme de coke. Appelez Charlie à ce numéro. » Papa a collé ces stickers dans les W-C de cafés et de bars partout dans la ville.

La plupart ont été arrachés la première semaine, seuls un ou deux sont restés collés au Café Flore. Au tout début, Charlie ne se doutait pas de qui était derrière ce canular, et il s'est plaint à mon père de cette « diffamation ». Et puis un beau matin, après avoir fait l'amour avec lui, papa a avoué. « Les yeux de Charlie se sont écarquillés, écrit-il dans son journal. Il m'a repoussé, a attrapé ses vêtements & s'est rhabillé. Il était blessé, en colère, et avant tout décontenancé. Je ne sais pas pourquoi je suis allé lui raconter. »

Inutile de dire que Charlie ne voulait plus du tout avoir à faire à mon père après ça. Frustré, désespéré, mon père a commencé à fantasmer qu'il se procurait un flingue pour tuer Charlie. Quand il a confié avoir de telles pensées à un ami, celui-ci lui a conseillé de se faire admettre aux Narcotiques Anonymes, ce qu'il a fait le soir même.

À l'époque, j'ignorais la teneur de son aventure avec Charlie. Aujourd'hui encore, presque trente ans après les faits, il m'est douloureux de constater que mon père pouvait dérailler à ce point et de voir combien il était incapable de se contrôler. Et il y a en moi une petite voix qui me souffle de passer sous silence ces détails, de les laisser enfouis dans ce journal dont ils n'auraient jamais dû sortir. Pour protéger papa de papa. Mais ressentirais-je cela s'il s'agissait de quelqu'un d'autre ? Si ce n'était pas mon père, je me concentrerais juste sur l'histoire. Voilà ce qui s'est passé, et peut-être que ce comportement n'est pas si inhabituel pour des homos camés à San Francisco dans les années 1980. Sauf que je ne parle pas ici de n'importe qui. C'est mon père que j'évoque. Et même s'il n'y a pas de risques que je le recroise un jour, j'ai encore peur que ses actes et ses choix n'entachent sa mémoire. Son comportement confirme-t-il les pires stéréotypes sur les homos, ces types moralement compromis qui couchent avec n'importe qui ? Pour finir, j'ai peur que son comportement ternisse ma propre image. Les péchés du père.

Je n'étais pas au courant de tous ces drames avec Charlie. Je n'avais jamais remarqué que papa prenait de la drogue (dont coke, speed et LSD) avant qu'il n'arrête. Il entrait et sortait de la maison à toute heure. Il était toujours préoccupé par quelque chose, souvent par son travail. Et c'est seulement lorsqu'il a été désintoxiqué que je l'ai eu sur le dos, qu'il s'est mis à jouer les emmerdeurs pour de bon. Il m'avait sermonnée à propos des dangers d'un abus de télé, et m'obligeait maintenant à lire des articles sur l'addiction, qui « se transmettait au sein de la famille ». Si je trahissais une certaine impatience pour une sortie ou un cadeau promis – des vêtements neufs, un film, une télé –, c'était une preuve de mon besoin de « satisfaction immédiate », une nouvelle preuve de ma « personnalité addictive ». Il remarquait soudain que je ne m'acquittais pas de mes corvées, alors même que la maison n'était pas plus en bazar qu'avant.

« Si tu dois te comporter comme ça, lui ai-je dit, je préférerais que tu te remettes à la drogue. »

Mon père m'a même obligée à assister avec lui à une des réunions des Narcotiques Anonymes auxquelles il se rendait quatre soirs par semaine à «Notre-Dame de Safeway», ainsi qu'il appelait l'église sur Market Street face au supermarché Safeway.

Je me suis assise à côté de lui sur l'une des chaises disposées en cercle de manière à ce que tout le monde puisse se voir. Certaines personnes buvaient du café dans des gobelets en polystyrène. J'ai eu un mal fou à m'empêcher de rire tandis que des drogués circulaient dans la pièce, et se présentaient tour à tour : «Bonjour, je m'appelle Dan et je suis un alcoolique et un drogué», suivi d'un chorus assourdissant: «SALUT, DAN!!!»

Tout cela m'a paru pathétique, et si ridicule… Quelle bande de paumés, me suis-je dit. Puis différents membres du groupe se levaient de leurs chaises en métal branlantes et racontaient une histoire larmoyante sur leur addiction, à propos d'un moment où ils savaient qu'ils avaient «touché le fond». Chaque histoire était émaillée de nombreux slogans des Narcotiques Anonymes égrenés par un autre membre du groupe :

«Laisser les choses se faire. Et s'en remettre à Dieu!»

«Ça marche si tu te mets en marche!»

«Chaque chose en son temps, un jour après l'autre!»

«On inverse la vapeur!»

Ces platitudes semblaient toujours plus insipides – de quoi systématiquement vous faire grincer les dents. Pourtant, au lieu de lever les yeux au ciel comme je le faisais involontairement, tous les gens présents hochaient la tête avec enthousiasme, ou signifiaient leur accord en grommelant. Qu'est-ce que c'était que cette secte? ai-je songé. À la fin de la réunion, les mains jointes, ils ont collectivement placé leurs espoirs dans une puissance supérieure.

C'était presque insupportable pour une adolescente.

Tandis que papa focalisait toute son énergie sur sa désintoxication, moi, je me focalisais sur des moyens de gagner de l'argent. J'avais une quinzaine d'années, et tout ce que je voulais coûtait de l'argent. Je savais que l'argent liquide était dur, froid, et qu'on en manquait cruellement. *Newsweek* baptisa 1984 «L'Année du yuppie». Même les boutiques de Haight Street vendaient des tee-shirts aux slogans insolents du genre : «Guerre nucléaire ? Et ma carrière alors ?»

Papa parlait tout le temps d'argent, lui aussi. Depuis ma chambre, je l'ai entendu crier le jour où il a perdu un de ses plombages («Il y en a pour sept cents dollars !»), ou encore à propos de la note de téléphone : «Cinquante-cinq dollars ?» Il a poussé une gueulante quand j'ai perdu les cinq dollars qu'il m'avait laissés pour payer mon abonnement aux transports en commun. «J'étais déprimée ce jour-là», ai-je dit pour implorer sa pitié. Il a également hurlé quand, me précipitant sur le téléphone, j'ai fait tomber la télé, avant de lâcher un chapelet de jurons tandis que nous regardions le bouton cassé rouler au sol derrière sa bibliothèque. Papa n'avait pas les moyens de réparer ou de remplacer le téléviseur, alors nous devions changer de chaîne à l'aide d'une pince, qui n'était évidemment jamais à portée de main quand on en avait besoin.

À l'école franco-américaine, j'avais de l'argent pour le déjeuner, mais pas pour le goûter. Ado maigrichonne de quatorze ans au métabolisme rapide, j'avais constamment faim. Je demandais souvent à mes camarades de me refiler un petit quelque chose en plus à grignoter. Je ne voyais pas ce qu'il y avait de mal à ça, jusqu'à ce qu'un élève prénommé Xavier s'en rende compte et se mette à m'appeler «A-leech-a*». Comme ce garçon faisait partie des plus populaires de la classe, sa remarque n'a pas échappé aux autres et j'ai dû arrêter de taxer à manger à droite et à gauche.

Je ne voulais pas réclamer de l'argent à mon père par crainte de déclencher une dispute. Alors j'ai commencé à en

---

* En anglais, *leech* signifie «sangsue».

emprunter à mes amies et à leurs mères, qu'il fallait ensuite que je rembourse. Le matin, quand papa dormait encore, je me glissais dans sa chambre. Je ramassais son jean roulé en boule par terre, et je retirais délicatement son portefeuille en cuir de la poche arrière. Je lui prenais alors un billet de dix, parfois de vingt dollars. Il ne le remarquerait pas, me disais-je. Il n'a effectivement jamais remarqué.

Je détestais être obligée de faire mes coups en douce et d'avoir à mentir, mais je voulais de l'argent pour m'acheter des vêtements, des magazines, des disques et de quoi goûter. J'ai trouvé un boulot de baby-sitter tous les week-ends chez une mère célibataire qui travaillait à Daljeet's, la boutique punk à côté de I-Beam. Elle et deux de ses sœurs créatrices de bijoux avaient débarqué de Philadelphie et vivaient dans un quatre pièces à deux pas de Polk Street. J'étais attachée au petit garçon de trois ans que je gardais, j'aimais bien le fait qu'il dise que j'étais son « amoureuse », et j'adorais regarder MTV chez eux – même s'il fallait que je me tape d'innombrables clips de Rod Stewart (de grâce, pas « Infatuation » !) dans l'espoir de tomber sur Duran Duran ou Billy Idol. En revanche, je ne risquais pas d'aller très loin avec mes quinze dollars par soir.

Si bien que, en décembre, j'ai postulé pour mon premier boulot de caissière dans un magasin de produits diététiques. Sun Country Foods vendait du jus d'herbe de blé fraîchement pressé pour les hippies du quartier et des sandwichs gastronomiques pour les yuppies. Les propriétaires de Sun Country exigeaient que tous les candidats à l'entretien d'embauche – du gérant à la caissière – passent au détecteur de mensonges. J'avais entendu dire que ces propriétaires étaient affiliés à l'Erhard Seminars Training (EST), une secte populaire dans les années 1970. Ce détail ne justifiait en rien leur paranoïa, mais je n'ai pas discuté cette condition requise. Je voulais juste un boulot, alors j'ai pris rendez-vous et me suis rendue au magasin dans la semaine.

Sur place, j'ai rencontré l'administrateur et je lui ai tendu ma fiche de candidature proprement remplie au stylo-bille. Il m'a fait monter à l'étage, dans une pièce où se trouvaient deux chaises, une table et de grandes vitres qui donnaient sur le magasin en contrebas.

Je me suis assise sur la chaise du fond, dos à la vitre, pendant que cet inconnu me collait un ruban adhésif autour de l'index et du majeur puis me passait une sorte de large ceinture autour de la taille.

Après avoir tout mis en place, il s'est installé face à moi, calepin sur les genoux, et m'a demandé si j'étais prête.

«Je crois, oui.»

S'en est suivie une liste de questions pour confirmer mon expérience professionnelle, mon nom, mon adresse. Après quoi il s'est raclé la gorge et a continué :

«Avez-vous déjà été arrêtée par la police ?

– Non.

– Déjà volé quelque chose dans un magasin ?

– Non.

– Déjà volé quelque chose à un employeur ?

– Non.

– Avez-vous déjà fumé de la marijuana ?

– Oui.»

L'administrateur a écrit quelques mots dans son cahier tout en me gratifiant d'un regard doux. Peut-être prenait-il note de ma nervosité, ou peut-être trouvait-il étrange de soumettre une adolescente à un détecteur de mensonges.

« Ce n'est pas grave. Beaucoup de gens en ont fumé au moins une fois. Déjà pris du LSD ?

– Non.

– Métamphétamines ?

– Quoi ?

– Du speed.

– Non.

– De la cocaïne?»

J'ai marqué un temps d'arrêt. J'ai repensé à papa, à ses pailles coupées en deux qui traînaient dans toute la maison et à la façon curieuse qu'elles avaient de se consumer pour prendre des formes imprévisibles. Et je me suis sentie devenir nerveuse. L'aiguille a frétillé. Le crayon de l'administrateur glissait sur le papier; il prenait des notes. Je me suis fait la réflexion qu'il valait mieux que je dise quelque chose. Il a répété :

«Avez-vous déjà pris de la cocaïne? Sniffée ou injectée?

– Mon père en prend. *En a pris.* Il n'en prend plus. Il est aux NA.»

L'administrateur m'a regardée droit dans les yeux.

«Narcotiques Anonymes.»

Ma respiration était encore hachée. Les aiguilles bougeaient à nouveau. À mesure que je les entendais gratter le papier, mon visage devenait écarlate et mes yeux se remplissaient de larmes. Je n'avais jamais parlé à qui que ce soit des problèmes de drogue de papa. Je ne savais pas ce que je ressentais, j'ignorais même ce que j'étais censée éprouver. J'en étais encore à essayer de comprendre où les crimes de papa s'arrêtaient et où commençaient les miens.

«Ça va aller, a dit l'administrateur sur un ton rassurant. Nous avons presque terminé.»

En m'enlevant l'adhésif des doigts et la large ceinture de la taille, il m'a complimentée :

«La plupart des postulants ont consommé beaucoup plus de drogue que vous.»

Et j'ai souri, assez fière de moi.

L'après-midi, quand je suis rentrée de l'école, papa était au téléphone et m'a tendu un bout de papier. «Le gérant de Sun Country a appelé. Vingt heures par semaine. Cinq dollars vingt-cinq de l'heure. Début samedi?»

Deux jours avant Noël 1984, papa et moi dînions à la maison et il m'a demandé de l'accompagner à la fête de Noël chez John Norton. J'ai refusé. La perspective de me joindre à John Norton ou à tout autre ami de mon père pour une soirée entière m'emplissait d'un effroi écœurant.

« J'ai déjà prévu quelque chose pour Noël, ai-je annoncé. Avec Yayne. »

Yayne et moi fréquentions maintenant deux écoles différentes, mais elle continuait à me traiter comme quelqu'un de sa famille. Chaque Noël, elle m'invitait pour la journée et la soirée, et j'acceptais toujours. Yayne avait exactement le genre de famille exubérante à laquelle j'aspirais pendant les vacances. Elle n'avait qu'un frère, mais sa mère était la plus âgée d'une fratrie de six, et tous habitaient San Francisco. Durant les vacances, les tantes, les oncles et de nombreux petits-cousins coiffés avec des nattes en escargot et des couettes se réunissaient chez la grand-mère de Yayne, les adultes dans une pièce, les enfants dans une autre. Yayne étant la plus âgée des cousines, elle devait de facto jouer le rôle de baby-sitter, et je l'aidais à mener au pas toute cette joyeuse troupe. Nous décidions quelle chaîne de télé regarder, pour qui ça allait barder s'il ou elle n'obéissait pas, et où les uns et les autres devaient s'asseoir pour les repas. J'aimais beaucoup ce qu'il y avait à manger – patates douces onctueuses, pain de maïs beurré, riches ragoûts de maïs –, et j'appréciais tout particulièrement cette idée que j'étais la bienvenue, que ma présence n'était jamais remise en question. Je pouvais me contenter de regarder la télé et disparaître.

Mais mon père insistait. « Je veux que tu viennes, ne serait-ce qu'une partie de la soirée. Peut-être même t'amuseras-tu.

– Je fais ce que je veux, lui ai-je lancé. Tu ne peux pas m'obliger à y aller, et tu ne peux pas m'obliger à m'amuser. »

Nous sommes restés assis à la table. Je laissais traîner mes doigts sur les aspérités du bois. Nos disputes en arrivaient souvent là, jusqu'à ce que le silence s'installe, me signalant que mon père capitulait. En général, il n'avait pas l'énergie de s'opposer très longtemps à ma volonté. J'étais habituée à remporter ces joutes. Néanmoins, cette fois-ci je n'ai tiré aucune satisfaction de ma victoire.

Dans l'espoir de détendre l'atmosphère, je lui ai demandé de faire un dessin de moi. Je m'étais mis en tête que, s'il me dessinait, tout irait bien. Les choses reprendraient leur cours comme avant. Et chacun pourrait redevenir lui-même.

«Je ne peux pas te dessiner ce soir, ma puce, a-t-il dit. Je suis trop fatigué.

– Alors est-ce qu'on peut faire une promenade quelque part? Dans le quartier? Ou alors on pourrait prendre le bus pour aller dans un café ou dans un endroit que je ne connais pas.

– Je suis trop fatigué.

– Ou bien on peut juste s'asseoir tous les deux sur le toit? C'est vraiment chouette là-haut.»

Nous avons fini par rester à la maison et discuter. Papa m'a expliqué qu'il avait besoin de moi, que, à cause de ses «obsessions addictives», sa consommation de drogue et d'alcool, il ne m'avait pas accordé beaucoup de temps et d'attention. «Je suis désolé», a-t-il dit.

Nous avons établi un programme pour le réveillon: nous sommes allés à Friends manger des *linguine* à la sauce aux palourdes. Après le repas, nous sommes rentrés à la maison à pied, avons ouvert nos cadeaux, bu de grandes tasses de chocolat chaud surmontées de montagnes de crème fouettée.

Le matin de Noël, j'ai bruncé chez Dede à Bernal Heights, pendant que papa assistait à une session extraordinaire des Narcotiques Anonymes – une journée entière de réunions, qu'il a interrompue pour réveillonner avec John Norton. J'ai passé une partie de la soirée avec lui, nous nous étions mis d'accord là-dessus, et je me suis même amusée, en regardant MTV avec la fille d'un ami qui était au cours moyen. Après la fête, chacun de nous est parti de son côté.

À 3 heures de l'après-midi, Alysia et moi sommes partis. Elle en direction de chez Yayne et moi pour assister à la journée des NA. Ce fut intense – deux ont dit qu'ils étaient quasi suicidaires et moi-même je me suis senti englouti dans mes émotions, et les deux personnes suicidaires sont venues à ma rescousse. Après tout ça, j'étais émotionnellement vidé.

À 10 h 30, le soir de Noël, mon père est rentré de sa journée aux NA et s'est retrouvé seul dans notre appartement vide. Il m'a appelée chez Yayne.

«Je veux que tu rentres à la maison.

– Mais Yayne m'a invitée à dormir chez elle.

– Je veux que tu sois à la maison.

– On a déjà installé les sacs de couchage dans le salon!

– J'ai dit *rentre à la maison*. Pourquoi faut-il discutailler à propos de tout?»

En arrivant à la maison vingt minutes plus tard, j'ai évité de croiser le regard de papa et refusé de lui adresser la parole. J'ai franchi le seuil puis ai marché d'un pas lourd vers sa chambre où j'ai allumé la télévision. Papa s'est plaint que j'envahissais son intimité – j'ai explosé. Il m'avait obligée à rentrer et maintenant il ne voulait même pas que je regarde la télé!

«C'est *vraiment* injuste, me suis-je écriée. Tu es un vrai dictateur!»

Mon père est devenu cramoisi. Il a foncé sur moi, m'a attrapée par les épaules: «Jusqu'à maintenant, je ne crois pas avoir tellement fait de dirigisme spirituel, mais ça va changer. On va commencer par un peu d'autodiscipline, a-t-il dit, encore tremblant. Il faut. Que tu cesses. De toujours vouloir. Tout. Tout de suite.»

Il s'est alors mis à raconter en détail les excès de drogue auxquels lui et ma mère s'étaient livrés quand j'étais petite, ses «déconnades à base de drogue et d'alcool» par la suite, et l'enjeu que représentaient désormais pour lui sa guérison et ses séances aux NA. Je me suis énergiquement bouché les oreilles avec les mains. Je ne supportais pas de l'entendre déblatérer comme ça. *Je ne veux pas que ce soit mon histoire*, ai-je pensé. *Ce n'est pas de là que je veux venir.*

À présent en pleurs, je suis sortie de la chambre de papa pour me rendre dans la cuisine. Je secouais la tête en le regardant, la vue voilée par les larmes. J'avais envie d'effacer de ma mémoire tout ce qu'il venait de dire. Appuyée contre le buffet, je me suis laissée glisser sur le parquet. Papa semblait effrayé, et désorienté. Il s'est approché pour me serrer dans ses bras mais je n'ai pas voulu me laisser faire. J'ai fermé les yeux et pensé à ma mère.

À l'adolescence, dès que je traversais une période de doute, je convoquais une image mentale de ma mère et méditais dessus. Notre vie pouvait paraître moche, à côtoyer ainsi des paumés, des drogués plombés par la solitude, l'échec et vivant parfois dans des conditions sordides, mais je savais au moins que j'étais la fille d'une femme très belle et brillante. Une première clarinette dans un orchestre. La meilleure élève de son lycée, qui se tenait le dos bien droit. Diplômée de Smith.

«Je veux que tu fasses un dessin de moi, ai-je dit à papa.

– Que je te dessine? Là, maintenant?

– Oui, je veux que tu me dessines.»

Au bout d'un moment, il a pris dans sa bibliothèque son carnet et ses fusains. Il a suggéré que je vienne poser dans sa chambre, mais j'ai insisté pour garder ma position contre la porte du buffet, alors même que je lui tournais le dos. J'ai entendu le crissement léger de la mine sur le papier mais j'ai continué à pleurer en imaginant ma mère.

Quand papa a eu terminé son croquis, il m'a appelée pour que je vienne voir le résultat. Sur le portrait de moi dans son carnet, je n'étais ni belle, ni intéressante, ni même un tant soit peu poétique. Je n'étais qu'une masse informe, blottie contre une porte.

«Je le déteste.»

Je me suis remise à pleurer. Papa, perplexe, a eu toutes les peines du monde à trouver quelque chose à dire. Je me suis retranchée dans ma chambre, j'ai escaladé l'échelle de mon lit-mezzanine, et j'ai regardé par la fenêtre, observant les personnages qui défilaient dans Haight Street jusqu'à tomber de sommeil.

Pour la nouvelle année, mon père s'est concentré plus sérieusement sur son travail créatif, qu'il avait un peu laissé de côté durant sa difficile épreuve avec Charlie. Il a organisé une lecture de bienfaisance, en partenariat avec City Lights, l'Art Institute et Julian Beck, le poète fondateur du Living Theatre, alors atteint d'un cancer. Il a réalisé une interview d'une journée entière avec Allen Ginsberg, à paraître dans *The Advocate* et *Poetry Flash*. Papa avait fait la connaissance de Ginsberg en 1966, lors d'une conférence du SDS, à l'époque où il voyageait dans tous les États-Unis. Papa, qui finissait alors sa licence à l'université du Nebraska, l'avait invité à une lecture-rencontre à la fac. Ginsberg a d'ailleurs écrit «Wichita Vortex Sutra» en allant chez papa. Pour illustrer l'interview de *Poetry Flash*, notre voisin Robert Pruzan a pris des photos d'eux marchant ensemble dans l'arboretum du Golden Gate Park, l'air très distingué avec leurs barbes et leurs lunettes.

Papa redoublait d'efforts afin de ne pas replonger dans la drogue et l'alcool, et de rester en bonne santé. Il nageait trois fois par semaine dans une piscine municipale sur Richmond Street. Il assistait aux réunions des NA quatre fois par semaine et a commencé le zazen dans un dojo zen de Hartford Street, dans le Castro, où les homos étaient accueillis de bon cœur. Il avait découvert l'existence du zendo en rédigeant pour le *San Francisco Sentinel* un article sur le fondateur du dojo, Issan Dorsey.

Au cours des mois qui ont suivi, papa s'est rendu dans le sous-sol du zendo plusieurs fois par semaine et a même acheté un coussin de méditation lors d'un vide-grenier, de manière à pouvoir méditer à la maison. Au début, il avait du mal à vider son esprit mais, après quinze jours d'un régime exclusivement à base de jus et de lecture assidue du livre *L'Esprit zen, l'esprit du débutant*, il s'y est mis. J'ai bientôt remarqué que cette pratique avait bel et bien un effet positif sur lui. En arrêtant la drogue, mon père était devenu irascible, d'une humeur massacrante. Le zazen semblait l'apaiser et l'aider à se concentrer.

Cependant, en dépit de sa pratique du bouddhisme et de la natation, de ses réunions régulières et de mon indépendance croissante, papa se demandait s'il avait suffisamment d'énergie pour être un père célibataire. En plus de sa solitude persistante («Je n'aime pas draguer, confie-t-il dans son journal. J'appréhende de croiser un regard & ça me fiche la trouille quand je le fais») et de sa fragilité en tant qu'ex-drogué éternellement en convalescence, il y avait moi, plus odieuse que jamais. Par-dessus le marché, je fumais de l'herbe tous les week-ends avec mes copines, papa ne pouvait donc pas compter sur moi pour l'encourager dans son abstinence. Je refusais de retourner avec lui à ses réunions et levais les yeux au ciel d'un air moqueur chaque fois qu'il en parlait.

Les réunions des NA l'aidaient sans doute à clarifier ce qu'il y avait derrière sa consommation de drogue – «Ce soir, la réunion portait sur la peur, écrit-il dans son journal. J'ai probablement commencé à boire et à prendre des drogues parce que j'étais timide – j'avais peur d'être tout seul et qu'on ne m'aime pas, trop inhibé (incapable d'être homo et de l'assumer). Je me suis cramponné à Charlie parce que j'avais peur, lui parti, de me retrouver sans amour – de ne plus jamais retrouver quelqu'un.» Pour autant, je ne supportais pas l'idée que mon père soit «en cure de désintoxication». L'imaginer assis dans une salle pleine d'inconnus et se présenter en disant «Je m'appelle Steve Abbott, je suis un alcoolique et un drogué» me rendait malade. Nous nous marchions dessus en vivant ensemble dans notre petit deux pièces. J'avais l'impression de suffoquer. Ses difficultés devenaient les miennes. Ses déceptions amoureuses aussi. Je détestais cela. Et papa n'était pas heureux non plus.

> *La majeure partie de ces six derniers mois, j'aurais préféré ne pas avoir Alysia. Je n'ai aucune intimité à la maison, j'ai l'impression qu'elle interfère avec toute potentielle relation amoureuse (voire l'empêche). Ça me contrarie fortement. Douze ans que je l'élève tout seul & je suis épuisé. Veux pas la responsabilité ni tous les tracas. Et ensuite je me sens coupable. Je l'aime et très souvent j'aime passer du temps avec elle. Peut-être est-ce l'unique relation de ma vie, et la plus réussie.*

Quand j'étais déprimée, j'allumais la télévision. Papa n'a jamais aimé la télé. Il y avait bien une ou deux émissions qu'il appréciait – «CBS News» (les infos présentées par Dan Rather), «Saturday Night Live» et parfois *Dynasty*, pour le côté kitsch de cette série – mais il préférait de loin lire, retrouver ses amis au café ou se promener sur la plage. La télé était importante pour moi parce que, surtout à la fin des années 1970 et au début des années 1980, bon nombre de sitcoms tournaient autour de familles recomposées. En voici quelques-unes parmi mes préférées :

Laverne and Shirley: deux femmes célibataires, meilleures copines, habitent ensemble dans un appartement délabré en sous-sol, à Milwaukee, dans les années 1950. S'ensuivent moult péripéties.

Ricky ou la belle vie : un père et son fils sont pleins aux as, mais il n'y a pas de maman, aussi doivent-ils s'occuper l'un de l'autre. S'ensuivent moult péripéties.

Sacrée génération : deux ex-gauchistes des années 1960 élèvent leurs trois enfants, dont un conservateur intransigeant fan de Reagan. S'ensuivent moult péripéties.

Mork and Mindy : un homme venu de l'espace emménage avec une femme de Boulder (dans le Colorado). L'extraterrestre est joué par Robin Williams. S'ensuivent moult péripéties.

Si les contextes de ces différentes sitcoms variaient (certains personnages étaient issus de familles urbaines prolétaires, d'autres habitaient des quartiers résidentiels où l'on exerçait des professions libérales), l'esprit de chacune, résumé dans la chanson accrocheuse du générique de chaque épisode, renvoyait à une même note d'espoir :

« Nous allons réaliser nos rêves, toi et moi. »

« Ensemble nous trouverons notre voie. »

« Et rien ne pourra s'opposer à notre amour. »

Les chansons des génériques avaient beau être sirupeuses, j'y trouvais un véritable réconfort. J'avais foi dans leur postulat selon lequel nous pouvions soigner notre douleur collective et nos foyers brisés par l'humour et l'amour, du moment que nous restions ensemble. Et donc, pendant une période, je n'ai juré que par ces sitcoms – jusqu'à l'obsession. Je les regardais aux heures de grande audience. Je les regardais en rediffusion l'après-midi, quand je ne travaillais pas ou quand mes amis étaient occupés.

Et je les regardais après les infos de vingt-deux heures, avant d'aller me coucher. Je connaissais intimement les personnages et désirais ardemment pénétrer dans leur univers où «tout le monde sait comment vous vous appelez» et où il n'existe aucun problème qu'on ne puisse résoudre dans un format de vingt-quatre minutes.

J'ai toujours pensé que papa et moi pouvions passer outre la souffrance de notre situation digne d'une comédie : «Auteur homo, quarante et quelques années, en convalescence, essaye d'élever seul sa fille adolescente dans un minuscule deux pièces. S'ensuivent moult péripéties.» Mais au début de l'été 1985, alors que papa bataillait pour se reconstruire une vie après Charlie — qu'il continuait à voir circuler dans le Castro à vélo — sans alcool ni drogue, et que je continuais d'être une sale gamine narcissique — à lui emprunter sans lui demander ses vêtements et son matériel à dessin, oubliant de transmettre les messages téléphoniques, laissant la maison dans un bazar pas possible —, un conseiller en désintoxication a conseillé à mon père de me placer dans une famille d'accueil.

Je me rends compte que, depuis que Charlie est sorti de ma vie, mon système sexuel et émotionnel s'est effondré. Et sans drogue, le stress n'en est que plus difficilement supportable. Je n'ai de cesse de chercher quelqu'un d'extérieur pour me «réparer». Il s'agit en partie de la façon dont je considère la vie. J'ai la santé, un endroit correct où habiter, assez d'argent, de bons amis. Dans quelle mesure ne suis-je qu'un bébé qui refuse de prendre ses responsabilités ?
D'un autre côté, je ne peux tout simplement pas répondre aux besoins d'Alysia ou être bon pour elle si je suis moi-même une épave. Les visiteurs font remarquer que nous sommes nocifs l'un pour l'autre. Nos besoins se mélangent comme l'huile et le feu. Peut-être que je pourrais m'en tirer, mais avec en plus ses problèmes, sa personnalité ou tout simplement ses «changements d'adolescente», c'est la goutte d'eau qui fait déborder le vase.

Mes options :
a/ une famille d'accueil ;
b/ les grands-parents ;
c/ ici, si les relations s'améliorent et avec suivi psy.

Papa a opté pour une variante de l'option c/. La pièce manquante, tel qu'il voyait maintenant les choses, c'était la méditation zazen – pour moi. Si j'acceptais une séance quotidienne de zazen avec lui au dojo de Hartford Street, il avait le sentiment que je trouverais un semblant de paix et de calme. Si je refusais, il m'enverrait vivre pour de bon à Kewanee chez mes grands-parents. Naturellement, j'ai pensé qu'il était barjot. « Le pouvoir absolu corrompt absolument », lui ai-je déclaré.

En juillet 1985, j'ai pris l'avion pour Kewanee dans le cadre de ma visite annuelle. Papa et moi, nous nous parlions au téléphone chaque semaine. Il restait persuadé que seule la méditation pourrait rétablir la paix à la maison. Moi, je continuais à penser qu'il avait perdu la boule. Puis il a parlé de notre conflit avec notre ami Sam D'Allesandro, qui était passé un après-midi. Sam estimait que j'allais bien et lui a dit qu'il ne pouvait pas m'obliger à faire de la méditation. Après son départ, papa m'a écrit la lettre ci-dessous. C'est la seule lettre tapée à la machine qu'il m'ait jamais envoyée.

```
                               Le 30 juillet 1985
Chère Alysia,
Je t'écrivais une lettre plutôt sévère, grave, samedi
dernier lorsque Sam est passé à la maison. Après lui
avoir parlé, j'ai convenu qu'il était trop extrême
d'attendre de toi que tu pratiques le zazen avec moi
chaque jour, et d'insister dans ce sens.
Ce qu'il y a, je pense, c'est que je me sens vraiment
exaspéré et malheureux concernant certains aspects
de notre relation. Quand j'aime quelqu'un, j'ai
tendance à renoncer à mon pouvoir & à me faire
dominer. Et cela est très malsain, surtout lorsque
ça inverse la relation parent/enfant.
```

À la notion d'autorité est attachée la notion d'auteur. Le parent est l'auteur de l'enfant. L'enfant est issu de la graine du parent à la naissance & est formé par le parent qui en est l'auteur et le nourrit, l'habille, lui apprend à ramper, à marcher, à parler, etc. Être auteur, ce n'est pas être dictateur. Prends une histoire ou un poème - je l'écris, je dois décider des changements à effectuer, etc. Mais l'histoire ou le poème a aussi une sorte d'énergie ou de vie qui lui est propre. Par exemple la langue, ou l'étoffe, dont un poème ou une histoire est faite, arrive à l'auteur déjà «chargée». Cependant, la langue en elle-même ne ferait pas un poème ou une histoire. La langue en elle-même ne suffit pas à construire un dictionnaire si un auteur ne lui confère pas cette forme. Donc une bonne histoire ou un poème ne peut aboutir que lorsqu'il existe un équilibre ou une relation convenable entre l'énergie ou l'esprit indépendant, chargé, de la langue, et un auteur qui met cette énergie en forme tout en en respectant l'indépendance.

Depuis ta naissance je t'élève en t'encourageant vigoureusement sur le chemin de ton indépendance. Mais, à présent, je me demande parfois si je ne me suis pas trompé en allant trop loin dans cette direction, parce que l'indépendance sans le moindre respect pour la discipline ou la moindre règle c'est l'anarchie et le chaos, un formidable bazar. Tu possèdes une force de volonté, mais tu sembles vouloir principalement la mettre au service d'impulsions à court terme visant une satisfaction immédiate de plaisirs : je veux, je veux, je veux & je veux MAINTENANT !

Je pense que l'un de mes défauts de caractère est que je veux m'échapper de la réalité, éviter de faire quoi que ce soit de déplaisant. C'est donc peut-être de moi que tu as hérité ces habitudes. Sauf que, même au pire de ma période d'addiction à l'alcool et à la drogue, j'ai accompli un certain nombre de choses ! Depuis 1978, j'ai publié trois recueils de poésie, écrit deux longues nouvelles et publié une centaine d'entretiens, j'ai été rédac' chef de quatre numéros éminemment respectés de la revue *SOUP*. Pendant huit ans, j'ai été le rédac' chef de *Poetry Flash* et j'ai rédigé des articles et des éditoriaux pour d'autres magazines. J'ai été invité à lire et à participer à des conférences & à des festivals de poésie dans d'autres pays. Tout cela ne s'est pas produit par accident. Il a fallu que je le veuille, que je le prévoie, que je travaille constamment à cela, sans me préoccuper de savoir si j'étais heureux ou malheureux & souvent en opposition à une impulsion ou une humeur particulière.

Je suppose que la raison pour laquelle je voulais que tu fasses de la méditation zazen avec moi c'est que ça apporte de l'harmonie, de la clarté, de la sérénité & de la discipline. Et je pense que ces vertus te font cruellement défaut.

Il est peut-être normal que les adolescents soient grossiers & maussades & rebelles mais je ne tiens pas particulièrement à le subir. En fait, j'ai moi-même à peine l'énergie de me gérer ou de m'aimer convenablement. Et je ne suis pas sûr du tout que ce soit bon pour toi d'être près de moi quand je suis si en colère & malheureux & déprimé. Tous les moyens que j'utilisais pour faire face au stress ont disparu: l'alcool, la drogue, les cigarettes &, plus important, ma relation avec Charlie. C'est comme si je n'avais pas de peau, mes nerfs sont à vif et constamment exposés.

Donc, si tu n'apprécies aucune de mes idées quant à la manière dont les choses devraient se faire entre nous, quelles idées as-tu? Je veux souligner le fait que je ne pense pas que tu sois quelqu'un de «mauvais» ou que les problèmes existants soient de ta faute, ou que l'unique solution soit que tu ailles habiter chez tes grands-parents ou ailleurs. Je n'envisagerais cela qu'en dernier recours & ne l'ai mentionné que trop souvent, je pense, parce que j'ai tendance à me noyer dans un verre d'eau (perfectionnisme, manque de patience - autres traits caractéristiques des personnalités accros à l'alcool et à la drogue). Accepter un suivi psy, tâcher de trouver des accords auxquels nous pourrions nous tenir (comme, par exemple, que tu fasses les corvées domestiques sans que j'aie à te harceler à ce sujet ou à exploser pour que ce soit fait) serait préférable, et de loin.

218

À part ça, tout va bien. Content d'apprendre que tu
nages et que tu bronzes. Je t'adore, ma chérie – en
dépit de ma colère, frustration & multiples dépres-
sions (dont bon nombre remontent à très loin et n'ont
rien à voir avec toi). Je me rends compte que l'état
dans lequel j'ai été ces derniers mois, voire depuis
plus longtemps, a été très pénible à supporter pour
toi aussi.
J'espère avoir bientôt de tes nouvelles.

Papa

J'ai conservé cette lettre, mais ce n'est que des années plus
tard, après la mort de mon père, en triant une masse de papiers,
que je l'ai relue. C'est seulement alors que j'ai été en mesure
de m'imprégner de son contenu. La vérité est que je ne voulais
pas être un poème de mon père. Je voulais être son dessin, l'une
de ses nouvelles, son œuvre d'art la plus raffinée. Je voulais qu'il
me façonne avec son amour et son intelligence. Je voulais qu'il
relise et corrige mes erreurs et mes nombreux défauts avec un
stylo rouge ou une gomme bien propre.

Malheureusement, en tant qu'auteur de sa fille, il allait
souvent trop vite, il était trop approximatif – bien souvent, il ne
faisait qu'improviser sur la page. Il n'avait pas le temps. Il était
fatigué. Il était seul. Il était empêtré dans ses propres drames,
ses propres histoires amoureuses qui échouaient, les difficultés
qu'il rencontrait dans sa carrière, pour gérer cette adolescente
déjà «chargée». Et, bien souvent, il commettait l'erreur de me
faire part de ces difficultés, alors que j'étais trop jeune pour les
comprendre ou pour en supporter le poids. Cependant, nous
savions l'un et l'autre que j'étais une œuvre en cours d'élabora-
tion, si bien que nous ne nous en faisions jamais véritablement.
Chacun de nous deux savait pouvoir compter sur l'autre. Et
nous avions la volonté et le désir de revenir sur la page écrite,
de continuer à travailler sur ce brouillon.

Mais qu'advient-il du poème inachevé si l'auteur meurt?

14

À l'automne 1985, pour mon entrée en seconde, j'ai quitté l'école franco-américaine afin d'intégrer le lycée public George-Washington, situé dans le quartier de Richmond. Durant ma dernière année de collège, je m'étais davantage intéressée à mes amis qu'aux études. Si j'excellais en musique, en arts plastiques et en arts dramatiques, mon bulletin était toutefois médiocre. Déçus par mes notes, mes grands-parents m'ont annoncé qu'ils ne payeraient plus la douloureuse. Papa n'avait pas les moyens de me faire continuer à l'école franco-américaine, et son journal révèle qu'il avait commencé à travailler comme prof remplaçant afin de payer certaines factures. Cette même année, mon amie Andrea a intégré Urban, un établissement privé local, Niki et Anne-Marie ont toutes deux déménagé, et notre bande de filles s'est dissoute.

Il a fallu sacrément s'adapter pour passer d'un établissement privé de cinquante élèves à un lycée public de trois mille… La première année, j'ai mis du temps à me faire des amis : je préférais consacrer ma pause de midi à terminer mes devoirs dans des recoins cachés des couloirs et des escaliers du lycée plutôt qu'affronter la dynamique sociale des gradins de football américain ou «le Mur», derrière l'école, où les élèves se scindaient en cliques. À la place, après les cours, entre 15 h 30 et l'heure du dîner, j'errais dans l'Upper Haight, allant de librairies en boutiques et de disquaires en cafés – Chattanooga, Double

Rainbow, et For Heaven's Sake (anciennement Kiss My Sweet), où je retrouvais mes amis.

Il y avait Rudy di Prima, seize ans, le fils de la fameuse poète beat Diane di Prima, Carlos aux yeux cerclés de rouge (toujours dans les ennuis), et le père Al Huerta (toujours en train d'essayer d'éviter à Carlos d'avoir des ennuis). Il y avait Lara aux cheveux longs, inscrite à Urban, mais qui habitait avec ses parents hippies à seulement une rue de chez moi. Il y avait Eddie Dunn, vingt et un ans, dont le père gérait le centre local de recyclage, et son meilleur ami, un sosie d'Andrew McCarthy, qui faisait de la programmation pour Apple et prenait du speed pour respecter les dates butoir. Et puis il y avait Christopher, un adolescent aux cheveux filasse qui habitait dans un van au bout du parc, faisait la manche dans la rue (« Vous auriez pas un petit kilomètre pour dépanner ? Un petit kilomètre ? ») et qui parfois prenait une douche chez Lara. Certains de mes amis fréquentaient les écoles privées du quartier : Lara et Andrea (Urban), Camille (l'école franco-américaine) et Red Head Jed (déjà à l'université). D'autres comme Jeff avaient abandonné le lycée et travaillaient dans les cafés du coin. Bon nombre dealaient de la drogue – Steve vendait de l'herbe, Aragorn des champignons et le petit copain d'Andrea, Colin, de l'acide. D'autres encore étaient accros au speed, comme Creature. Mais nous étions tous toujours partants, toujours ouverts à la discussion ou prêts à sympathiser autour d'un café ou d'un joint. Il régnait parmi nous, semblait-il, une attente partagée en matière de curiosité et de tolérance.

Nous allions voir de vieux films au Red Vic, en nous tenant la main par-dessus les accoudoirs des sofas élimés qui faisaient office de sièges de cinéma, nos bols en bois remplis de pop-corn beurré (levure en option) en équilibre sur les genoux. Parfois naissaient des histoires amoureuses. Lara est sortie avec Eddie Dunn pendant plusieurs années. Je suis sortie avec le sosie d'Andrew McCarthy pendant dix jours. Ensemble, nous fumions de l'herbe et allions batifoler dans les terrains de jeu du Golden Gate Park, ou bien nous nous pelotions tard le soir dans la «Salle tactile» de l'Exploratorium, le musée des sciences de San Francisco où des amis d'amis travaillaient comme pseudo-guides, nous faisant entrer gratuitement.

Avec la liberté que j'avais, j'aurais pu me shooter à l'héroïne ou faire le trottoir dans le Tenderloin. Mais je n'ai jamais été ce type de môme et mon père le savait. Après avoir été témoin de la folie qui régnait aux Narcotiques Anonymes, je tenais toujours à garder au moins un semblant de contrôle. Bien sûr, j'ai goûté au speed – le soir du grand bal de fin d'année au lycée de Red Head Jed, je suis restée éveillée toute la nuit, à jacasser et à casser les oreilles de tous ceux qui passaient. Et j'ai pris des champignons à deux reprises, dont une fois au Double Rainbow avec Andrew, Eddie et Lara, et ensuite nous avons regagné tant bien que mal la chambre de Lara pour nous émerveiller de sa peau si douce et de ses «mains de bébé». Dans l'ensemble, j'étais plutôt une enfant raisonnable. Je n'ai jamais pris d'acide. Je n'ai jamais touché à une seringue.

Nombre de mes professeurs me conseillaient de prendre mon travail plus au sérieux. «Alysia réussirait mieux si elle s'appliquait» était un refrain fréquent lors des rencontres parents-professeurs à l'école franco-américaine. Mais à l'issue de ma scolarité au lycée George-Washington, en 1988, j'avais validé plusieurs cours correspondant au niveau fac, que je n'aurais donc pas à reprendre une fois à l'université, et ma moyenne générale correspondait à un A. En outre, si je loupais mes contrôles de fin de trimestre, ce qui n'arrivait que trop souvent, j'apprenais des choses dans les cafés de Haight Street. Papa fréquentait aussi certains de ces cafés, si bien que ses amis (dont le père Al Huerta, qui a aidé papa à décrocher un poste de prof d'anglais à l'université de San Francisco) gardaient toujours un œil sur moi.

En fin de compte, papa voulait me donner la liberté dont lui-même jouissait, la liberté de vivre une vie publique, la liberté du flâneur, qui nous permettait de remplacer les ennuyeuses préoccupations domestiques par la gymnastique intellectuelle du café, l'imprévisibilité de la rue. C'est la vie que nous avions choisie.

Il m'arrivait certes de croiser papa à For Heaven's Cake, au Café Picaro ou au Macondo dans le quartier Mission, mais son lieu de prédilection était et resterait le Café Flore. Le Flore, comme on l'appelait, avait un patio ensoleillé envahi de verdure, et un toit en tôle. Il était situé à l'angle de Noe et de Market Street. Depuis son ouverture en 1973, il était devenu le cœur social et intellectuel du Castro. Au Flore, hommes et femmes, jeunes et vieux, Noirs et Blancs, homos et hétéros (mais souvent de jeunes hommes gays) venaient retrouver des amis et sympathiser avec des inconnus dont l'allure leur semblait intéressante. Tout au fond du café, derrière le bar, une affiche de cirque à l'effigie de Kar-Mi, un diseur de bonne aventure moustachu en turban, dominait la scène haute en couleur et agissait comme une présence apaisante.

Papa passait des journées entières au Flore à noircir des carnets à spirale sur les dessus-de-table en cuivre du café. Quand il a commencé à travailler en tant qu'éditorialiste hebdomadaire pour le *Sentinel* en 1986, et à rédiger par intermittence des essais pour le *Bay Area Reporter*, le *SF Weekly* et le *Bay Guardian*, il a trouvé un grand nombre de ses idées au Flore, au milieu des conversations auxquelles il participait ou bien qu'il surprenait aux tables voisines. Les meilleurs de ces articles ont contribué à sa nomination aux Cable Car Awards comme « Meilleur éditorialiste gay ». Ils ont plus tard été rassemblés dans un recueil, *View Askew* (1989). Au Flore, papa branchait tout le temps des jeunes hommes, tâchant de deviner quelle activité artistique ils pratiquaient, leur recommandant des livres à lire et des gens à rencontrer. Il espérait parfois que ces rencontres donnent lieu à des aventures amoureuses. Ce fut rarement le cas. Cependant, il adorait jouer le rôle de l'oncle au sein de la communauté. Certains estiment que cela a été l'une de ses plus grandes contributions.

J'allais souvent au Flore pour le retrouver ou pour rendre visite à une bande de beaux garçons gays de vingt et quelques années, qui s'installaient toujours dans le même coin et qui me conseillaient au fur et à mesure de mes coups de foudre mal inspirés et de mes prises de bec occasionnelles avec mes copines. J'avais la regrettable habitude de courir après des gars mignons qui avaient plus envie d'une aventure passagère que d'une relation sérieuse. Je confiais mes problèmes à des amis du café, comme Aboud, d'une beauté frappante avec sa peau olive, ses cheveux noirs et ses yeux verts. Il me disait que ces gars du lycée se sentaient menacés par moi. « Émancipation féminine. Voilà ce qu'il y a derrière tout ça. » Puis il éclatait de rire – d'un éclat joyeux –, et j'avais l'impression que l'on venait de me livrer un secret.

Si je passais encore le plus clair de mon temps dans le Haight, j'adorais ces après-midi au Café Flore. Je fréquentais ce café depuis toute petite, et je m'y étais toujours sentie en sécurité. Là-bas, il n'y avait pas de réelle menace, pas de sentiment d'être bizarre ni de concurrence, comme c'était parfois le cas avec mes copines. J'étais toujours et tout simplement la gamine, singulièrement jeune et hétéro, de cette famille particulière de San Francisco.

Bientôt, les jeunes hommes du Flore allaient vieillir sous nos yeux, se ratatinant sous d'épaisses couches d'écharpes, de pull-overs et de casquettes en laine. Ils marcheraient avec des cannes ou se feraient pousser en fauteuils roulants, privés de leur vitalité, déplumés. Entre l'année 1983 et l'année 1985, le nombre d'Américains atteints du sida est passé de mille trois cents à plus de douze mille, et San Francisco a été la première ville à connaître des niveaux épidémiques de la maladie. Le temps que le premier test VIH soit commercialisé, en 1985, près de la moitié des homosexuels masculins de San Francisco étaient déjà infectés. Mon père était l'un d'eux, mais ni lui ni moi n'en parlions.

Pour la majeure partie du pays, le sida était alors quelque chose qui n'arrivait qu'aux autres. Cela a changé à l'été 1985, quelques jours seulement après que mon père m'a envoyé sa lettre dans laquelle il comparait l'instruction d'un enfant et l'écriture d'un poème, quand Rock Hudson a mis fin à des mois de spéculation en annonçant qu'il avait le sida. En octobre, il était mort. Le même été, Ryan White, un hémophile de l'Indiana, âgé de treize ans, qui avait attrapé le sida après des piqûres d'un agent coagulant, se voyait interdit d'accès à son école. Ces affaires, dont on a fait grand cas, ont modifié le visage de l'épidémie. Le sida n'était plus seulement considéré comme la peste des gays ou la maladie des déviants – les drogués et les homos aux mœurs légères. Des gens célèbres, des «innocents» et des connaissances pouvaient l'attraper.

Cet été-là et les mois qui ont suivi, le sida a fait la couverture de *Life* («Personne n'est à l'abri du sida»), du *Time* («Comment les hétérosexuels font-ils face au sida») et de *Newsweek*, qui, après avoir choisi une photo de Rock Hudson en couverture de son numéro d'août, plaça de nouveau le sida à la une en septembre avec pour gros titre «La peur du sida» et une photo d'élèves tenant une pancarte sur laquelle on pouvait lire : «Pas d'enfants sidéens dans le district 27.»

Le problème qui accompagnait cette déferlante médiatique, c'est que l'on savait très peu de choses de la maladie, y compris dans les rangs des experts. En 1985, dans un flash info de «CBS Morning News», un médecin de l'université de Californie a déclaré que le sida se transmettait rarement des femmes aux hétérosexuels hommes ; quelques instants plus tard, un médecin de Harvard décrétait quant à lui le contraire. À la fin de l'année, le gouvernement Reagan s'est opposé à l'utilisation de fonds publics qui auraient pu servir à de l'information et à de la prévention – si bien que les États-Unis ont été mal placés par rapport à d'autres nations occidentales en matière de sensibilisation des citoyens en vue d'éviter de contracter le virus. De nombreux Américains pensaient encore qu'on pouvait attraper le sida par contact avec la cuvette des toilettes ou en partageant un verre d'eau. D'après un sondage, ils étaient majoritairement favorables à la mise en quarantaine des malades du sida.

L'état d'ultravigilance déclencha des ondes d'anxiété dans tout le pays, qui s'exprimaient souvent sous forme de plaisanteries (par exemple : «Jusqu'à la fin et malgré l'adversité, Rock Hudson aura su rester positif. Séropositif.») et de violences. Entre l'année 1985 et l'année 1986, la violence à l'encontre des homosexuels a augmenté de plus de quarante pour cent aux États-Unis. Même à San Francisco, où les bus Greyhound continuaient d'acheminer des homosexuels, hommes et femmes, cherchant à trouver refuge face aux préjudices dont ils étaient victimes dans leurs villes natales, des voitures remplies d'adolescents sillonnaient le Castro en quête de cibles.

En décembre 1985, un groupe de jeunes criait à tue-tête «Pédés contagieux» et «Vous nous tuez tous», et a sorti de force un homme de sa voiture, David Johnson, dans le parking d'un supermarché de San Francisco. Sous les yeux horrifiés de son partenaire, ces jeunes ont tabassé Johnson à coups de pied et de skate-board, lui ont cassé trois côtes, lui ont détruit les reins et lui ont entaillé le visage et la nuque avec les ongles.

Adolescente, j'ai été hantée par ce fait divers. Rentrant en bus du Café Flore, un jour, j'ai aperçu un graffiti «Tuez les pédés!» qui recouvrait une affiche. Une autre fois, de retour de l'école, j'ai déchiffré un message gribouillé au marqueur noir à l'arrière d'un siège de bus : « Homos, faites-vous soigner, au lieu de choper le sida ! »

Je me doutais qu'il n'était plus qu'une question de temps avant que mon père devienne une cible. Il se trouve en réalité qu'il avait déjà été visé. Simplement, je l'ignorais

Dans les années 1980, Ed Dorn, le poète affilié au mouvement avant-gardiste Black Mountain, a lancé un magazine intitulé *Rolling Stock*. Dans le numéro cinq, publié en 1983, il a créé, en collaboration avec le poète Tom Clark, « Le PRIX SIDA pour la POÉSIE – visant à récompenser l'ÉPIDÉMIE ACTUELLE D'IDIOTIE sur la scène poétique. » Sur une page figurait une grande illustration représentant un tube à essais rempli d'un liquide rougeâtre, probablement du sang infecté : il s'agissait du « prix ». Parmi les destinataires de ce « prix » figuraient Dennis Cooper, Robert Creeley, Allen Ginsberg, et mon père.

L'homophobie de Dorn n'était pas un secret. Dans son poème de 1984 « Aid(e) Memoire », il avertissait ceux qui « baisent et se font baiser » par tout le monde, toute la journée et toute l'année : puisqu'ils attraperaient de toute façon une maladie, autant aller « boire directement à l'égout ».

Mon père a été profondément blessé par l'attaque personnelle du « Prix sida » et, quelques années plus tard, il a écrit à ce sujet dans l'épilogue de *View Askew* : « Ils se moquent de nous tandis que nous mourons, sachant pertinemment que l'humour antihomos conduit à la violence à l'encontre des homos. »

Son ami Kevin Williams a été tellement peiné par l'incident qu'il a écrit une lettre ouverte aux éditeurs après la mort de papa :

J'écris au nom de l'un de ceux pour qui un tube de sang empoisonné fut versé par les talentueux collaborateurs de Rolling Stock, quelqu'un qui, sur son lit de mort, s'efforçait encore de comprendre

les motifs de cette attaque, quelqu'un qui a essayé de pardonner, qui a tellement essayé de pardonner que ça m'a fendu le cœur. Il n'est plus de ce monde, mais moi, je suis encore là, et pourquoi faudrait-il que je ne dise pas exactement ce que je ressens ? Un tort grave a été fait et le souvenir ne sera jamais silencieux. Le souvenir se rappelle avec insistance à notre bon souvenir, il piaille en essayant de comprendre le mal qui a été fait à des innocents en pleine souffrance. Je suis hystérique aujourd'hui. Puisse mon hystérie exploser aux tréfonds du cœur d'Ed Dorn.

Je ne me souviens pas d'avoir parlé avec mon père du « Prix sida ». En fait, à l'époque du lycée, je ne me rappelle pas avoir parlé du sida avec quiconque – amis, professeurs ou famille.

Le plus étrange – et je trouve cela réellement curieux –, c'est que je n'ai pas souvenir du moment où j'ai appris que mon père était séropositif. Avec tout ce que je me rappelle, parmi les centaines et les milliers de détails de notre vie à San Francisco que j'ai dû laisser de côté en écrivant afin de ne pas perdre le fil de l'histoire de mon père et de rester intelligible, pourquoi ne puis-je pas me remémorer ce moment si important ?

Mon père relate dans son journal qu'il a fait deux fois le test confirmant qu'il avait contracté le virus du sida, alors que j'habitais encore avec lui à San Francisco – la première fois durant l'été 1986, puis, de nouveau, à l'été 1987. Mais je ne me souviens pas de l'avoir appris, ni même d'en avoir discuté avec lui avant de partir pour l'université. Je peux pourtant imaginer comment une telle conversation aurait eu lieu, au moment du dîner, en regardant les infos du soir sur CBS. Papa se serait tourné vers moi pendant une pause publicitaire, les assiettes de pâtes au thon en équilibre sur nos genoux : « Il y a quelque chose dont il faudrait qu'on parle. Je sais que tu as peur. J'ai peur moi aussi. Voilà ce qu'on va faire. » Sauf que je n'ai pas souvenir d'un tel échange.

Est-ce que ça signifie que ce n'est pas arrivé? Ou bien que j'ai refoulé ce souvenir?

Je me rappelle en revanche que, à une époque, je pensais encore qu'il ne pourrait jamais avoir le sida. En novembre 1987, durant mon année de terminale, j'ai été choisie pour représenter mon lycée dans le cadre d'un voyage de dix jours en Israël, sponsorisé par la Ligue de l'amitié américano-israélienne. Dans ma lettre de motivation, j'ai évoqué ma mère, qui était juive, en précisant toutefois que je ne savais rien du judaïsme parce qu'elle était morte dans un accident alors que j'étais encore toute petite.

Chaque élève sélectionné pour ce voyage était considéré comme un «jeune ambassadeur» et, pendant dix jours, nous avons traversé le pays en bus. Nous avons visité Haïfa au nord, avons travaillé dans un kibboutz au sud, siroté du thé à Tel-Aviv, et flotté dans les eaux visqueuses de la mer Morte. Le soir, nous étions hébergés dans des familles. La journée, nous avions droit à des visites guidées de sites touristiques. À Jérusalem, en fin de voyage, notre guide, une femme, a expliqué que le mur haut de cinquante-cinq mètres, dont on pensait que c'était l'unique vestige du Temple, avait été pour les Juifs un lieu de prière et de pèlerinage depuis le IVe siècle. Elle a dit: «Les sages affirment que quiconque prie au Temple à Jérusalem, c'est comme s'il avait prié devant le trône de gloire car c'est là que se situent les portes du paradis.»

J'ai décidé que je prierais quand nous arriverions au mur des Lamentations. Je suis descendue du bus et j'ai marché jusqu'à la base poussiéreuse de l'édifice. Debout parmi les Juifs hassidiques revêtus de châles de prière qui se balançaient d'avant en arrière, j'ai scruté la surface accidentée du mur des Lamentations. Le soleil de la mi-journée, qui se reflétait sur les pierres blanches, m'obligeait à plisser les yeux, mais je voyais quand même les centaines de bouts de papier – les prières d'autres

229

personnes – pliés et roulés, qui dépassaient des fissures dans les couches de sédiments du dessus.

Dans le bus, j'avais écrit mon souhait au crayon sur un papier, espérant sérieusement qu'enfoncer une prière dans le plus saint des murs de la ville la plus sainte sur terre signifiait vraiment quelque chose, qu'il y avait une bonne raison à l'attitude de tous ces gens qui psalmodiaient et s'agenouillaient devant ce lieu sacré.

Et donc, parmi des dizaines et des dizaines d'étrangers qui marmonnaient, j'ai tâté la pierre au-dessus de moi, trouvé une fissure dans laquelle j'ai glissé ma prière roulée. J'ai poussé le bout de papier le plus profondément possible, pour qu'il ne retombe pas, et, ce faisant, j'ai répété ma prière à voix basse :

S'il vous plaît, faites que mon père n'ait pas le sida.
S'il vous plaît, faites que mon père n'ait pas le sida.
S'il vous plaît, faites que mon père n'ait pas le sida.

Depuis ce voyage en Israël, j'ai eu plaisir à visiter les lieux sacrés les plus vénérables du monde et à m'y recueillir. J'ai prié à la Mosquée bleue d'Istanbul, pieds nus, complètement prostrée. Je me suis agenouillée à la cathédrale St. John the Divine de New York, j'ai allumé un cierge à Notre-Dame de Paris, ai grimpé les épaisses marches de pierre de temples bouddhistes à Kyoto, les cuisses en feu, des gouttes de sueur me dégoulinant dans le dos. Assise sur un simple banc de bois, j'ai apprécié le silence prolongé d'un service quaker à Brooklyn, dans un bâtiment de la Société religieuse des amis datant de 1857. Je suis toujours émue par les expressions diverses de la foi, ces formes nuancées de prières, l'alternance entre beauté grandiose et puissante humilité de ces différents lieux, tous bâtis et entretenus par les croyants. Mais je n'ai jamais été capable de m'attacher à une confession précise, pas plus que je n'ai cru en un dieu omniscient et tout-puissant. Après cette aveuglante journée au mur des Lamentations, après l'hécatombe qui a sévi au sein de notre communauté, je ne peux pas croire à un plan divin.

En février 1988, trois mois après mon retour d'Israël, papa a reçu un coup de fil de Kevin Killian. Sam D'Allesandro venait de mourir du sida. Sam, le beau Sam, fut le premier de nos amis que nous avons perdu. Il avait assisté à la fête de mon seizième anniversaire, puis avait disparu. Au bout de plusieurs mois sans l'avoir vu, j'avais demandé à papa si Sam pouvait venir avec nous au cinéma. C'est alors qu'il m'a annoncé que Sam était malade. J'ai suggéré qu'on lui rende visite, mais cela ne s'est jamais fait. Et, quelques mois plus tard, le coup de fil. Dans son journal, papa a écrit le choc que cela a constitué pour lui: «Je croyais qu'il allait mieux.»

Le petit ami de Sam, Sean, m'a confié que Sam avait été diagnostiqué six mois seulement avant de mourir. Il était en fait malade depuis plus d'un an. Il avait une rétinite à CMV, une infection virale, liée au sida, entraînant le risque d'un décollement de la rétine menant à la cécité. La tuberculose avait atteint ses glandes surrénales. Il a contracté à plusieurs reprises des pneumonies pneumocystiques. Mais il refusait de consulter un médecin. Hormis Sean et le colocataire de Sam, Fritz, personne ne le voyait. Personne. Quand sa santé a commencé à se dégrader, il s'est replié sur lui-même, a démissionné de son poste dans l'agence de voyages où il travaillait, et n'a plus quitté son appartement. Pendant longtemps il a refusé de croire qu'il «l'avait», quand bien même un diagnostic officiel lui aurait permis d'accéder à de meilleurs services et de meilleurs traitements. «Si j'ai le sida, a-t-il dit à Sean, je ne veux pas le savoir.» Sam n'avait que trente et un ans lorsqu'il est mort.

Sam ne fut qu'un parmi tant d'autres, à San Francisco, qui allait disparaître à la vue de tous à partir du moment où il était tombé malade. Le talentueux poète Karl Tierney, un collègue de papa appartenant au groupe des écrivains homos de Small Press Traffic, a quitté la scène une fois le diagnostic établi. Karl avait été deux fois finaliste du prix Walt Whitman, une fois finaliste des National Poetry Series, et avait été en résidence à la colonie d'artistes Yaddo. En 1995, il s'est rendu à vélo sur le Golden Gate Bridge et a sauté du haut. Il avait trente-neuf ans.

Sam avait beau nier qu'il avait le sida, papa et moi n'étions pas pour autant dispensés de lui rendre visite, de lui dire au revoir. En tant qu'amis, c'était même de notre responsabilité. Cependant, par inadvertance, nous avons eu l'impression d'avoir fait ce qu'il fallait faire. Je ne peux que convoquer le souvenir d'un Sam très beau, aux lèvres pulpeuses, avec sa crinière blonde ondulée – un Adonis des années 1980. Peut-être était-ce ce qu'il voulait qu'on retienne de lui.

Sauf que, récemment, en lançant une recherche d'images sur Internet, j'ai trouvé, parmi de magnifiques photos de lui, un cliché signé Robert Giard. Après avoir vu *Un cœur normal*, la pièce de Larry Kramer à propos du sida, Giard a pris des centaines de photos d'auteurs gays et lesbiens. Sur cette photo, Sam a les traits tirés, les orbites creusées, comme une tête de mort qui sourit, avec pull-over et perruque. Lorsque cette image est apparue à l'écran, des larmes ont jailli et je me suis détournée. Ça m'a fait de la peine de regarder. Pourquoi avait-il accepté de poser ? L'hypothèse de Kevin Killian est que Sam avait en tête le projet dans son ensemble… Il ne l'aurait donc pas nécessairement fait pour ses pairs, mais pour que les générations futures soient conscientes de l'horreur du sida.

La façon dont nous avons perdu Sam m'a perturbée longtemps après sa mort et après mon départ de San Francisco pour l'université. En classe de composition – j'étais alors en première année –, j'ai rédigé une dissertation sur l'homophobie, le sida, et sur le fait que je me sentais obligée de monter au créneau chaque fois qu'un cousin ou un camarade de classe s'écriait : « Fais pas le pédé ! » Mais dans cette dissertation sur ma bravoure de fraîche date, je n'ai pas mentionné que mon propre père était homosexuel. Pas plus qu'il était probablement séropositif et qu'il risquait d'en mourir. De même que Sam ne voulait pas admettre qu'il « l'avait », je ne voulais pas admettre qu'il était possible que papa « l'ait ». La peur et la honte associées au diagnostic étaient trop puissantes pour qu'on s'en débarrasse. Compte tenu de mon propre niveau de déni concernant la maladie de papa, j'éprouvais, selon toute probabilité, tapie sous les sentiments que j'exprimais vis-à-vis de Sam, une sourde inquiétude pour mon père.

Après mon voyage en Israël, j'ai songé à la façon dont ma vie allait évoluer après le lycée. J'ai adopté ce que je considérais être des manières sophistiquées. Je me suis mise à me coiffer d'un béret et à marcher dans Haight Street avec à la main une canne ancienne ou une rose à longue tige symbolisant la paix et la spiritualité. J'ai commencé à fréquenter le Ground Zero, un café qui venait juste d'ouvrir dans le Lower Haight. De grandes peintures abstraites étaient accrochées aux murs et ce lieu attirait une clientèle d'étudiants pâles, en trench-coats achetés dans des friperies, qui s'affichaient avec des portfolios noirs usés. Ça me plaisait que papa n'y vienne pas, et qu'aucun de mes amis de San Francisco ne fréquente ce café. Je retournais toutes les semaines au Ground Zero, je commandais systématiquement un thé Earl Grey avec du lait (encore une découverte « adulte ») et je lisais *Esclaves de New York*, le recueil de nouvelles de Tama Janowitz, qui nourrissait mes fantasmes à propos de cette ville.

La première fois que j'ai visité New York, j'ai pris le métro de notre hôtel situé *midtown* jusqu'à Astor Place, dans l'East Village. J'ai traversé St. Marks Place, descendu Lafayette Street, et j'ai fini par arriver au Pop Shop de Keith Haring. Le tee-shirt que j'ai acheté là-bas – le bébé rayonnant de Haring en orange sur fond gris – est devenu un article incontournable de ma garderobe. Keith Haring allait par la suite illustrer la fameuse affiche «Silence = Death» pour ACT-UP (AIDS Coalition to Unleash Power), avant de mourir lui-même du sida en 1990.

De retour à San Francisco, plongée dans *Esclaves de New York*, je rêvais de la vie décrite par Janowitz : fabriquer des bijoux, vivre dans un loft avec un petit copain artiste, porter un manteau vert néon et orange, mener une vie excentrique et créative dans la lignée d'Andy Warhol et du Velvet Underground.

Pendant mon année de terminale, j'ai commencé à trouver San Francisco provinciale. Papa était branché sur la vibrante communauté «*queercore*», il jouait les vétérans à Klubstitute, Club Chaos et Uranus, des scènes underground qu'il décrirait plus tard dans *The Lizard Club*, son roman dans le style de Thomas Pynchon. Mais j'aspirais désormais puissamment à avoir ma propre vie, séparée de papa, et soulagée de mon passé. Je savais que je ne la trouverais pas à San Francisco. Je ne pouvais pas arpenter Haight Street sans tomber sur un camarade de classe, quelqu'un avec qui j'avais travaillé, un ancien amoureux ou une personne que je connaissais par l'intermédiaire de papa. Il me tardait de grandir et de changer de périmètre, de marcher dans des rues inconnues au cœur palpitant de la bohème, que je situais à l'époque à New York. Grâce à ma «grande sœur» Dede Donovan, j'ai fini par m'y rendre.

Mon père n'était pas vraiment interventionniste en ce qui concernait mes projets d'études. Il avait vaguement à l'idée que je devais aller à l'université mais était trop accaparé par son propre travail pour déployer les efforts nécessaires afin que les choses se concrétisent. À partir du moment où Dede est apparue comme quelqu'un qui pourrait m'aider, il s'est mis en retrait et lui a laissé le champ libre. Elle a écrit à plusieurs établissements pour réclamer des dossiers d'inscription. Elle a travaillé avec moi d'arrache-pied, m'aidant à peaufiner mes compositions en buvant des tasses et des tasses de thé à la menthe à For Heaven's Cake. Elle m'a obtenu des lettres de recommandation de la part d'amis avocats que j'avais rencontrés lors de ses brunchs de Noël. Quel n'a pas été mon bonheur quand j'ai appris que j'étais admise à la New York University! Je n'envisageais pas d'aller ailleurs. Dede m'avait même décroché un boulot de jeune fille au pair pour son amie de fac qui habitait maintenant à New York.

Papa était très content pour moi, quoique triste que je quitte si vite la maison.

Avant de quitter San Francisco, nous avons été au sauna ensemble. Je nous revois tous les deux presque entièrement nus, avec seulement des serviettes, la sienne ceinte autour de la taille, la mienne autour de la poitrine. Nous avons discuté un peu, mais il faisait trop chaud pour papoter vraiment, alors nous avons décidé à la place de jouer aux cartes. Notre truc, c'était le gin-rami.

Nous voilà donc assis sur des lattes en bois, avec nos serviettes pour uniques habits, et moi battant les cartes. L'air était tellement chaud et sec que j'avais du mal à déglutir. J'avais l'impression d'avoir la peau en feu. Je me souviens que la transpiration coulait dans mon dos et sur mon front, s'insinuait dans mes yeux et mes oreilles. Il a fallu que je m'interrompe pour m'essuyer le visage avec une autre serviette blanche. Puis j'ai coupé, et laissé à papa le soin de distribuer. Nous avons, chacun à son tour, pris une carte, dans l'espoir d'en obtenir trois de la même couleur qui se suivaient ou bien du même rang.

Il n'y avait pas d'horloge dans notre sauna. Ce qui n'avait pas d'importance, car nous n'avions rien de prévu ensuite. Nous ne nous sentions pas seuls, mais nous n'étions pas non plus gênés par quiconque. Il n'y avait pas de pression pour soutenir une conversation. Nous avons juste joué au gin-rami, tirant des cartes, jusqu'à ce que :

«Trois sept. Et toi ?

– Neuf, dix et reine de cœur. Tu as gagné.»

Petit à petit, la chaleur du sauna a fait rebiquer les coins de nos cartes, et j'ai pensé aux petits poissons miracles des diseuses de bonne aventure, en plastique rouge, que les enfants apportaient parfois à l'école. Leur façon de bouger dans la main était censée révéler votre «vrai cœur». Une tête qui bougeait était synonyme de «jalousie». Une queue qui bougeait signifiait «indépendance». Si le poisson se recroquevillait complètement, alors vous étiez «passionné».

Je nous revois assis, à faire des remarques sur ces cartes qui se recroquevillaient curieusement, qui devenaient vivantes dans nos paumes, témoignage de notre amour. Et je revois notre nudité, qui était si naturelle et évidente.

CINQUIÈME PARTIE

DÉPARTS

*Et l'une des choses dont je suis vraiment content, c'est la
relation que j'ai avec toi. Et tes lettres. Je ne pense pas avoir
jamais imaginé qu'elles seraient à ce point formidables &
agréables & intéressantes. Je crois que quand tu étais petite
j'étais débordé par le présent, à essayer de suivre ta croissance, si
bien que je n'ai jamais eu le temps d'imaginer ce que l'avenir
pourrait apporter. Mais c'est vraiment chouette quand
« l'avenir » se révèle meilleur que ce à quoi on s'attendait.*

Steve ABBOTT,
lettre datée du 10 décembre 1990

15

Lorsque j'étais enfant, mon père et moi jouions à cache-cache dans les conifères touffus du Golden Gate Park. Un jour, il s'était caché et, j'avais beau le chercher, je ne le trouvais pas. Je l'appelais, mais je n'entendais en guise de réponse que le frémissement des feuilles d'eucalyptus dans le vent. Alors je me suis laissée tomber sur le banc le plus proche, en attendant qu'il émerge et qu'il m'enveloppe à nouveau dans ses bras. Au fur et à mesure que j'attendais, en scrutant tous ces hommes qui marchaient et qui n'étaient pas *mon-papa*, les minutes s'écoulaient de plus en plus lentement. Je me suis imaginé ce qui arriverait si je devais rester assise là quand l'air allait fraîchir et le ciel virer au noir. Rejoindrais-je alors les légions d'enfants orphelins que je connaissais si bien grâce aux livres et aux films ?

Dans les histoires pour enfants, chaque orphelin qui évitait le pire – en devenant roi des éléphants (Babar) ou vedette d'un cirque en cassant la figure aux petites brutes de la ville (Fifi Brindacier) – trouvait son pendant tragique dans une autre histoire. Il y avait ces orphelins cruellement maltraités d'avant la rédemption (Little Orphan Annie, Shirley Temple dans *La Petite Princesse*, Jane Eyre) et les orphelins qui mouraient d'avoir été négligés et ne trouvaient la rédemption que dans la vie après la mort (*La Petite Marchande d'allumettes*). J'ai été particulièrement marquée par une version télé du conte de Hans Christian Andersen datant des années 1970 et montrant la petite fille aux allumettes frigorifiée dans les rues hivernales tandis que les gens pressés qui font leurs emplettes pour Noël ignorent ses appels : «Allumettes ! Allumettes !» À la lueur de sa dernière allumette, une brillante image de sa grand-mère défunte la réchauffe avant qu'elle monte au ciel la rejoindre.

J'étais profondément convaincue (selon un exercice ritualisé d'autoapitoiement) que mon père était le seul rempart entre moi et le sort de ces orphelins que j'aimais tant. Avec une fascination morbide, j'étudiais leurs histoires, me disant que, si je me familiarisais avec les différents aspects de la tragédie, je serais mieux préparée au cas où quelque chose viendrait à arriver à mon père. Chaque fois que nous étions temporairement séparés – au marché, à la foire, dans la rue, ou au Golden Gate Park –, des images d'orphelins perdus me submergeaient. Qui allait s'occuper de moi maintenant ? Est-ce que quelqu'un m'aiderait autant qu'il m'avait aidée ?

Quand j'étais toute petite et que je jouais à cache-cache avec mon père, j'arrivais toujours à le faire réapparaître. Si je lançais «Tu es où, papa ?» il répondait : «Je suis là !» et le son de sa voix me conduisait jusqu'à lui.

En juillet 1988, je me suis installée à New York et, pour la première fois, j'ai vécu au-delà de la portée de sa voix.

Il faisait très chaud à New York : chaud et moite. J'étais dans un taxi pris à l'aéroport de La Guardia et qui roulait sur la voie rapide Brooklyn-Queens. Comme la voiture n'était pas équipée de la climatisation, j'ai abaissé la vitre. Mais j'ai rapidement dû la remonter à cause du courant d'air qui me ramenait les cheveux en pleine figure. Quand le taxi s'est arrêté devant une porte rouge, je me suis lissé les cheveux et suis sortie dans l'humidité du soir.

J'ai porté ma valise jusqu'à la porte des Weiksner, me suis essuyé le visage, j'ai pris une inspiration et j'ai sonné. J'étais certes en sueur et fatiguée, mais je me sentais également dynamisée par ce que j'avais vu de la ville et par les odeurs de l'été new-yorkais. La porte s'est ouverte sur une fillette à la frange brune et qui portait autour du cou un bonbon en forme de cœur.

« San-draaa ! Alysia est là ! »

J'avais pour mission de m'occuper de cette petite fille, Sarah Smiley. Je lui ai adressé mon plus beau sourire et l'ai suivie dans la maison.

« Hell-*ooo* ! » C'était le contralto de ma nouvelle employeuse, Sandra Weiksner, dont la voix portait depuis le fond de la maison. Après avoir traîné ma valise à l'intérieur, je me suis approchée d'elle en marchant sur une carpette en cuir, qui avait été peinte de manière à ressembler à un tapis oriental recouvert de feuilles de gingko jaunes soufflées par le vent. « Un *trompe-l'œil*, m'expliquerait ultérieurement Sandra en utilisant le terme français. Nous l'avons commandé à un artiste. »

Sandra était assise à l'îlot de sa cuisine, devant un épais tas de paperasse, un verre de vin rouge, une assiette de Boursin et des crackers.

Sandra et son mari George étaient des amis de Dede depuis leurs études à Stanford, dans les années 1960. En leur temps, ils étaient sympathisants de la Nouvelle Gauche, et faisaient désormais partie de l'élite des grandes entreprises. George travaillait dans une banque d'investissement et Sandra était avocate associée dans un prestigieux cabinet à la pointe sud de Manhattan. Elle cherchait une « aide maternelle » pour s'occuper de Sarah, sa nièce de trois ans, dont elle avait la garde pendant que sa sœur étudiait l'acupuncture en Chine. Grâce à Dede, j'allais m'occuper de Sarah en échange du gîte et du couvert.

« Ravie de te rencontrer. Comment s'est passé le voyage, bien ? Bien. Bien. Bienvenue ! Écoute, est-ce que ça te va si Sarah te fait visiter la maison ? J'ai un boulot à terminer ce soir. Tu verras George après. Il travaille tard. Les garçons jouent au basket dans le quartier. Ils reviendront pour le dîner. Je ne sais pas comment ils font avec cette chaleur ! Quelle moiteur ! Donc… ça va comme ça ? Si Sarah te fait visiter ? Ta chambre est au dernier étage. » Elle m'a indiqué d'un geste la cage d'escalier la plus proche.

« Oui. Merci, madame Weiksner.

— Sandra, appelle-moi Sandra. Pas de chichis entre nous ! » a-t-elle conclu d'une voix chantante.

J'ai pris ma valise et suivi Sarah dans l'escalier, tout en me retournant pour jeter un œil à Sandra. Elle avait des cheveux noirs coupés court et une frange droite qu'elle séparait en son milieu pour dégager son front. Quand elle parlait, ses yeux brillaient et ses bracelets glissaient le long de ses bras en tintinnabulant à chacune de ses exclamations. Avant de se remettre au travail, elle a soigneusement réajusté ses bracelets et bu une gorgée de vin, comme pour se reconcentrer.

Sarah m'a précédée dans l'escalier et m'a conduite au premier étage : une salle de séjour spacieuse, des murs capitonnés, des fauteuils Louis XIV et un plafond haut de quatre mètres. Les coins et les tables étaient encombrés de sculptures africaines, de délicates boîtes d'argenterie et de fruits en porcelaine peinte gros comme des poings de bébés. Des tableaux étaient accrochés aux murs, dont un petit Braque – « Ma mère me l'a donné quand j'avais seize ans », me confiera Sandra plus tard –, une tapisserie de Sonia Delaunay (acquise « via un client de George ») et un Miró.

J'étais en train d'admirer ces œuvres quand la petite de trois ans m'a prise par la main. « Allez, viens, on monte ! » Elle m'a attirée dans l'escalier recouvert de moquette comme si elle était l'adulte et moi l'enfant distraite. J'avançais lentement, me retenant de ma main libre à l'épaisse rampe en bois, tâchant de me pénétrer de mon nouvel environnement. Dans cette imposante maison, je me sentais petite – minuscule, même. Je n'avais jamais vu un intérieur comme celui des Weiksner. Ma seule référence en termes de confort matériel, c'était le trois pièces style ranch de chez Munca et Grumpa. Leur séjour art moderne tout blanc, meublé avec goût, leur piano noir, les portes coulissantes donnant sur la véranda, tel était pour moi le summum de l'élégance – et le lieu où, petite, j'avais souvent joué au bal.

Après m'avoir montré le deuxième étage, dont la chambre de Sandra et George et la «bibliothèque», Sarah m'a conduite au troisième étage et a indiqué une série de portes: «La chambre de Mike. La chambre de Nick. Ma chambre. La salle de bains. Ta chambre!

– Quelle maison somptueuse! me suis-je exclamée.

– On peut descendre, maintenant? J'ai faim.

– D'accord, Sarah. Laisse-moi juste poser mes bagages.»

J'ai mis ma valise dans un coin de ma nouvelle chambre, dont les murs étaient ornés d'aquarelles aux couleurs pastel figurant des clowns et des acrobates. J'ai regardé par la fenêtre qui donnait sur la 81e Rue et j'ai soudain ressenti une envie irrépressible de me précipiter dehors, d'aller partout à pied, de tout voir. Je me suis obligée à prendre une profonde inspiration avant de redescendre l'escalier.

Plus tard ce soir-là, après un dîner léger avec le reste de la famille – George Weiksner et les deux robustes fils, Mike et Nick – dans le jardin entouré d'une palissade, je me suis allongée dans le lit de ma petite chambre, près de la fenêtre. Sous le coup du décalage horaire, j'ai eu du mal à m'endormir. J'ai pensé à mon père à San Francisco, où il était trois heures plus tôt: il devait être en train de boire un café *latte* au Flore, ou bien perché sur le bord de son futon, à la maison, à parler au téléphone, ou encore les jambes croisées, à écrire dans son carnet à spirale.

À onze heures du soir, New York était encore en pleine ébullition. Sur mon lit, j'ai tâché d'isoler et d'identifier chacun des sons qui arrivaient jusqu'à moi. Il y avait la pulsation lointaine de la circulation, les coups de klaxons sur Lexington Avenue, un énorme camion qui faisait un boucan terrible sur la 81ᵉ Rue, un groupe de gamins qui parlaient et rigolaient, une radio dont l'écho me parvenait par une fenêtre, quelque part. De savoir qu'il y avait toute cette vie à l'extérieur, affluant de partout, mon corps était comme électrisé. Je me suis mise à me répéter une phrase, une seule phrase, et je me sentais de plus en plus excitée au fur et à mesure que je me la répétais : «Je suis à Manhattan. Je suis à Manhattan. Je suis à Manhattan. Je suis *à Manhattan*.»

Pendant ce temps, à San Francisco, mon père était installé sur son futon et travaillait d'arrache-pied à relire *The Zombie Pit*, un recueil de nouvelles de Sam D'Allesandro, en vue de l'éditer. Comme il essayait à nouveau d'arrêter de fumer, il se gavait de chocolats Hershey's Kiss qu'il tirait l'un après l'autre du tiroir en bout de canapé. Papa ne consommait plus de drogue ou d'alcool, mais arrêter les cigarettes semblait plus difficile. Sa vitalité et sa nervosité perpétuelles se traduisaient par le tremblement constant de son pied droit sur sa jambe gauche, et par la façon qu'il avait de tripoter l'emballage de ces confiseries sur ses genoux. Tôt le lendemain matin, il s'apaiserait en allant pratiquer la méditation zazen.

Au bout de six années passées à fréquenter le dojo de Hartford Street, papa était désormais un fervent bouddhiste. L'été précédent, nous étions allés dix jours à Kyoto, au Japon – expérience qui inspira son livre *Skinny Trip to a Far Place* – et il faisait chaque matin une séance de méditation. Il concevait cette pratique comme l'unique moyen pour lui d'évacuer les habitudes et les schémas de pensée improductifs. Face au mur, il s'accroupissait sur le tatami, repliait les jambes autour d'un coussin raide et rond, et restait assis en silence avec plusieurs autres membres de la communauté tandis que de l'encens tourbillonnait dans l'air et que le gong retentissait.

Il avait également ajouté une nouvelle dimension à sa pratique : tous les vendredis après-midi, papa sortait de la salle de méditation au sous-sol et gravissait l'escalier qui conduisait à une petite pièce où se trouvaient une plante verte (un caoutchouc), un lit d'hôpital, et deux chaises. Là, il restait plusieurs heures avec J. D. Kobezak, un homme de vingt-trois ans atteint du sida.

En 1988, le sida a continué de ravager la communauté gay. Fin 1985, quinze mille cinq cent vingt-sept cas de sida ont été déclarés aux États-Unis ; trois ans plus tard, ce chiffre s'élevait à quatre-vingt-deux mille sept cent soixante-quatre. Et si les journaux diffusaient régulièrement des articles rapportant les polémiques entre chercheurs, experts et bureaucrates spécialistes du sida (certains défendaient l'idée de tatouer les séropositifs), peu d'attention était consacrée aux malades eux-mêmes, pas plus qu'à ceux qui étaient en phase terminale. Des gens restés dans leur ville natale, qui n'avaient jamais avoué leur homosexualité à leur famille, se voyaient forcés de faire leur coming-out à partir du moment où ils étaient cloués au lit par le virus. Souvent rejetés par leur famille, ces hommes ne pouvaient compter que sur leurs amis et leurs amants pour les accompagner durant leurs derniers mois de vie. D'autres se mettaient à l'écart du tissu social et, incapables de se prendre en charge, terminaient sans foyer, dans la rue.

Un jour, Issan Dorsey, le supérieur du dojo de Hartford Street, a rencontré un jeune SDF atteint du sida, qui dormait sous une table dans une laverie du quartier. Issan savait ce que c'était que de vivre à la rue. Des décennies auparavant, il avait interprété le rôle de Tommy Dee dans *The Boy Who Looks Like the Girl Next Door!*, un numéro de travestis présenté en première partie du comique Lenny Bruce. Après avoir tourné pendant quelques années sur le circuit des boîtes de nuit de North Beach, il avait commencé à se shooter et avait fini dans le ruisseau. C'est à l'issue d'une rencontre fortuite avec Allen Ginsberg et le LSD qu'il a trouvé sa voie dans une pratique fervente du bouddhisme, qui l'a ensuite conduit à l'ouverture puis à la gestion du premier zendo gay de San Francisco.

Issan a ramené le gamin malade du sida à Hartford Street, et lui a installé un lit à l'étage. En l'espace d'un an, grâce à la générosité des membres du zendo, Issan a pu acheter la maison victorienne à côté, et transformer l'espace en un centre de soins palliatifs susceptible d'accueillir huit lits, le premier en son genre aux États-Unis. Le centre a été baptisé Maitri House (en sanskrit, *maitri* signifie «amitié compatissante»).

Une dizaine d'organisations se sont créées à San Francisco sur le modèle de Maitri House pour faire face à l'épidémie. Un peu comme dans les années 1970, quand Anita Bryant et John Briggs avaient constitué une menace commune avec leurs campagnes politiques ouvertement hostiles aux homosexuels, la communauté gay fut boostée par la crise du sida. Les lesbiennes, dont certaines se sentaient encore davantage d'affinités avec le mouvement féministe qu'avec la communauté gay, ont organisé des collectes de sang et ont défilé aux côtés des homos hommes lors de manifestations vindicatives d'ACT-UP, exigeant un accès moins cher et plus rapide aux médicaments permettant de lutter contre le sida. Occupant l'espace laissé vide par un gouvernement brutalement indifférent, une ribambelle d'organisations ont vu le jour, proposant un suivi psychologique, des soins médicaux, des visites à domicile et des cours dispensés aux malades du sida. Parmi elles: le Gay Men's Health Crisis à New York et la AIDS Foundation à San Francisco.

Cette réaction énergique a été rendue possible en partie par les liens étroits tissés pendant des décennies au sein des communautés sexuelles. Dans *Stagestruck*, l'historienne Sarah Schulman défend l'idée que les bains publics, les bars et autres lieux de rencontres incriminés pour avoir favorisé l'épidémie du sida ont aussi été les structures qui ont permis d'organiser et d'essaimer la connaissance en la matière dès l'instant où l'épidémie s'est déclarée.

Afin de permettre que le zendo de Hartford Street soit transformé en centre de soins palliatifs fonctionnant vingt-quatre heures sur vingt-quatre, Issan a demandé aux membres de la communauté de participer bénévolement, chacun offrant du temps et mettant à disposition ses talents. Mon père, qui avait organisé des événements de bienfaisance pour Cloud House et *Poetry Flash*, a aidé à lever des fonds pour Maitri House, et il passait tous ses vendredis après-midi avec J. D., le gamin du lavomatic. Parfois, papa le promenait en chaise roulante dans le quartier. Il l'a ainsi emmené au défilé de la Gay Pride et à la foire de Folsom Street. Dans une lettre à un ami, il décrit ces vendredis comme «le moment le plus joyeux» de sa semaine. Son expérience, telle que détaillée dans l'épilogue de *View Askew*, était commune à de nombreux homosexuels qui devaient soudain s'occuper d'amis ou d'amants malades.

Le sida n'est ni une malédiction ni une bénédiction : il existe, voilà tout. Je vois sa progression inexorable chez un ami de vingt-quatre ans avec qui je passe tous les vendredis après-midi depuis neuf mois. J'ai fait la connaissance de J. D. dans un centre de soins. Il s'est approché de moi un soir et m'a serré dans ses bras simplement parce que, a-t-il dit, il avait l'impression que j'en avais besoin.

J. D. est quelqu'un de tellement beau que j'ai d'abord eu peine à croire qu'il était malade. À l'automne dernier, il a pourtant dû garder le lit. Je n'étais pas sûr d'être capable de m'occuper de lui — je ne suis pas infirmier de formation — pourtant, il fallait que cela soit fait, alors je m'y suis collé. Je me suis senti maladroit au début, mais il m'a encouragé et m'a donné confiance.

Les mots ne peuvent dire ce que j'ai appris de J. D. — à propos de moi, à propos de la vie. Lui tenir compagnie tous les vendredis et observer son courage et sa dignité face à cette maladie a été l'une des expériences les plus intimes, les plus stimulantes de ma vie.

*Nous sommes souvent restés des heures ensemble sans rien dire,
et, cependant, nous en avons dit plus que la plupart des gens. Ses
mains volettent comme des papillons. Il souffre parfois de délires.
Mais n'est-ce pas notre lot à tous ?*

À New York, j'étais un modèle de jeune fille au pair de
l'Upper East Side. Tous les jours à midi, j'allais chercher Sarah
dans un centre aéré du quartier, je la faisais déjeuner puis jouer
jusqu'à l'heure du dîner, et la couchais à dix-neuf heures.
Certains après-midi, nous prenions le métro pour nous rendre
au zoo du Bronx, allions à pied aux terrains de jeu de Central
Park ou déambulions dans la fraîcheur des salles du Metropolitan Museum pavées de marbre. Je m'arrangeais pour que Sarah
soit toujours contente en lui offrant des bretzels achetés dans
la rue ou de la glace pilée qui nous faisait une langue toute
bleue. J'avais quartier libre le matin et me promenais au gré des
avenues, je scrutais les vitrines des magasins de luxe, j'observais les
portiers en uniforme aux boutons de cuivre anachroniques qui
hélaient des taxis ou aidaient les femmes du voisinage à porter
leurs paquets.

Puis je revenais chez les Weiksner : les garçons étaient en
stage de football, Sandra et George étaient au travail, Marcia, la
gouvernante, faisait la lessive et les lits, et j'en profitais pour errer
dans les pièces et admirer les œuvres d'art. Je jouais avec Foxy, le
chat abyssin de la famille, et j'écrivais les lettres que j'enverrais
à la maison.

À la fin de l'été, je me suis installée à la cité universitaire, un
nouveau bâtiment *downtown*, au nom peu inspiré : Third Avenue
North. Lors de notre première nuit, mes colocataires et moi
avons observé depuis la fenêtre de la cuisine les prostituées en
action sur la 12ᵉ Rue.

Bien que mon travail de baby-sitter se fût achevé, je suis
restée proche de la famille Weiksner. Trois soirs par semaine,

je prenais le train express pour venir dîner chez eux, et, par l'intermédiaire de Sandra, j'ai trouvé un travail de correctrice d'épreuves dans son cabinet d'avocats.

J'avais dix à vingt ans de moins que tous mes collègues, qui m'avaient rebaptisée «Dix-sept-ans-et-des-broutilles», clin d'œil à *Thirtysomething*, la série télé du moment. C'était un job idéal pour une étudiante. Je travaillais les week-ends et, souvent, je tuais le temps en découpant des bons de réduction dans le *Times* du dimanche et potassais mes manuels d'histoire de l'art et de psychologie.

Si j'appréciais la plupart de mes cours – quelle excitation d'aller étudier les peintures de Giotto au Metropolitan Museum ! –, je me sentais déconnectée, à NYU. Les cours avaient lieu dans de vastes auditoriums répartis dans des bâtiments quelconques tout autour de Washington Square. Une fois les cours terminés, les étudiants se dispersaient dans la foule anonyme de la ville. Il n'y avait pas à proprement parler de campus où une vie sociale étudiante aurait pu se développer. Plusieurs résidences universitaires étaient situées aux alentours de Washington Square. La mienne étant la plus éloignée, j'avais au moins vingt minutes de marche pour arriver aux salles de cours.

Je n'avais pas non plus d'affinités avec mes colocataires. Il y avait Jane, une comédienne du nord de l'État de New York, et trois danseuses qui se prénommaient toutes Rachel, si bien que chacune était désignée par son nom de famille : Goodman, Strauss, et Shaw. Elles étaient belles et amusantes, mais aussi complètement dans leur monde. Le soir, Goodman, Strauss et Shaw échangeaient des ragots en s'étirant près de la table de la cuisine tandis que Jane faisait des vocalises, tâchant d'arrondir ses O et d'aspirer ses H : «Whhhhhhere is the party ? Whhhhhhat is the plan ?»

Pour remédier à ma perpétuelle solitude, j'appelais mes grands-parents à Kewanee tous les dimanches à dix heures du matin et papa quand je voulais, utilisant une carte téléphonique AT&T que mon grand-père m'avait donnée. Afin d'éviter que sa facture de téléphone ne soit trop salée, papa préférait m'écrire.

DRINGGGG!!!
C'est... Alysia! Quand je te parle au téléphone, j'ai l'impression que tu n'es pas loin. Quand je disais à mon père que tu n'écrivais pas, il utilisait constamment le terme «sevrer». «Quand on les envoie à la fac, c'est comme si on les sevrait» (comme si tu étais un chaton ou un chiot).
Issan dit que nous quittons tous le foyer à un moment ou un autre, nous laissons derrière nous la personne que nous étions censés être pour devenir la personne que nous sommes. En étant loin de chez toi, de San Francisco, je pense que tu vas découvrir (& créer) davantage la personne que tu es.
Bien, je vais en rester là — et je n'ai même pas parlé de mes amis «ennuyeux» (même s'ils demandent tout le temps de tes nouvelles).

Maintenant que j'habitais seule, je voulais «me découvrir et me créer», conformément aux rêves que j'avais nourris quand j'étais encore à San Francisco. J'étais censée me faire une vie à la Tama Janowitz. Mais je ne savais pas du tout comment m'y prendre. J'avais postulé à NYU parce que je voulais être dans Greenwich Village et vivre cette bohème qui avait engendré tant d'histoires; toutefois, je passais le plus clair de mon temps avec une famille dans le très guindé Upper East Side. Non seulement j'allais régulièrement dîner chez les Weiksner, mais, en plus, certains week-ends, je les accompagnais dans leur maison de campagne du Connecticut et je passais des soirées avec eux à Carnegie Hall ou au Metropolitan Opera House. Ils m'avaient même offert un manteau d'hiver car je n'avais rien à me mettre pour affronter la rudesse du climat new-yorkais. Pour Noël, ils m'ont fait cadeau d'une montre de gousset, accrochée à une longue chaînette en argent.

Les Weiksner m'invitaient généreusement à partager leur vie privilégiée, cependant, je sentais que ce n'était pas véritablement la mienne. Dans l'ensemble, j'arrivais à m'intégrer, j'empruntais parfois une des écharpes de Sandra ou un collier quand elle estimait que je n'étais pas assez « chic » pour un événement. Tel un bon *trompe-l'œil*, j'arrivais à adopter et imiter les manières et postures qu'on attendait de moi. Après toutes ces années à évoluer entre la maison, l'école, les amis et les grands-parents, je maîtrisais l'art de m'adapter. Mais je savais, en mon for intérieur, que je n'étais pas comme les autres : une pâle et maigrichonne usurpatrice. Je n'ai jamais vraiment tout à fait saisi ce qu'on attendait de moi, ni comment je pourrais remercier les Weiksner pour leur générosité.

Et j'avais constamment peur de faire un faux pas critique, de me servir de la mauvaise fourchette, de mal m'y prendre d'une façon ou d'une autre.

J'aurais passé davantage de temps avec les étudiants de NYU, mais, en dehors de chez les Weiksner, je me sentais complètement isolée. J'avais beau sortir avec un acteur-correcteur d'épreuves qui avait la vingtaine, je ne me suis fait aucun ami proche cette année-là. Je n'avais pas imaginé que New York pouvait être une ville si froide, capable de vous désorienter à ce point – et que si je ne me connaissais pas encore, alors il serait tout aussi impossible pour les autres de me connaître. Je me sentais perdue à New York, complètement engloutie.

Si je ne me connaissais pas non plus à San Francisco, en revanche, mon quartier, mes amis et mon père m'étaient familiers. Il y avait une version de moi-même dans chacune de ces relations qui était pour moi à la fois familière et acceptable. J'avais terriblement envie de revoir San Francisco et mon père, et hâte de rentrer pour Noël.

Le soir de mon retour, j'ai dîné avec papa devant la télé. On s'était donné des nouvelles durant l'après-midi et, en chipotant mon poulet tandis que les infos glissaient sur moi, j'ai éprouvé un besoin irrépressible de quitter l'appartement. Regarder la télévision ne m'intéressait plus, et ça me démangeait de sortir avant qu'il fasse nuit, histoire d'explorer Haight Street que je connaissais comme ma poche. Néanmoins, je savais qu'il était de mon devoir de tenir compagnie à mon père, du moins jusqu'à ce que le dîner soit terminé.

« Ça ne t'embête pas que je sorte faire une balade ? ai-je finalement demandé.

– Pas du tout, vas-y. » Les images de la télé dansaient sur le visage de papa et il s'est tourné vers moi. « Mais ne rentre pas tard, d'accord ?

– D'accord. »

J'ai arpenté le Haight en de longues enjambées énergiques, direction le Golden Gate Park, pressée de retrouver quelque chose de familier. Contrairement à New York, qui m'inspirait le doute et la nervosité d'un nouvel amour, je me sentais audacieuse et sûre de moi en marchant dans les rues de San Francisco. Je connaissais intimement la ville. En fermant les yeux, je pouvais m'imaginer comme un fantôme flottant dans Haight Street jusqu'à l'intersection avec Fillmore, puis Duboce Park, le Café Flore, et je remontais vers le croisement de la 18ᵉ Rue et de Castro Street pour rentrer à la maison en passant par Ashbury Heights. J'ai humé l'odeur si particulière de la rue – les vagues relents de marijuana, de feuilles d'eucalyptus et de bois mouillé. En traversant à pied les brumes, j'ai même apprécié la froideur humide qui transperçait mon blouson et mon jean, me glaçant les os, tellement différente des vents cinglants de New York.

Inspectant Haight Street, comme je le ferais lors de mes visites ultérieures, j'ai relevé les magasins qui dataient de l'époque de mes jeunes années, et ceux qui avaient fait place à de nouvelles boutiques. Le vieux Shop'n'Save avait fermé, pour être remplacé par une grande friperie appelée Villains. Etc. Etc. était devenu Beauty Store, à l'éclairage agressif. En passant devant les nombreuses vitrines, j'ai scruté les visages aux tables des cafés et dans les rayons, espérant à la fois reconnaître et être reconnue.

Arrivée à hauteur du parc, j'ai fait demi-tour et j'ai emprunté le trottoir d'en face en direction de la maison. À l'angle de Haight et Shrader Street, j'ai repéré une silhouette familière : Jimmy Siegel, le propriétaire de Distractions. Il refermait un lourd portail et me tournait le dos. Il s'était rasé la moustache mais je l'ai aisément reconnu : sa veste en cuir, ses courts cheveux blonds, son joli visage de petit garçon.

« Salut, ai-je lancé en essayant de couvrir le bruyant roulis du portail. Tu te souviens de moi ? »

Il était accroupi, en train de fermer le verrou. Il s'est retourné, m'a regardée et s'est relevé. « Ouais, je me souviens de toi. Comment tu vas ?

– Ça va bien. Je me suis installée à New York. NYU. Je suis juste revenue pour Noël.

– C'est génial.

– Hé, tu as des nouvelles de Tommy ? Il travaille encore ici ? »

J'avais découvert Distractions en 1984, après avoir été attirée par la vitrine punk-rock et entendu la New Wave qui sortait des haut-parleurs du magasin. À l'entrée du magasin, il y avait une grande vitrine remplie de pipes en bois sculpté et en métal, de porte-cigarettes incrustés de diamants fantaisie, de Zippo, et Tommy. Il était difficile de passer à côté d'un type comme lui.

Il mesurait déjà un mètre quatre-vingt-cinq et faisait sept ou huit centimètres de plus avec les rollers qu'il avait tout le temps aux pieds quand il travaillait dans la boutique, filant d'un endroit à l'autre derrière le comptoir. Tommy avait les cheveux courts sur le côté et longs sur le dessus, ce qui lui faisait de grandes oreilles. Sa couleur de cheveux dépendait de son humeur – une semaine c'était mauve, la semaine suivante rose, ou bleu. Sous sa banane, il avait des yeux verts et pétillants, des lèvres fines et un sourire espiègle. Quand il souriait, il regardait le ciel avec malice, à la manière de Mae West assénant l'une de ses répliques cultes.

«Oh, tu es une petite prune bien appétissante, mais encore trop verte pour être cueillie!»

À l'époque où les garçons du lycée étaient un mystère pour moi, et la différence entre les sexes une énigme que je n'arrivais pas à résoudre, Tommy m'avait aidée à sortir de ma coquille. Il avait passé du temps avec moi, avait flirté avec moi, et Distractions était devenu une halte obligatoire dans mon circuit d'après les cours.

J'ai fini par apprendre que Tommy n'était pas payé pour tenir la caisse du magasin. Il gagnait sa vie en revendant de la coke dans le quartier. Il citait avec vantardise le nom des stars qu'il comptait parmi ses clients, toutes issues de groupes fameux des années 1970 – autant de références qui ne parlaient guère à la fan de Duran Duran que j'étais jusqu'au bout des ongles. Tommy était l'ancien amant et meilleur ami de Jimmy Siegel, le propriétaire du magasin. Il travaillait à la caisse tout simplement parce qu'il aimait bien traîner dans le coin, s'imprégner de l'ambiance du Haight. Parfois, ses deux chiens, le caniche Cuddles et le terrier Teddy, le rejoignaient derrière le comptoir.

Le jour où j'ai timidement révélé à Tommy que mon père aussi était homo, il m'a demandé en lançant un clin d'œil: «Il est actif ou passif?» Je l'ai regardé, déconcertée, alors il a ajouté: «En tout cas, moi, je suis actif; actif de chez actif.» Ça me plaisait de regarder Tommy, sa façon de cambrer le dos quand il riait avec malice; et ses beaux yeux souriants.

«Tommy? a fait Jimmy. Tommy est mort. Il est mort du sida il y a six mois.»

Jimmy a annoncé ça d'un air contrit, comme si j'étais trop jeune, trop femme et trop hétéro pour être ébranlée par une telle nouvelle. Jimmy avait parlé en regardant un point imaginaire au loin, comme si Tommy n'était qu'un homme parmi de nombreux autres dont il gardait l'image à l'esprit.

« Je suis désolée, ai-je dit. J'aimais vraiment beaucoup Tommy.

– Moi aussi. »

La mort de Tommy a marqué un changement pour moi. Quand j'habitais encore avec mon père, le fait d'avoir ma place dans le monde de mes amis hétéros m'avait dans l'ensemble permis de fermer les yeux sur la réalité de l'épidémie du sida. Toutefois, lors de ces premières visites en rentrant de la fac, j'ai noté à quel point tout avait changé. Papa m'a annoncé plus tard que notre voisin, Robert, était malade. Un autre soir, en allant voir un concert classique, j'ai reconnu l'ouvreur : c'était l'un des beaux gosses avec qui j'avais coutume de discuter à la terrasse du Café Flore. « Hé ! l'ai-je interpellé. Comment ça va ? Comment va tout le monde ? » Il s'est contenté de secouer la tête, d'humeur bien moins bavarde que naguère.

La rue que j'avais connue petite était en pleine mutation. Certains changements entre 1987 et 1992 étaient peut-être la conséquence de la récession, mais la crise du sida avait aussi un impact indiscutable : les membres de la population homo de San Francisco se repliaient sur eux-mêmes, soit parce qu'ils étaient gravement malades soit parce qu'ils s'occupaient de proches en train de mourir, ou vivant dans un état de choc perpétuel à cause des décès qui se multipliaient derrière tant de portes closes.

Il faisait nuit quand je suis revenue sur Ashbury Street. À l'étage, dans notre appartement, j'ai trouvé papa sous les couvertures de son lit-futon. La télé était toujours allumée, le volume assez fort. Papa a appuyé sur la télécommande pour diminuer le volume, puis s'est tourné vers moi.

« Comment s'est passée ta promenade ?

– Bien.

– Tu as croisé certains de tes amis ?

255

– Non, ai-je répondu en pensant à Tommy. Pas vraiment… Shop'n'Save a fermé.

– Ouaip, il faut se taper tout le trajet jusqu'à Cala, maintenant, pour faire les courses.

– Bon, eh bien, bonne nuit. Je vais me coucher. Je suis encore en plein décalage horaire.

– Bonne nuit, ma chérie. Oh, au fait, j'ai acheté des rasoirs Bic neufs. Tu peux prendre ceux qui sont dans le sac Pacific Drug. N'utilise pas le mien. »

Le soir de Noël, papa et moi avons mangé des sushis avant de nous rendre au Kabuki Center, un cinéma dans Japantown. C'était l'une de nos sorties préférées et, sur mes conseils, nous sommes allés voir *Working Girl*, qui raconte l'histoire d'une secrétaire de Staten Island dont le rêve est d'avoir son propre bureau à Wall Street. Le film commence par un plan large du ferry de Staten Island en train d'effectuer la traversée et d'arriver à la pointe sud de Manhattan. Tandis que la caméra passait devant Battery Park et Bowling Green, j'ai donné un petit coup de coude à papa et je lui ai indiqué l'immeuble de Cleary Gottlieb : « C'est là que je travaille ! »

À la maison, nous avons ouvert nos cadeaux devant le sapin et j'ai offert à papa une surprise à laquelle j'avais travaillé pendant des mois : un recueil de mes écrits les plus réussis du semestre, imprimés et collés dans un carnet au côté d'articles de magazines découpés. J'avais intitulé le carnet « Pour mon Père ». Il était divisé en quatre sections : critiques, autobiographie, poésie et essais, où figurait ma dissertation sur Sam D'Allesandro. L'objet lui a tellement plu qu'il m'a attirée sur ses genoux et m'a serrée contre sa poitrine. Le dimanche venu, j'étais désolée de devoir repartir à New York. Peu après mon retour, j'ai reçu cette lettre :

Je suis vraiment fier de ce que tu deviens, Alysia. Je n'ai pas vu ton bulletin mais j'ai lu tes écrits et je suis vraiment content de voir que ta confiance en toi est plus solide qu'à l'époque où tu es partie. Et quand j'aurai retrouvé un boulot, je suis sûr que la mienne sera aussi renforcée. Alors chacun pourra vraiment apprécier la compagnie de l'autre.

Revenue à New York, toutefois, j'ai eu de plus en plus l'impression de décrocher de mon expérience à la fac. Ironie du sort, je n'ai pas rendu ma dissertation finale pour le cours sur le pragmatisme. En outre, il y a eu un malentendu avec les Weiksner. Un soir que j'étais chez eux, j'ai regardé les adolescents se blottir dans le sèche-linge du sous-sol. C'était un jeu stupide et je leur ai dit, mais je ne les en ai pas empêchés. Quand Marcia a découvert que le sèche-linge était cassé le lendemain matin, elle en a parlé aux Weiksner, qui se sont mis en rogne contre moi à leur tour. «Pourquoi les as-tu laissé faire? m'a demandé Sandra. C'est toi, l'adulte. Tu ne les surveillais pas?» Je n'avais que deux ans de plus que leur fils aîné, je ne me sentais pas suffisamment adulte et je n'avais pas compris que c'était censé être mon rôle.

Si je voulais bien faire, à l'évidence, je ne savais pas comment m'y prendre et je ne savais pas non plus ce que «bien faire» signifiait exactement. J'ai remarqué la méticulosité avec laquelle mes colocataires travaillaient leurs postures : elles se retournaient lentement devant le miroir en pied de la salle de bains, mesurant au millimètre près l'espace entre leurs cuisses en position debout. Au dîner, elles mangeaient de la laitue iceberg mélangée à des carottes et des haricots en boîte. Elles supprimaient le sucre et la farine blanche de leur alimentation pour atteindre leur poids idéal. Moi aussi, je peux faire ça, me suis-je dit.

Ce printemps-là, j'ai ainsi mené mon enquête sur le nombre de calories minimum des divers groupes alimentaires nécessaires pour rester en forme et je me suis mise à organiser mes repas en fonction de ces restrictions. Mon objectif était de ne pas dépasser 1 500 calories par jour : 400 par repas, et 150 pour chacune de mes deux collations, en milieu de matinée et en milieu d'après-midi. Je buvais huit verres d'eau par jour et j'évitais les boissons autres que le café et le thé car je ne voulais pas gâcher de calories ; j'ai appris par cœur la valeur calorique de tous les aliments de base. Banane : 125. Pomme : 90. Un morceau de pain : 125. Une petite boîte de raisins secs : 50. Un pot de yaourt blanc 0 % : 90.

En plus de mon régime draconien, j'ai commencé à m'imposer un budget de quinze dollars par jour que je retirais chaque matin au distributeur.

L'organisation de ma vie autour de ces règles et de ces chiffres a eu sur moi un effet apaisant. Si, à un moment donné, je me sentais angoissée ou manquais d'assurance, je pouvais toujours trouver un bout de papier et vite calculer les calories que j'avais ingurgitées durant la journée. Lorsque j'étais en deçà de mon objectif, j'étais contente de moi. Lorsque j'avais dépassé la barre, je savais quelles dispositions prendre – sauter mon goûter ou bien faire vingt minutes de plus à la salle de sports de l'université – et cela aussi était source de satisfaction. Les marges et les quatrièmes de couverture de mes cahiers de cours étaient envahies de ces petites listes gribouillées.

Au lycée, j'avais fantasmé une vie new-yorkaise qui aurait gravité autour de vernissages et de soirées littéraires à Soho. Sauf que je passais maintenant le plus clair de mon temps au supermarché A&P d'Union Square, j'avais dix-huit ans et je menais une vie de mamie solitaire. Le fond de mon caddie était jonché de bons de réductions découpés, j'examinais soigneusement les étiquettes des boîtes de soupe et les emballages de yaourt, comparant les grammes de glucides, de lipides et de protides.

Et puis un dimanche après-midi, j'étais en pleine correction d'épreuves, et l'une de mes collègues s'est approchée dans les toilettes pour me demander :

«Eh, mademoiselle *dix-sept-ans-et-des-broutilles*, est-ce que ça va, toi?

– Oui, je vais bien, ai-je répondu. Pourquoi?

– Tu m'as l'air bien maigrichonne.

– Merci!

– Est-ce que tu… tu as bien tes règles périodiquement?

– Oui, pourquoi?

– Comme ça, par curiosité.»

Je n'ai appris que bien plus tard que les anorexiques finissaient par ne plus avoir leurs règles. Je considérais le respect de mon régime et de mon budget comme un moyen de me prendre en charge, de me fixer des objectifs et de les atteindre. J'avais conscience d'être déprimée, d'être le fantôme pathétique du supermarché A&P, mais j'ignorais pourquoi – si bien que je gardais ces réflexions pour moi, ce qui ne faisait que m'isoler davantage. J'avais hâte qu'il y ait du changement. Quand Sandra Weiksner m'a annoncé qu'elle pouvait m'obtenir un job d'été à Paris au service classement et documentation de Cleary Gottlieb, j'ai sauté sur l'occasion.

16

Dès que je repense à ce premier été à Paris, une journée précise me revient à l'esprit, sur le boulevard des Filles-du-Calvaire, dans le IIIᵉ arrondissement. C'était un dimanche de juin, en fin d'après-midi. J'étais assise à côté de la fenêtre ouverte, dans la chambre du foyer où je résidais, j'essayais d'écrire une lettre à mon père. Chaque fois que je calais, que je ne savais plus quoi écrire, je jetais un œil par la fenêtre et j'observais les gens qui se rendaient au lavomatic du quartier, de grands sacs en toile jetés sur le dos.

J'ai lu un poème de Charles Baudelaire intitulé « Les Fenêtres », et qui commence ainsi :

Celui qui regarde du dehors à travers une fenêtre ouverte, ne voit jamais autant de choses que celui qui regarde une fenêtre fermée. Il n'est pas d'objet plus profond, plus mystérieux, plus fécond, plus ténébreux, plus éblouissant qu'une fenêtre éclairée d'une chandelle. Ce qu'on peut voir au soleil est toujours moins intéressant que ce qui se passe derrière une vitre. Dans ce trou noir ou lumineux vit la vie, rêve la vie, souffre la vie.

Derrière cette fenêtre close donnant sur le boulevard des Filles-du-Calvaire, il y avait une fille de dix-huit ans qui vivait dans un pays qui n'était pas le sien pour la première fois de sa vie. Elle portait un tee-shirt blanc et un short en jean. Ses cheveux coupés au carré bouclaient à l'humidité.

Fille. J'étais une *fille.* J'ai toujours aimé le nom de ce boulevard : Filles-du-Calvaire. De même, j'ai toujours apprécié le nom de ma maison temporaire : foyer pour jeunes travailleuses. J'aimais bien la connotation communiste du nom. J'ai toujours pensé que c'était typique des Français et de leurs manières socialo-communistes.

Sandra Weiksner ne s'était pas contentée de me dégoter un job à Cleary Gottlieb Paris : elle m'avait aussi trouvé une place dans ce foyer, avait envoyé à la directrice des photocopies de mon passeport et de mon attestation d'emploi. Pour pouvoir être hébergée au foyer, il fallait avoir entre dix-huit et vingt-cinq ans, être officiellement employée, et ne pas habiter Paris. J'aurais certes aimé passer l'été avec papa à San Francisco, mais l'occasion de vivre et de travailler à Paris était trop belle pour que j'y renonce.

Peu après mon arrivée, je me suis rendu compte que les chambres étaient, dans leur écrasante majorité, occupées par des filles venant des anciennes colonies françaises : Antilles, Tunisie, Maroc, Vietnam et Sénégal. Elles semblaient toutes préférer sympathiser avec celles qui étaient originaires de la même région qu'elles, de sorte que je n'ai fréquenté que les deux seules Européennes du foyer, deux brunettes françaises : une Normande toute maigre, à la coupe de cheveux courte classique et au nez fin et pointu, et puis une fille de la Loire, plus ronde, plus petite, aux cheveux longs et frisés. Nous prenions le petit déjeuner ensemble dans la cuisine chaque matin avant de partir pour nos jobs respectifs.

Il n'y avait pas d'autre Américaine. Je partageais ma chambre avec une Africaine de l'Ouest francophone, mais elle passait pratiquement tout son temps à l'autre bout du couloir, avec ses amies, à concocter sur des plaques chauffantes des sauces à base d'arachide qui embaumaient tout le bâtiment. Je les entendais éclater de rire en parlant avec un accent épais de leurs « *mecs* ».

Elle ne m'a jamais invitée à me joindre à elles et ne passait dans notre chambre que pour se changer avant ses rendez-vous.

Livrée à moi-même, le soir, après le travail, je partais à pied du boulevard des Filles-du-Calvaire pour me rendre dans le quartier voisin du Marais jusqu'au coucher du soleil. Avant de sortir, je me préparais un dîner simple. D'autres soirs, quand je voulais manger quelque chose d'un peu spécial, je m'achetais des falafels rue des Rosiers, que je savourais lentement sur le chemin sinueux du retour à la maison, en regardant les vitrines des petites boutiques remplies de choses superbes que je n'avais pas les moyens de m'acheter. La lumière déclinante, touche or sur les murs du vieux quartier, s'attardait jusqu'à huit ou neuf heures du soir tandis que je flânais du côté de la bien nommée rue des Mauvais-Garçons, le quartier anciennement juif se transformant partiellement en enclave gay à la mode. Lorsque je revenais vers le boulevard des Filles-du-Calvaire, les restaurants du quartier commençaient à s'animer – l'air chaud du soir s'emplissait du murmure des conversations, du doux cliquetis des verres et des couverts que l'on disposait sur les tables pour le dîner. Dans ces rues, nombreux étaient les restaurants étroits, les bars et les night-clubs que les Français appellent *boîtes de nuit.*

J'avais souvent l'impression d'habiter dans une *boîte*, cette petite pièce au deuxième étage où je m'asseyais toute seule pour lire ou écrire des lettres à mon père. Dans cette chambre carrée aux lattes de parquet irrégulières, il y avait juste assez de place pour deux garde-robes, deux lits, et un bureau. Les toilettes étaient sur le palier, communes à toutes les filles du couloir. Chaque soir, je faisais la queue, brosse à dents et gobelet à la main. En revenant à ma chambre, j'observais les cafards qui grouillaient le long des murs.

Pendant trois semaines, l'une de mes copines de lycée, qui rendait visite à son père français, m'a tenu compagnie et a été mon guide. Elle m'a invitée à un repas français traditionnel chez sa grand-mère et m'a fait découvrir le kir, mélange de vin blanc et de sirop de cassis. En sirotant des verres avec elle à la terrasse d'un bar du Quartier latin, j'avais l'impression d'être sophistiquée et française. Mais une fois qu'elle est rentrée en Californie auprès de sa mère, je me suis à nouveau retrouvée toute seule.

Et puis un week-end, ma camarade de chambre est partie pendant trois jours sans m'en avertir. Je l'ai cherchée par la fenêtre, j'ai guetté son rire dans le couloir, j'ai demandé chaque matin à la réception s'ils avaient de ses nouvelles. Lorsqu'elle est finalement revenue, je lui ai dit que je m'étais inquiétée, et elle a éclaté de rire. «Je suis une adulte, une *femme*», m'a-t-elle répondu.

Je savais que, moi, je n'étais pas une *femme*. Je n'étais encore qu'une *fille*.

Tous les dimanches à seize heures, je descendais à la cabine téléphonique aux parois de verre devant le foyer. J'y entrais, fermais la porte derrière moi pour m'isoler un peu du bruit de la circulation, et j'appelais en PCV mes grands-parents à Kewanee, où il était dix heures du matin. Parler à mes grands-parents en anglais ne serait-ce que cinq minutes, c'était comme prendre un bol d'air frais après avoir été enfermée dans une chambre sans fenêtre.

Pourtant, je n'avais pas de problème de langue. Cela faisait trois ans que j'avais quitté l'école bilingue, mais j'étais étonnée de la facilité avec laquelle le français me revenait. Avec ma peau blanche et mes cheveux noirs, j'aurais même pu passer pour une autochtone. Un soir, alors que je rentrais du travail en métro, la rame s'est soudain remplie d'une troupe de touristes américains chahuteurs, et un homme à côté de moi m'a murmuré à l'oreille : «On dirait que nous sommes les deux seuls Français!» Je lui ai souri d'un air penaud, espérant ne pas trahir ma véritable identité.

Papa n'avait pas les moyens que je l'appelle de France en PCV. Une fois que j'avais fini de parler au téléphone avec Munca et Grumpa, je retournais donc m'installer dans ma chambre pour lui raconter mes aventures par écrit.

Le 14 juin 1989

Cher papa,

Tu es le plus grand auteur épistolaire qui soit. Je reçois une lettre presque chaque semaine. Je dois dire que certaines de tes premières m'ont fait pleurer. Il y avait tant d'amour exprimé dans tes mots, de l'amour authentique. Il n'y a personne au monde dont je sois plus proche, et pourtant tu es si loin. On dirait que tu te sens seul ces temps-ci. Mon absence prolongée doit être dure pour toi. Au moins j'apprends les détails de ta vie par courrier. Maintenant, à moi de te parler de la mienne :

… Cinq jours par semaine, je passe neuf heures dans un petit bureau chez Cleary Gottlieb, un cabinet juridique. Dans l'enceinte de ce petit bureau, je m'agite, bois des litres d'eau et parle jazz avec l'Américain de la salle des photocopieuses.

Après le travail, sur le coup de 19h30, je dîne et fais une promenade jusqu'au Marais. Ce soir je suis allée place des Vosges, la plus ancienne place de Paris. S'asseoir sur un banc du square Louis XIII était très relaxant. J'ai observé un jeune couple se câliner et gazouiller, une fillette pourchasser des pigeons et une vieille dame au visage vif et songeur.

Mais un après-midi de cet été-là, une feuille de papier, une lettre inachevée, gisait sur le dessus de mon bureau. Je regardais à présent par la fenêtre ; j'essayais de réfléchir à la manière dont j'allais pouvoir répondre à la lettre que mon père m'avait envoyée :

Cher* Alysia,

J'ai attrapé un terrible coup de soleil le week-end dernier & mainte-
nant j'ai une horrible toux de poitrine. Je suis aussi très fatigué
(mais j'ai du mal à dormir). Mon dernier taux récent de lympho-
cytes T est de soixante et onze (il était de trois cent soixante il
y a trois mois). Il est probablement temps que je commence un
traitement contre le sida – si je réussis à bénéficier d'un programme
qui ne me coûte rien (parce que ça coûte une fortune, et je n'ai pas
d'assurance), mais la bureaucratie médicale est un tel labyrinthe et
les experts ont des avis tellement contradictoires, et puis je suis trop
fatigué et je n'ai pas le temps. Mais je vais m'en occuper bientôt.
Le boulot m'accapare, je suis sur deux livres (correction des épreuves,
etc.), mon essai sur l'homophobie est sorti et beaucoup de gens
l'ont aimé. Tu t'intéresseras probablement davantage à mes écrits à
l'avenir, quand je ne serai plus de ce monde, que tu ne t'y intéresses
actuellement.

Quand tu me parles de tes journées & de tes balades place des
Vosges, j'ai l'impression d'y être avec toi. Tu as un talent d'écrivain
dans ton observation des détails significatifs et pertinents. Le fait de
réécrire mon roman qui se passe à Atlanta est amusant à cet égard
– de me rappeler comment parlait ta mère – les détails de ce qu'elle
faisait quand elle était agitée – et les gens que nous fréquentions à
l'époque. Il n'y a pas grand-chose te concernant pour l'instant (tu
avais alors un, voire deux ans). Je suis sûr que tu seras contente
de savoir ça. Mais si je vis assez longtemps, il y aura peut-être un
livre sur Alysia.

Tendrement,

Papa

En regardant par la fenêtre, j'ai eu l'impression de me casser
la figure. Cette solitude à Paris, la solitude de ma chambre dans
laquelle la fille africaine ne vient jamais dormir... Il existe

* *Sic.*

là-bas, à San Francisco, une solitude plus grande, bien pire que la mienne. Passé un certain moment, papa cessera de répondre à mes lettres. Je ne serai plus en mesure de l'appeler, que ce soit en PCV ou pas. Il ne se plaindra pas, ni ne me réconfortera ni ne m'encouragera. Cette lettre où il est question de cellules T est un avant-goût de cette période.

«Mon dernier taux de lymphocytes T est de soixante et onze (il était de trois cent soixante il y a trois mois).»

Les globules blancs qui luttent contre les infections sont appelés cellules T, ou lymphocytes T. Au fur et à mesure que le sida progresse, il tue ces cellules, et réduit la capacité du corps à se défendre contre la maladie. Je sais cela maintenant mais, à dix-huit ans, ce n'était pour moi qu'une notion vague. Assise dans ma chambre, j'ai lu et relu ce passage de la lettre de papa, comme quelqu'un ne sachant pas lire. C'est alors que cette idée inconcevable s'est progressivement imposée à moi. Une prise de conscience impitoyable qui partait des tréfonds de mon estomac et remontait sous ma colonne vertébrale − une grosse bulle d'air dure qui poussait vers la surface, menaçant de souffler, de souffler si fort que ma maison allait s'écrouler. Affalée par terre, je me suis soudain retrouvée à sangloter, à haleter, à respirer si vite que je n'étais plus le sujet du verbe mais son complément. (Non pas «Alysia prend une inspiration» mais «Une inspiration prend Alysia».) J'ai continué pendant un long moment à me balancer d'avant en arrière, en essayant de ravaler mes sanglots jusqu'à être trop fatiguée pour pleurer − alors seulement, je suis restée assise dans la pièce vide, éberluée et assoiffée.

Je me suis relevée, suis retournée à mon poste d'observation près de la fenêtre et j'ai cherché du regard les passants avec leurs gros sacs de toile. J'avais besoin de ces signes de la vie de tous les jours pour me ramener au temps présent.

En cet après-midi, j'ai donc écrit une lettre à mon père, admettant et expliquant enfin ma tristesse, le suppliant de «prendre soin de lui», et j'ai signé «ta fille mélancolique». Deux semaines plus tard, sa réponse est arrivée :

Le 26 juillet 1989

Chère Alysia,

Ne sois pas mélancolique (à moins que tu aimes ça, hé hé). J'ai un mode de vie très sain, ces temps-ci. De fait, quand je suis passé aux médicaments par voix orale cette semaine, l'infirmière a dit que mes gencives n'avaient pas été en si bon état depuis quatre mois : elle était tellement emballée qu'elle les a prises en photo. Et je me sens effectivement plus vigoureux et énergique.

Je ne touche plus aux drogues (même pas à l'herbe) et ne fume qu'occasionnellement (un verre de vin de temps en temps si quelqu'un vient dîner à la maison). Je me sens même sexy à nouveau. Et j'ai tiré mon coup deux fois en deux jours, figure-toi (presque un miracle − la deuxième fois avec une très chouette personne rencontrée à la Conférence anarchiste). Voilà qui a fait des merveilles à mon moral. Je ne suis pas «atteint du sida» pour l'instant et suis censé prendre des médicaments qui vont bientôt combattre la progression du virus. En étant réaliste, il est possible que je reste en assez bonne santé encore cinq ou dix ans − ou bien un ou deux. Je n'en sais strictement rien. Avec l'âge, il est plus difficile de combattre la maladie, n'importe laquelle. Je connais des gens qui sont morts du cancer ou de crise cardiaque plus jeunes que moi. La mort donne tout simplement du sens à la vie (en lui assignant des frontières), et l'on pourrait se plaindre autant de la naissance que de la mort, car c'est à la naissance que commence la souffrance.

Donc, je t'en prie, ne sois pas bouleversée au point de ne pas arriver à reprendre ton souffle, ma grande. Pas besoin de ça. Mais je tiens à être honnête avec toi, te dire les choses telles qu'elles sont et ne pas être «dans le déni» en ignorant la réalité et en faisant comme si tout allait pour le mieux dans le meilleur des mondes alors que ce n'est pas le cas. J'ai dans l'espoir qu'en agissant ainsi chacun de nous deux aimera et appréciera davantage l'autre au cours des années à venir, que nous ne gâcherons pas le temps que nous avons et que nous saurons

communiquer et nous faire partager notre développement, nos espoirs
et nos aspirations.

J'aimerais que tu appelles en PCV pour pouvoir te parler mais
j'imagine que je peux attendre ton retour.
Je t'adore,

Ton papa qui t'aime

Quand papa a pris sa plume pour m'écrire cette lettre, cela faisait déjà des jours et des mois qu'il envisageait sa fin. Il m'a confié plus tard que, en apprenant qu'il était séropositif, il avait d'abord paniqué. Il avait fait les cent pas dans l'appartement en ne cessant de se demander : « Et Alysia ? Et Alysia alors ? » Il s'était concentré sur sa respiration et, tout en comptant ses expirations, s'était dit : « C'est normal d'avoir peur. » Puis il avait repensé à Issan, le supérieur de son zendo. Quand Issan avait appris qu'il était lui-même séropositif, il avait déclaré : « Ce n'est pas le sida, qui est fatal : si tu as le sida, tu es vivant. » Papa a étudié la grâce avec laquelle Issan a accepté le fait qu'il était infecté, et il a décidé de suivre la même voie.

À l'occasion de l'une de ses conférences sur le dharma, il a prononcé cette formule devenue fameuse : « Le sida est le professeur. » Cette allocution a été une source d'inspiration pour les membres du dojo de Hartford Street. Papa avait passé un grand nombre de vendredis avec J. D. Kobezak à Maitri House. Maintenant qu'il était séropositif, il considérait cette expérience comme un guide. Dans l'épilogue de *View Askew*, voici ce qu'il écrit :

Maintenant que je suis séropositif, je sais qu'il est possible que je
sois moi-même un jour dans la position de J. D. – encore vivant,
mais perdant en vitalité, ayant peu de contrôle sur mon corps ou
mon esprit. Nous mourons tous différemment, de même que nous
vivons tous différemment. Je ne sais pas comment ce sera pour moi,
mais je n'ai plus peur.

Peut-être que mon père n'avait « plus peur », mais moi, j'étais effrayée. Il pouvait bien écrire qu'il resterait possiblement en bonne santé « cinq ou dix ans » ou « un ou deux » : moi, je ne pouvais pas raisonner de cette manière au moyen de chiffres. Ce que la lettre de papa impliquait était trop douloureux pour que je garde tout ça en tête. Assise dans ma chambre à Paris, j'ai replié la lettre dans son enveloppe, que j'ai rangée dans un tiroir.

À des milliers de kilomètres de lui, ma propre vie continuait. Le lendemain matin, je me suis réveillée et j'ai pris le métro jusqu'aux Champs-Élysées, je suis allée à pied au travail et j'ai passé ma journée à classer des dossiers juridiques pour de jeunes avocats à lunettes, à faire du gringue à mes collègues français et à boire des litres d'eau. Le week-end, j'ai pique-niqué avec des copines françaises au bois de Boulogne, j'ai marché sous les arbres avec elles, et nous avons toutes été trempées par une soudaine pluie d'été.

J'ai récemment découvert que cette lettre que papa m'a envoyée à Paris n'est pas la première où il fait état de sa séropositivité. Le 23 mars, presque trois mois avant mon départ pour l'Europe, il m'écrivait : « Viens d'avoir les résultats de mon analyse de sang. J'ai un taux de cellules T de 363. C'est en dessous de la moyenne – la fourchette moyenne est 450-1 500 ; je vais donc faire un bilan médical à l'UC AIDS Clinic. Ils pourront peut-être me faire suivre un traitement expérimental avant que je ne tombe malade. » Toutefois, je ne me rappelle pas avoir lu cette lettre, ou y avoir réagi, à l'époque où j'étais à New York.

C'est pour cette raison que je me concentre sur ce jour passé à la fenêtre de ma chambre. C'est la première fois, du moins celle dont je me souviens, où j'ai pensé à papa atteint du sida.

Je n'ai jamais compris pourquoi il a été si difficile pour moi de me souvenir de papa séropositif avant Paris. Et puis, en passant soigneusement au crible son journal, j'ai trouvé la photocopie d'une lettre écrite à Dede Donovan ce même été 1989.

Alysia sait que j'ai des problèmes de santé mais je n'ai pas voulu l'alarmer en insistant sur la gravité de la situation. Une des raisons pour lesquelles je voulais qu'elle soit capable de se débrouiller davantage toute seule, c'est qu'il n'est pas improbable qu'elle perde le seul parent qui lui reste d'ici deux ou trois ans, voire avant. Je n'en ai pas non plus parlé à ses grands-parents.

Papa a en effet pris soin de ne pas m'inquiéter sur la gravité de ses problèmes de santé. Dans les lettres qu'il m'écrivait quand j'étais à l'université, les nouvelles de l'avancée de son infection étaient disséminées au milieu d'infos plus banales : ses projets de tournée promotionnelle pour son roman *Holy Terror* à l'automne, son recueil d'essais, *View Askew*, ses problèmes avec le colocataire bavard installé dans la chambre qui avait jadis été la mienne (« Il a la bavardiarrhée ! ») et ses nombreux coups de foudre non réciproques. « Ce que je suis pour l'essentiel, ma grande, c'est un célibataire endurci. Les efforts à déployer pour attirer ces garçons au pieu me semblent trop importants. Pourtant, je les aime. »

Inconsciemment, je prenais pour argent comptant ce que me disait mon père. S'il ne voulait pas me donner de raison de m'en faire au sujet de sa santé, je n'allais pas chercher plus loin. Pourquoi aurais-je accepté l'éventualité qu'il meure, la dissolution de mon monde ? En outre, il y avait encore tant à vivre.

En France, plus tard durant l'été, j'ai appris à faire de la bicyclette pour la première fois de ma vie. La directrice du foyer avait organisé un week-end à la campagne : elle emmenait les chahuteuses « Filles-du-Calvaire » en bus de location dans une résidence de la côte bretonne. Le voyage coûtait trente francs par personne, l'équivalent à l'époque de six dollars. Pendant les cinq heures qu'a duré le trajet, les filles dans le fond du bus ont chanté en chœur des chansons pop françaises qui passaient en direct sur un pauvre transistor.

Quand nous sommes arrivées à notre résidence en Bretagne, il faisait déjà nuit, mais j'ai aperçu à côté de la porte d'entrée, sous une ampoule nue autour de laquelle s'agitaient des papillons de nuit, sept vélos roses sans vitesse, posés contre le mur. Au dîner, le soir suivant, la Normande au nez pointu a suggéré que nous allions faire un tour de vélo avant d'aller au lit. J'ai avoué toute penaude que je ne savais pas en faire, ce que j'avais réussi à dissimuler à mes amis presque toute ma vie.

«Dans ce cas, tu vas t'y mettre, a-t-elle dit en français, ses fines lèvres retroussées en un sourire. Je vais t'apprendre.»

Le soir même, elle m'a emmenée sur une route abandonnée, près de la maison où nous étions hébergées. Comme nous abordions un chemin boisé et que la maison disparaissait derrière nous, j'ai eu envie de lui dire que j'avais changé d'avis, que je préférais aller à la plage, regarder la télé, faire n'importe quoi d'autre. Mon niveau de français avait beau être correct, je ne me sentais pas suffisamment à l'aise ni intime avec ma nouvelle amie pour ruiner notre plan sans paraître malpolie. Au lieu de quoi, dix minutes plus tard, cette fille de vingt-deux ans, avec ses perles aux oreilles et son pull marin ultra-classique orné de petits boutons blancs, cette fille que je ne connaissais que depuis deux mois, enfonçait ses tennis toutes propres dans la boue et tenait mon vélo bien droit, patiemment, pendant que j'essayais d'avancer à coups de pédales, tâchant de ne pas me casser la figure. La fille, dont j'ai oublié le prénom, a déployé tant d'efforts pour que je garde l'équilibre sur cette vieille bicyclette rouillée qu'elle en avait les joues rosies et une moustache de transpiration au-dessus de la lèvre supérieure, tordue par la concentration. Je me sentais balourde et idiote sur le vélo, bien contente que personne d'autre ne soit là pour nous observer. Je réfléchissais à la façon dont nous allions l'une et l'autre nous tirer de ce mauvais pas lorsque je me suis rendu compte que j'avançais toute seule. J'ai eu l'impression de voler.

Le soleil était bas à l'horizon et je pédalais dans un sens puis dans l'autre sur ce tronçon du chemin de terre, gagnant en vitesse au fur et à mesure que je prenais confiance en moi. Je suis arrivée dans une clairière, puis j'ai roulé le long des champs, dans lesquels de petites fermes et des balles de foin étaient comme peintes en doré par le soleil du soir. C'était tout à fait semblable aux tableaux de Monet que j'avais étudiés en première année d'université, et j'ai ri devant ce paysage de carte postale. Le vent frais du soir me soufflait à la figure et je ne pouvais m'empêcher de sourire. En pédalant, mes jambes décrivaient de grands cercles et j'acceptais le vent comme récompense de ma persévérance. Derrière moi, la Normande riait et applaudissait.

Plus tard, j'ai écrit à papa à propos de cette copine (mon héroïne ! ma Jeanne d'Arc !), qui m'inviterait par la suite à Rouen dans sa famille, et dont le père était encore reconnaissant aux Américains d'avoir débarqué sur les plages de Normandie pendant la Seconde Guerre mondiale. Je lui ai écrit que jamais je ne m'étais sentie aussi bien qu'à l'instant où je roulais à vélo dans la campagne bretonne, la région la plus occidentale de France, qui s'avance dans l'Atlantique comme pour atteindre la lointaine Amérique.

17

Je suis revenue à New York à l'automne 1989. J'ai continué à fréquenter chaque semaine la belle bâtisse des Weiksner dans l'Upper East Side, m'y cramponnant comme à une base familière. Par un froid lundi d'octobre, je tapais à la machine un devoir dans leur bureau à l'étage (mon ancienne chambre) quand Nicky, leur fils de quatorze ans, a fait irruption, sortant de la bibliothèque où il regardait à la télévision le troisième match des World Series. Le match opposait les Oakland A's aux San Francisco Giants : c'était le fameux « derby du BART », qui tirait son nom du métro reliant les deux villes.

« Alysiaaaa! s'est-il écrié en montant l'escalier comme une tornade. Il vient d'y avoir un tremblement de terre à San Francisco! Le Golden Gate Bridge s'est effondré! »

J'ai immédiatement téléphoné à mon père, qui m'a dit qu'il s'agissait du Bay Bridge, et non pas du Golden Gate Bridge, et que seule une partie de la chaussée supérieure s'était affaissée, écrasant deux véhicules qui se trouvaient dessous. Dans notre salle à manger, la tablette de la cheminée s'était fendue en tombant, détruisant deux coupes en marbre fabriquées à la main par un ami.

En tant que native de San Francisco, j'avais toujours vécu dans la crainte du « big one », le tremblement de terre qui emporterait toute la Californie. Cela faisait partie de mon identité, et je m'en voulais de ne pas être sur place. Si l'épicentre du séisme avait été localisé dans les collines de Loma Prieta Peak, dans les montagnes de Santa Cruz, à une quinzaine de kilomètres au sud de la ville, le fait d'avoir manqué le pire tremblement de terre de la région depuis 1906 a lézardé mes fondations ; cela m'a profondément perturbée. J'ai eu comme l'impression qu'une partie de moi, de mon moi de San Francisco, m'échappait.

S'il ne l'a jamais dit, mon père a écrit dans son journal que le tremblement de terre de Loma Prieta lui a également inspiré le sentiment d'être déconnecté, mais d'une autre manière :

J'étais dans le bus sur Haight Street et je ne l'ai pas senti. J'ai aperçu une ou deux fenêtres brisées & une cheminée renversée & des gens dehors qui parlaient, tout excités, mais je suis allé au Flore prendre un café & méditer ensuite. C'est seulement après coup que j'ai saisi l'ampleur de l'événement : en rejoignant la maison dans l'obscurité totale & en voyant ma bibliothèque renversée, deux fenêtres brisées. N'ai pas voulu rester tout seul & me suis baladé en ville à la recherche de bars ouverts. En un sens, j'ai eu l'impression de ne pas avoir d'ami à ce moment-là.

Deux jours après notre discussion au téléphone, j'ai reçu de papa un paquet envoyé en express. C'étaient des exemplaires tout neufs du *San Francisco Chronicle* et de l'*Examiner*, contenant des articles détaillés sur le tremblement de terre. En feuilletant les journaux de ma ville natale, plutôt que de lire les reportages du *New York Times*, j'ai eu l'impression que l'événement était plus réel. Le tremblement de terre a tué soixante-trois personnes dans toute la Californie du Nord, et plus de douze mille personnes se sont retrouvées sans logis. En plus des journaux, mon père avait glissé un tee-shirt dans le paquet. Sur le devant, imprimé en grosses lettres rouges : « 17 octobre 1989, 5 h 04. » Au-dessus de l'inscription figurait une photo en noir et blanc, celle qui avait été reproduite en première page de tous les journaux, montrant le Bay Bridge, dont le tablier s'était effondré.

J'ai parcouru les journaux, puis enfilé le tee-shirt que je venais de recevoir. Je me suis sentie envahie d'amour pour papa. Il avait précisément mis le doigt sur ce dont j'avais besoin à ce moment-là. J'avais terriblement envie de rentrer à la maison, à notre appartement, auprès de lui. Je voulais sauter dans l'avion et revenir pour les vacances, mais il avait déjà puisé dans ses économies pour financer sa tournée de promotion de *Holy Terror* et *View Askew* sur la côte Est, et n'avait plus d'argent de côté. Ainsi, tandis qu'il épluchait dix livres de pommes de terre au dojo de Hartford Street pour faire de la purée de Thanksgiving, moi, je picorais un cocktail de crevettes dans la maison de campagne des Weiksner, me sentant aussi factice que les fruits en papier mâché qui décoraient la table du dîner.

J'étais seule et malheureuse à New York, je le savais. Après trois mois à Paris où j'avais interrompu mon méticuleux calcul quotidien des calories ingurgitées, à nouveau les marges de mes manuels scolaires se remplissaient du décompte détaillé des calories de chacun de mes repas. Et puis un soir, j'ai fomenté un plan. Je pouvais obtenir un transfert dans l'une des universités cotées de Californie, et ainsi retourner dans le chaud giron de ma région natale. Le lendemain, j'appelais UC Santa Cruz et UC Berkeley, toutes deux proches de San Francisco, leur demandant de m'envoyer les dossiers d'inscription.

J'ai pris rendez-vous avec une conseillère d'orientation de NYU afin de lister les documents dont j'allais avoir besoin pour effectuer un changement d'université. Elle m'a fait asseoir face à elle, dans la pénombre du box où était installé son bureau. Tout en ajustant ses lunettes à monture métallique, elle m'a interrogée sur les raisons exactes de ma demande de transfert. J'ai envisagé de lui parler du tremblement de terre, de papa, de son taux de lymphocytes T qui ne cessait de décroître, mais je n'avais même pas abordé la question de la santé de papa avec les Weiksner, et le simple fait d'y songer plombait mes pensées et me donnait la migraine.

«Je veux me rapprocher de chez moi», ai-je soupiré.

Je suis rentré à Third Avenue North avec une montagne de formulaires fournis par NYU en vue d'effectuer mon change-ment de fac, formulaires que j'ai laissés sur un coin de mon bureau. Au fil des semaines, les dossiers sur papier glacé des universités de Californie arrivaient au compte-gouttes. Les photographies faisaient la promotion de cours au milieu de campus recouverts de pelouse, sous des ciels limpides – une planète bien éloignée de mon amer hiver new-yorkais. Cepen-dant, l'année avançait et j'ai été prise dans un tourbillon de lectures urgentes, de dates butoir de remises de travaux et d'exa-mens de milieu de trimestre. Les demandes d'inscription dans les facs de Californie et les formulaires de NYU ont vite été enterrés sous une pile de vêtements et de livres.

À San Francisco, mon père n'avait pas une minute à lui. Il a organisé un événement avec les poètes Judy Grahn et Allen Ginsberg à l'université de San Francisco, auquel plus de six cents personnes ont assisté. Et il a été invité à participer à la conférence «Out/Write», qui a rassemblé mille huit cents homosexuels des deux sexes à San Francisco pour trois jours de lectures, de tables rondes et de discussions. La table ronde à laquelle il intervenait avait pour thème «Journalisme *queer* extravagant».

L'auteur Edmund White a participé l'année suivante, en 1991, au colloque «Out/Write», où mon père a également animé plusieurs débats. Dans un article du *New York Times* intitulé «Out of the Closet and Onto the Bookshelf*», White faisait remarquer combien il était ironique que la littérature gay soit si florissante alors même que tant d'auteurs homos étaient en danger de mort:

---

* «Sorti du placard pour aller sur l'étagère à livres.»

276

Un auteur sur deux, aux rencontres « Out/Write », semble être malade. Ceux qui étaient séropositifs (comme moi) échangeaient sur leur taux de lymphocytes T comme s'il s'agissait des dernières cotations de Wall Street. De nombreux types, encore robustes l'année précédente, étaient maintenant d'une maigreur impressionnante, ou aveugles, ou couverts de lésions. Au cours de la dernière séance du dernier jour, un membre du public s'est emparé du micro pour dénoncer une nouvelle fois [l'orateur principal] Edward Albee. Mais, en un instant, l'homme pâle et émotif a enchaîné sur un cri du cœur : « Je voulais que tout soit parfait car, à l'évidence, je ne serai pas au colloque de l'année prochaine. »

Si papa ne m'a pas raconté en détail comment s'est déroulée chaque table ronde, il m'a envoyé par courrier les articles qu'il avait écrits pour le *Sentinel* et *The Advocate* à propos de l'impact de la crise du sida sur la communauté gay, ainsi que la nouvelle rubrique qu'il tenait désormais dans le *Bay Guardian*. De jeunes gars l'approchaient dans les bars et les clubs pour lui dire combien ils appréciaient ce qu'il écrivait, ce qui lui faisait immensément plaisir. Mais le journal de papa révèle que ses finances constituaient un souci permanent. Il avait réduit son implication dans *Poetry Flash*, dont il avait cessé d'être le directeur de publication (mais dans lequel il continuait d'écrire régulièrement), car il voulait se concentrer sur des missions plus rémunératrices. Cependant, les sommes qu'il percevait pour l'édition de l'anthologie de Sam D'Allesandro ainsi que pour ses articles dans le *Sentinel* et divers hebdos étaient bien chiches.

Il était également très apprécié à l'université de San Francisco où il enseignait maintenant deux cours d'écriture trois fois par semaine – sauf qu'un responsable administratif a décrété qu'il lui fallait décrocher un diplôme de master, faute de quoi il ne serait pas repris au printemps. Mon père avait entamé un cursus en anglais à l'université Emory quand il avait rencontré ma mère à la fin des années 1960, mais il avait laissé tomber avant de passer les examens. Pour pouvoir conserver son poste, il était désormais inscrit en master d'écriture à l'université de San Francisco.

L'année précédente, mon père avait gagné sa vie en faisant de chez lui des travaux de transcription juridique en free-lance, mais son patron avait fermé la société pour «raisons personnelles». En ce mois de mars, c'est le Fonds d'urgence sida qui payait le loyer de papa.

Il a postulé et passé des entretiens pour plusieurs jobs, dont un à *Mother Jones*. En plein milieu de cet entretien, on lui a demandé de donner son plus gros défaut. «Mon humeur changeante», a-t-il répondu. «Je ne vais pas noter ça, a répondu la femme chargée du recrutement, sinon, vous serez immédiatement disqualifié.» Elle a ensuite conseillé à mon père de se procurer quelques livres sur les techniques d'entretien. Dans son journal, il a écrit: «J'ai dû lui plaire, pour qu'elle me donne un conseil comme ça.» Il n'a pas obtenu le poste.

En dépit de ce revers, papa a continué à m'envoyer de l'argent, ainsi qu'il avait commencé à le faire peu après mon départ pour New York. «Je t'enverrai les deux mille dollars de tes chèques de sécurité sociale dans les quatre mois à venir, m'a-t-il écrit lors de ma rentrée. Ça va être dur pour moi financièrement, mais c'est de l'argent qui te revient & je tiens à ce que tu étudies dans de bonnes conditions cette année. Si tu n'en as pas besoin pour la fac, mets ça de côté et sers-t'en pour des dépenses de voyage, ou je ne sais quoi.»

De fait, j'en avais besoin pour la fac. Quand Dede m'avait aidée à remplir mon dossier de candidature à NYU, elle était persuadée que les tarifs seraient du même ordre de grandeur que ceux des universités d'État en Californie. Malheureusement, NYU, qui se présentait comme une «université privée dans le service public», était une des plus chères du pays. Ce que mes grands-parents ne pouvaient pas payer, je le finançais par des emprunts étudiants, des bourses et les chèques des allocations de mon père. Cela constituait une motivation supplémentaire pour intégrer une université de l'État de Californie, qui serait nettement moins onéreuse. Dans ses lettres, mon père s'enquérait de l'avancement de mes démarches : «J'espère que tu as reçu tes dossiers d'inscriptions pour UC Berkeley & UC Santa Cruz. J'ai entendu dire que la seconde était mieux pour les premières années, mais, si tu intégrais Berkeley, tu pourrais loger ici. Ce serait chouette de te voir davantage, ma grande. » Sans que je sache trop pourquoi, je n'ai pas rempli à temps ces dossiers, et ne les ai donc pas postés. Si papa et San Francisco me manquaient, la perspective de retourner m'installer à la maison m'inspirait des sentiments ambivalents – j'avais peur, je crois bien.

En cours de français cette année-là, j'ai sympathisé avec Lauren, une fille du New Jersey. C'était le portrait craché de la Vierge Marie de Raphaël. Elle aimait l'opéra, les petits chiens, et tout ce qui était français. Elle avait même baptisé son shih tzu «Bisou». Lorsque Lauren s'emballait, ce qui arrivait souvent, son visage devenait écarlate et sa voix montait dans les aigus comme celle d'une fillette. Un jour, tandis que nous allions dans un de nos cafés préférés après les cours, elle m'a annoncé qu'elle avait postulé pour le programme de cursus à l'étranger de NYU, à Paris.

«J'ai passé l'été dernier à Paris, lui ai-je dit. Je travaillais dans un cabinet juridique sur les Champs-Él…

– … Oh, mais attends ! m'a-t-elle interrompue en me serrant le bras. Tu devrais *carrément* postuler ! On devrait postuler *ensemble* ! »

Nos cappuccinos terminés, elle m'a accompagnée à la Maison française de NYU, où j'ai récupéré un formulaire de demande d'inscription.

Me rappelant mon été de «Parisienne», la beauté de la Bretagne rurale et la gentillesse de ma copine normande, j'ai rempli le dossier le soir même. En recevant au mois d'avril un courrier m'annonçant que ma candidature avait été retenue pour le programme NYU France, j'étais aux anges et j'ai appelé papa. Il était tout content parce que j'étais toute contente. Sauf que, évidemment, au lieu de me rapprocher de lui, j'avais pour projet de m'en aller encore plus loin.

18

J'ai ressenti un grand frisson en arpentant l'avenue Mozart. Dimanche soir, tous les magasins du quartier étaient fermés. Restaient ouvertes seulement quelques boulangeries, aux vitrines remplies de pâtisseries appétissantes et autres magnifiques tartes, pour accueillir le client venu chercher un dessert de dernière minute ou une baguette pour le dîner. Hormis l'éclat jaune de ces boulangeries, le quartier était résolument gris, toutes les fenêtres étaient fermées. Il y avait très peu, voire quasiment pas de piétons, et ceux que j'ai vus étaient silencieux, emmitouflés, fonçant vers des destinations connues d'eux seuls. Tout paraissait calfeutré, comme autant de bourgeons avant l'éclosion, toute la beauté dissimulée.

Je suis un quartier, semblait me dire le XVIe arrondissement, pas un terrain de jeu. Seuls les riverains empruntent mes rues.

J'étais une riveraine. J'habitais au 23, rue de la Source. Métro Jasmin, que j'avais rebaptisé pour plaisanter «métro Jasmine», comme s'il s'agissait d'un refuge hippie, et non du cœur du Paris bourgeois. L'intersection de l'avenue Mozart et de la rue de Passy, près de là où se trouvait l'immeuble de NYU France, grouillait de jeunes gens BCBG, de filles à colliers de perles, bandeaux dans les cheveux et pulls en cachemire. Elles se faisaient quatre bises au lieu d'une, et étaient notoirement *coincées*.

Moi, je n'étais pas *coincée*; je n'étais d'ailleurs pas chez moi dans ce quartier, j'y habitais, rien de plus, et dormais dans une *chambre de bonne* de la famille Lazar. À travers la porte en verre de l'immeuble, je voyais les rideaux en dentelle de la loge de la concierge, ses yeux noir charbon me suivant avec suspicion chaque fois que j'entrais ou bien sortais de l'immeuble.

Chaque année, la famille Lazar accueillait des étudiants du cursus NYU à Paris. En échange de l'hébergement dans leur mansarde du cinquième étage sans ascenseur, les étudiants devaient repasser leur linge, à raison de deux heures par jour, et être une «présence de langue anglaise» pour leur fils de douze ans entre son retour de l'école et le moment où les parents rentraient du travail.

Comme beaucoup de familles françaises, les Lazar possédaient une machine à laver mais pas de sèche-linge et utilisaient donc un fil à linge. Afin de supprimer l'effet rêche du linge qui en résultait, je repassais chaque vêtement, de leurs torchons à leurs sous-vêtements. Édouard, leur fils rouquin au teint pâteux et à la démarche nonchalante, préférait «manger des brownies» plutôt que parler anglais avec moi – aussi le laissais-je faire. À dix-neuf heures, quand les Lazar rentraient du travail, je montais par l'escalier de service jusqu'à ma petite mansarde, où je mangeais seule en lisant de vieux numéros de *Madame Figaro*, que Mme Lazar m'avait gentiment donnés.

«J'ai cette petite blague, ai-je écrit à papa au début de l'automne. J'ai plein d'amis qui envisagent de s'inscrire dans un club de remise en forme. Pour trois cents dollars, ils veulent faire du sauna et du step, et moi je rigole parce que j'ai droit à tout ça gratuitement chez les Lazar! Bain de vapeur quand je repasse, et je monte six volées de marches au moins deux fois par jour pour accéder à ma chambre.»

Pour une chambre de bonne, la mienne était en fait assez confortable. J'avais une penderie pour accrocher mes vêtements, un petit réfrigérateur, un lavabo et une plaque qui me permettait de réchauffer des soupes Knorr que M. Lazar me rapportait de son travail chez Nestlé. Je dormais dans un grand lit sous plusieurs épaisseurs de couvertures, j'y lisais les livres pour les cours et regardais le JT français en noir et blanc sur un petit téléviseur. Par la fenêtre, je voyais les toits en tuile du XVIᵉ, sur lesquels les pigeons se réunissaient en bandes gris et noir.

J'étais heureuse d'être revenue à Paris. Mon bon niveau en français, ma connaissance du métro, et les visites occasionnelles de Camille (qui était alors étudiante à Madrid) me donnaient une impression de potentialités. «À Paris où la vie est déjà plus vivable, je suis un agent libre, écrivais-je à mon père. J'ai mon propre espace et ça, c'est important.»

Toutefois, en janvier 1991, un profond malaise s'est installé. Les Weiksner m'avaient généreusement payé le billet d'avion pour que je passe Noël avec eux à New York, mais je devais être rentrée le 2 janvier pour reprendre mes tâches ménagères chez les Lazar. L'université était fermée durant les vacances de Noël, et les amis que je m'étais faits à l'automne étaient tous retournés chez eux pour le mois. Théophile, un blond longiligne que j'avais rencontré à une fête chez Cleary Gottlieb, et avec qui je sortais depuis peu, était en garnison hors de Paris dans le cadre de son service militaire. L'été précédent, en août, Saddam Hussein avait envahi le Koweït et, dans les jours à venir, George Bush enverrait des troupes américaines en Irak. Les professeurs de NYU nous conseillaient d'éviter les groupes d'Américains bruyants, de ne pas chanter de chansons américaines, et même de ne pas emprunter deux fois de suite le même itinéraire, afin de déjouer les éventuelles attaques de musulmans intégristes locaux. Toutes les poubelles des stations de métro avaient été enlevées en vue d'éviter d'hypothétiques attentats. La seule chose qui a rendu cet hiver 1990 supportable pour moi, c'est le courrier envoyé par mon père.

Chaque jour en arrivant à NYU, mon premier réflexe était d'aller consulter ma boîte aux lettres. C'était dans ce petit réceptacle en bois, pris en sandwich entre d'autres boîtes aux lettres, que je trouvais la source de mon espoir et de ma joie. Avec des arrivages deux, voire trois fois par semaine, les lettres de mon père ont fait de moi une célébrité. Aucun autre étudiant ne recevait autant de courrier, surtout de la part d'un parent.

Les lettres arrivaient toujours dans des enveloppes commerciales, longues et rectangulaires, délicieusement lourdes. Je me réjouissais de lire tous ces «A» au recto de l'enveloppe, comme autant de pics montagneux : Steve Abbott, 545 Ashbury, Alysia Abbott. J'ouvrais l'enveloppe, et des pages de papier, à la bordure effilochée d'avoir été arrachée au carnet à spirale de mon père, se déployaient comme du papier cadeau sur mon giron. Le cadeau à l'intérieur de cet emballage était la densité des écrits paternels à chaque ligne : des mots, des phrases, des paragraphes, des pages – tout ça pour moi !

Ces mots avaient été écrits, je le savais, au rythme du pied de mon père agité d'un perpétuel tressaillement. Lorsqu'il était absorbé dans ses pensées, il écrivait toujours avec la jambe droite croisée sur la gauche, et son pied droit se balançait d'un côté à l'autre, comme s'il était à lui seul le moteur de son intellect hyperactif.

Même aujourd'hui, quand je repense à mon père en train d'écrire, je ramène inconsciemment ma jambe droite sur la gauche et imite son mouvement de pied. Ce pied droit peut continuer à s'activer avec une aisance instinctive mais, si j'inverse les jambes et que je fais bouger mon pied gauche, je n'y arrive pas. Il y a quelque chose de particulier dans ce pied droit, quelque chose dont je me plais à imaginer que je l'ai hérité de lui.

Depuis l'époque de mes séjours annuels à Kewanee, papa et moi avions coutume de communiquer par lettres. Mais il y a eu des changements cette année-là en France. Chacun de nous vivait seul, nous étions à des milliers de kilomètres l'un de l'autre, et nous comptions sur cette correspondance pour maintenir le lien. Dans ces missives, nous ne considérions plus l'autre ni comme la cause ni comme la solution à nos problèmes respectifs, mais plutôt comme un témoin affectueux, une oreille dévouée et concernée.

Si papa avait dit de nos besoins qu'ils se mélangeaient « comme le feu et l'huile » du temps où j'étais une adolescente habitant à la maison, dans nos lettres, nous nous sentions libres de confier nos béguins, de tester de nouvelles idées, de faire part à l'autre de nos luttes contre nos frustrations et nos peurs.

Je ne critiquais plus ses petits copains (ou en tout cas pas ceux dont il espérait qu'ils pourraient devenir davantage que de simples amis). Si je n'avais rien de gentil à dire à propos d'un béguin malencontreux (Alex, Jeremy, Myles, Olivier), je pouvais aisément choisir de garder secrets ces sentiments. L'importance que papa accordait au travail n'était plus pour moi source de déception, car je ne le considérais plus comme l'unique interlocuteur pour me tenir compagnie et s'occuper de moi. Les hauts et les bas de ses aventures amoureuses, ses difficultés professionnelles et ses problèmes financiers, rien de tout cela n'envahissait désormais mon espace de vie.

Dans la mesure où il nous fallait attendre parfois deux semaines avant de recevoir une réponse, chaque lettre soigneusement composée devenait un acte de foi, une pièce de monnaie jetée dans un puits, accompagnée d'un souhait fervent gardé secret. Après avoir écrit ma lettre, j'espérais avant tout entendre cet écho, la confirmation que mon souhait serait entendu et exaucé. Comme je ne voulais pas attendre la réponse de papa avant de lui écrire à nouveau, j'ai décidé assez tôt de lui écrire quand j'en avais envie. Nous correspondions presque quotidiennement, et nos lettres ressemblaient parfois aux confidences d'un journal intime – en particulier celles de papa :

Hier, je me disais que tu es la seule personne que j'aime. Les autres m'inspirent de l'affection de temps en temps. Parfois, je me sens aimé, mais le plus souvent j'ai l'impression que personne ne m'aime, que parmi tous les gens que je désire aucun n'est attiré par moi & que j'ai perdu ma capacité à aimer. Je dois constamment demeurer vigilant pour ne pas tomber amoureux d'Alex. Ce qu'il veut & ce qu'il lui faut, c'est juste mon amitié.

Sa disponibilité sentimentale me frappe encore plus que le reste. En feuilletant ses lettres, j'ai l'impression de m'installer dans une baignoire remplie d'eau chaude. Je flotte en apesanteur, en paix, et je suis caressée par l'expression quasi constante de la confiance et de l'attention de mon père. Dans cet univers aqueux, je suis cette version de moi-même que j'ai été avant toute autre : sa fille. Et dans ce rôle je suis aimée comme seul un enfant peut être aimé : totalement et sans condition. Avec mon père, je ne ressentais nulle pression à devoir me comporter de telle ou telle manière. Je pouvais être banale, ennuyeuse, égoïste, irritable. Je n'ai jamais eu le sentiment qu'il existait quelque chose que j'aurais pu dire ou faire qui aurait mis en péril son affection. Ce père-ci est celui que j'ai toujours voulu. C'est le père qui me manque le plus.

Il y avait les nombreux articles et essais qu'il découpait pour moi dans les journaux locaux, à propos du musée Moreau à Paris ou de recherches récentes sur les causes de la faible estime de soi chez les jeunes filles. Il m'a un jour écrit une lettre au dos du poème «Daddy» de Sylvia Plath : «Assurément une version du papa différente de celle que tu as – non ?» avait-il plaisanté avant d'analyser la raison pour laquelle l'œuvre fonctionne. «Le génie de Plath dans ce poème est d'investir une langue très <u>simple</u> (comptines enfantines & contes de fées) avec une puissance & une colère d'une grande intensité.»

Il y a ses propres poèmes impromptus :

Les bras du libraire sont pleins
de cartes postales & de tee-shirts.
Le café a triomphé.
J'ai reçu plusieurs lettres aujourd'hui & lu
La tienne (du 4 déc.) en premier.

Puis il y a la vitalité de San Francisco – qui était également mon San Francisco –, et que je retrouvais quand il allait voir des films noirs au Roxie, achetait une biographie de Baudelaire à la librairie Adobe, ou sirotait un café moka au Macondo.

Suis assis au Tassajara Café. Gars super beau assis @ la table d'à côté avec son ami ou petit ami, malheureusement. J'ai immédiatement su qu'il était gay, avant même de les entendre parler – quelque chose dans la délicatesse de ses manières. Les hétéros ont tendance à être plus agressifs, moins raffinés, dans leur comportement non verbal. Stéréotype infondé ? À toi de juger.

Et puis il y a cette version de moi-même. Je ne me suis jamais autant aimée que j'aimais mon moi tel qu'il se reflétait dans le regard de mon père. Papa savourait les lettres que je lui envoyais, même quand je sombrais dans l'inquiétude et l'autoapitoiement idiot : «Lauren dépense comme si l'argent ne comptait pas. Sa mère est venue et lui a acheté des tas de vêtements. Tout ce que porte Lauren a l'air tellement neuf !!! »
Inlassablement, il me pose des questions. Il me distrait, m'instruit et m'inspire, constamment soucieux que je me construise.

J'aime lire tes lettres, même quand tu es déprimée. Quand Henry Miller vivait à Paris, il faisait constamment le pique-assiette. Et Apollinaire était si pauvre qu'il se représentait les plats préférés de son enfance lorsqu'il avait faim. Lynne Tillman dit qu'elle était à sa connaissance la personne la plus pauvre de New York, alors même qu'elle avait jadis travaillé pour Malcolm Forbes. L'argent ne fait pas tout. J'apprécie assurément mes amis & d'avoir du temps pour écrire davantage.

Quand je me désespérais de ma confusion face à l'avenir, craignant d'avoir déjà échoué, papa me donnait des conseils sur les moyens de clarifier mes objectifs, puis m'expliquait en détail comment lui avait atteint ceux qu'il s'était fixés :

Je sais que tu es sensible à toutes les attentes que tes grands-parents, les Weiksner, moi, etc., avons pour toi. C'est irritant et embêtant, voilà le moins qu'on puisse dire.

Mais tu peux aussi voir les choses ainsi : dresse une liste du genre de vie que tu veux (ne te mine pas avec des «je ne pourrai pas, je n'y arriverai pas» ou autre – contente-toi de lister honnêtement ce que tu veux, sans te demander si ça paraît irréaliste ou pas). Ensuite : dégage des priorités. Selon toi, qu'est-ce que tu désires le plus ? Quels sont les objectifs qui te paraissent les plus réalistes, les plus faciles à atteindre ? Quelles étapes seraient nécessaires pour les réaliser ? Est-ce que passer par ces différentes étapes sera quelque chose que tu apprécieras ?

Moi, par exemple, je voulais être écrivain – un écrivain célèbre. (Maintenant je me fiche un peu de l'aspect «célébrité»). Les différentes étapes impliquaient a/ de lire beaucoup pour voir ce que les autres écrivains faisaient et ont fait b/ d'écrire et d'améliorer mon écriture et c/ de faire circuler mes écrits – ce qui signifiait prendre des risques & aller au-delà de la peur du jugement des autres ou d'être ridicule parfois.

Mais cela ne m'est pas arrivé à l'âge de vingt ans – ça n'a réellement commencé qu'à partir de mes trente-deux ans et plus tard.

Quand je lui ai parlé de l'amitié croissante de Lauren avec une autre camarade du programme NYU à Paris, et que je lui ai avoué que cette amitié me rendait jalouse, il m'a conseillé de transcender ces sentiments, m'enseignant les préceptes qu'il avait appris par la pratique du zen, sans jamais me forcer pour autant à emprunter le chemin du bouddhisme.

Par la méditation, la réflexion ou autre, trouve le moyen d'atteindre cet endroit en toi qui peut observer sans juger. Si tu éprouves de la jalousie, si tu te sens déprimée ou coupable, essaye de te concentrer sur ce que ton corps ressent. Où commence la sensation physique ? As-tu par exemple l'estomac qui se noue ? Si tu remarques que tu es critique avec toi-même, alors essaye de t'observer le faire sans porter de jugement de valeur, positif ou négatif.

Ce moi qui observe est la partie de toi la plus enfouie – plus profonde que ton moi peureux, que ton moi coupable ou ton moi intellectuel. En observant ce qui arrive à ton corps quand tu passes par ces états mentaux, tu peux apprendre des petits trucs pour modifier ton corps & ton humeur. Par exemple, si tu arrives à prendre conscience assez tôt d'une sensation physique ou d'une émotion négative, essaye de la contrer en faisant quelque chose de constructif pour toi (de l'exercice physique, prendre un bon bain, appeler une copine, aller au cinéma, ou je ne sais quoi).

Enfin bref, c'est ce que j'ai commencé à faire à une époque de ma vie où j'étais rongé par la jalousie, la solitude, le doute, l'autocritique excessive. Et, dans l'ensemble, ç'a marché.

Jusqu'à ce chapitre, je me suis appuyée sur le journal de mon père et sur ses œuvres publiées pour comprendre la nature de ses passions créatives, de ses addictions et de ses relations, et en relisant ces lettres-ci j'ai l'impression qu'il est là avec moi, murmure aimant à mes oreilles – dans sa manière de conclure en écrivant «Pense à toi toujours!» ou de dessiner au dos d'une enveloppe, en grosses lettres majuscules: «Crois En Toi! Aime la Vie! NE RENONCE JAMAIS!»

Mon père a déployé tous ces efforts pour que nos échanges me nourrissent et parce qu'il savait que nos jours étaient comptés

– c'est la raison pour laquelle ses lettres me semblent être une telle bénédiction. Chacune est un artefact unique, produit de la pression de son stylo sur le papier. Chacune a une manière particulière de s'achever : certaines se terminent sur un post-scriptum griffonné dans les marges, et de temps en temps un dessin pour illustrer tel ou tel point.

Ces missives sont d'autant plus poignantes pour moi aujourd'hui que je sais que mon père souffrait d'une maladie fatale. C'est lui qui se trouvait confronté à sa fin et vivait au sein d'une communauté fauchée par la mort. La semaine qui a précédé mon départ pour la France, Issan Dorsey, le professeur spirituel que papa appréciait tant, est mort du sida.

Malgré la disparition de ses amis et les innombrables conséquences de ces décès, papa a consacré des pages et des pages à s'occuper de moi, qui étais si loin, à Paris, en particulier lorsque me hantait la perspective d'une vie sans lui.

J'ai demandé à Théo s'il pensait que c'était une bonne idée que je t'héberge quand tu viendras à Paris. «Je ne sais pas, a-t-il répondu, tu as six étages à grimper pour arriver chez toi et ton père n'est plus si jeune.» J'ai commencé à penser au jour où je ne t'aurai plus, où tu ne seras plus là pour me distiller tes paroles de sagesse et ton amour inconditionnel... J'ai fini par aller aux toilettes où j'ai pleuré avant de me ressaisir. Je n'avais pas envie de pleurer devant Théo. Ce qui ne veut pas dire que nous ne sommes pas proches. En fait, je suis chaque jour un peu plus amoureuse de lui. C'est juste que je n'ai pas envie d'entrer dans les détails de ta maladie. Ni, bien entendu, dans les détails de ta sexualité.

Quand j'ai écrit cette lettre en avril 1991, papa venait juste de se faire intuber de manière à pouvoir s'administrer lui-même du ganciclovir, prescrit pour la rétinite à CMV qui l'avait rendu aveugle. «J'ai l'impression d'être à la fois Frankenstein et le monstre de Frankenstein », plaisantait-il. Mais il était triste aussi. Il a écrit qu'il ne nagerait plus jamais, n'irait plus jamais au sauna. Moi, j'avais vingt ans, et je n'ai pas réagi de manière claire à ces bulletins de santé, pas plus que je n'ai pu alors mesurer l'impact de sa santé sur l'état de son moral. Au lieu de cela, c'est lui qui se coltinait le sale boulot consistant à m'apaiser et à me distraire de l'atroce et de l'inévitable.

Pour ce qui est de ma santé, inutile de pleurer avant que je meure. Je veux dire, je sais que tu mourras un jour toi aussi, c'est le lot de tout un chacun, mais je n'ai pas besoin de me focaliser là-dessus. Et toi non plus. À toi de décider ce que tu révéleras à Théo à propos de ma santé. Je pense que plus tu peux être honnête (en particulier avec ceux qui te sont proches) mieux c'est. Cachotteries = solitude. Tu pourrais lui dire que j'ai des problèmes de santé sans entrer dans les détails – que j'ai des problèmes de rétine & de poumons ou je ne sais quoi. La fille dans Nikita ne dit rien de son passé à son petit ami, surtout pas qu'elle a assassiné quelqu'un – mais il finit par l'apprendre. Et il l'aime tout de même.

Il était facile pour moi de minimiser le déclin de la santé de papa, car ses lettres étaient toujours pleines d'humour.

Bizarre, plus ma santé est problématique, meilleur est mon moral. Je peux à peine lire et je ne vois plus assez pour reconnaître quiconque dans la rue, alors je plaisante à ce sujet, je dis que c'est comme être en plein trip d'acide. Que peut-on faire d'autre ?

Dans une autre :

Je grossis depuis que j'ai arrêté de fumer. Je pesais en moyenne un peu moins de soixante-six kilos ; maintenant, j'en suis à un peu plus de soixante-huit. J'arrive à peine à entrer dans mes jeans. Mais je vais conserver tous ces pantalons trop petits parce que je risque de me retrouver avec une cachexie & je flotterai alors dedans (petite plaisanterie, hi hi).

Je ne répondais à ces bilans que de temps à autre par des «S'il te plaît, reste en bonne santé», tant j'étais réticente à y investir plus d'émotion qu'ils n'en suscitaient déjà. Si j'ignorais cette intrigue secondaire dans notre histoire, j'espérais aussi qu'elle se résorberait d'elle-même, et que je pourrais jouir en toute liberté et sans entrave de mon expérience parisienne. Pour l'essentiel, cette stratégie a fonctionné. Du moins jusqu'à ce que mon père vienne me rendre visite à l'été 1991.

19

Quand mon père est venu me rendre visite à Paris au mois de juin, je vivais déjà la vie d'une *femme*, ou ce que je considérais à l'époque être la vie d'une femme. J'avais terminé ma troisième année d'université et vivais alors, à l'âge de vingt ans, ma première relation amoureuse sérieuse. J'habitais avec un Français, de vingt-quatre ans, chez lui, dans un quartier du XVIIIe arrondissement presque essentiellement musulman. Théophile était le benjamin d'une bonne famille catholique de quatre enfants et se considérait comme «branché». Quand nous avons commencé à sortir ensemble, il m'a dit qu'il aimait les Smiths, puis a ajouté : «Je m'habille en noir parce que le noir est la couleur de ce que je ressens à l'intérieur.»

En l'espace de six mois, quatre à sortir ensemble et deux à vivre avec Théophile – ou Théo, comme je l'appelais –, je me suis transformée en petite copine française modèle. J'ai développé ma propre version du style BCBG – moins *coincée*, plus rétro. J'avais une coupe au carré, des robes sexy, du rouge à lèvres et une écharpe à pois nouée autour du cou. Tous les soirs, je nous préparais un vrai repas comprenant entrée, plat principal et fromage ou dessert. J'aimais bien expérimenter des recettes trouvées dans le petit livre de cuisine de poche que m'avait donné la mère de Théo, une femme toujours élégante et parfumée.

Il n'était pas si difficile de préparer une truite amandine ou un poulet à la dijonnaise avec de la crème fraîche, ai-je découvert, à partir du moment où l'on disposait des ingrédients frais en question. J'adorais fréquenter les marchés parisiens, prévoir nos repas pour la semaine, et m'assurer que le saladier sur la table d'entrée était toujours rempli de fruits frais.

En vivant avec Théo, je me fantasmais en adulte : indépendante, sophistiquée, mature. Nous écoutions les Sundays et les La's sur la chaîne stéréo ; leurs harmonies pop éthérées emplissaient l'appartement, c'était la bande-son de notre amour encore tout neuf. J'avais l'impression que tout se goupillait à merveille.

Un après-midi de juin, installée dans notre salle de séjour, je ne préparais pas un repas mais compulsais une pile de guides des hôtels à Paris, tandis que Théo était assis dans la cuisine mouchetée de soleil, à boire son café du matin en lisant *Libération*. M'appliquant à cette tâche avec la même rigueur que pour mes recherches universitaires plus tôt dans l'année, je recopiais dans un calepin les numéros de *Paris pas cher*, puis j'appelais chaque hôtel, notant soigneusement sa disponibilité en chambres, le prix, puis je marquais d'un signe distinctif ceux qui disposaient d'un réfrigérateur accessible aux clients. Papa avait besoin d'un frigo pour stocker ses médicaments.

Toute l'année, j'avais insisté pour qu'il me rende visite. « Ce que j'aimerais vraiment pour Noël, c'est toi », lui avais-je écrit. Il me rétorquait systématiquement que sa santé et sa situation financière ne lui permettaient pas de faire le voyage. Il avait finalement pris des billets en mai avec son ami Alex, mais avait dû annuler son voyage à cause de complications liées à sa rétinite à CMV. Bien décidé à venir me voir, il avait reprogrammé son voyage en juin, contre l'avis du médecin et de ses amis.

À Paris, mon père était un homme riche. À San Francisco, il fallait compter chaque dollar, toujours économiser. Nous n'avions jamais possédé de meuble neuf ; tout provenait de vide-grenier ou avait été acheté en soldes, y compris nos vêtements. Mais, à Paris, mon père dépensait ses francs sans compter, m'achetant les chemisiers et les robes qui me faisaient envie. «J'aime te voir dans de beaux habits», me disait-il tandis que je posais et virevoltais devant les miroirs du magasin. Nous sommes sortis tous les soirs et c'est à peine s'il regardait la note avant d'étaler son argent sur la table, comme autant de billets de Monopoly.

Ce que mon père n'a pas dépensé cette semaine-là, il l'a mis dans une enveloppe et me l'a laissé avant de prendre son taxi à destination de l'aéroport pour son vol retour. Il y avait ce sentiment que Paris n'appartenait pas à notre monde. Que l'argent qu'on y dépensait n'était pas véritable. Pourquoi s'en faire ?

Lors de notre premier après-midi ensemble à Paris, quand nous nous sommes retrouvés à Montmartre pour boire un café, je ne connaissais pas encore le côté dépensier de mon père. Je lui ai expliqué que le café était moins cher si on le prenait debout, au comptoir. Ma situation financière était critique : j'étais encore au régime étudiant. Mais il a tenu à s'asseoir. Il en avait plein les jambes. Il a souvent été fatigué durant ce séjour. Nous nous sommes donc installés en terrasse. Il y avait du soleil, et toutes les chaises étaient prises. Les rues pavées étaient encombrées de Vespa – ces scooters avec lesquels les jeunes Parisiens vont partout. Le bourdonnement nerveux de leurs moteurs retentissait dans les ruelles escarpées du quartier. Nous étions au Café des Abbesses, en face du manège clignotant. Les arbres étaient en fleur. L'air estival était chaud et je me sentais bien.

Nous avions pour projet de monter à pied jusqu'au Sacré-Cœur, mais papa n'était pas sûr de pouvoir gravir toutes les marches à flanc de colline. «Ce n'est pas loin d'ici», ai-je dit en cassant un sucre pour le mettre dans mon café. Il tapotait sur la soucoupe de son *café crème* de ses doigts fins, tachés par la nicotine.

«Pas la peine», a-t-il dit en regardant la table.

J'ai suggéré que nous allions le lendemain au musée d'Orsay, mon musée préféré à Paris. Au dernier semestre, j'avais étudié l'histoire du XIXe siècle ainsi que Flaubert et Balzac. J'aimais admirer la peinture de cette période au regard du contexte littéraire et historique que je connaissais si bien.

«Pas la peine», a-t-il répété.

Il avait déjà visité le musée d'Orsay. De même qu'il avait déjà vu Notre-Dame, le musée Picasso, la place des Vosges et tous les autres endroits que je lui proposais de visiter.

«J'ai déjà vu tout ça», a-t-il dit. Puis, après un silence, il a ajouté : «Je suis venu pour te voir toi.»

Il avait prononcé ces mots calmement en buvant son *café crème* à petites gorgées. Et, l'espace d'un instant, je me suis sentie mal à l'aise, comme toutes ces fois où l'amour que papa me portait m'avait troublée – à treize ans, je lui lançais sur un air de remontrances : «Qu'est-ce qui te fait sourire ?» quand je surprenais son rictus et ses grands yeux rivés sur moi à la table du dîner. Ce à quoi il me répondait : «Je suis juste sidéré d'avoir élevé cette magnifique jeune fille.»

Son amour m'étonnait toujours. Ce pouvait être déroutant, car il jaillissait de nulle part et semblait sans rapport avec ce que j'étais en train de faire. On aurait dit que mon père m'aimait tout simplement parce que j'étais assise là, face à lui, à l'écouter, à parler. C'est de cette manière qu'il m'a regardée ce jour-là au café. C'était trop facile.

Je n'avais pas vu papa depuis ma dernière visite, laquelle remontait à un an, et j'ai pris soin de l'observer, à l'affût du moindre changement de son aspect extérieur. Il avait toujours ses lunettes à monture en écaille. Il avait toujours les cheveux coupés court et teints en brun, qui lui donnaient un air plus jeune que ses quarante-sept ans. Il avait toujours sa moustache irrégulière et son bouc, qu'il taillait avec les ciseaux du tiroir de la cuisine. Il avait encore le visage et le corps charnus. Mais une

fois que nous avons quitté le café, il a dû s'arrêter très fréquemment pour reprendre son souffle. Et il parlait. Il a beaucoup
parlé, surtout du passé. Je nous revois franchir les portillons
automatiques du métro, et mon père qui n'arrêtait pas de parler.

«Moi, j'ai d'abord fini mes quatre années de fac avant de
connaître une première relation amoureuse. Parfois, il faut du
temps avant d'avoir une estime de soi suffisante pour se lancer.
Mais je me suis toujours intéressé à plein de choses – la lecture,
la peinture, les voyages, je m'impliquais en politique –, qui me
procuraient de grandes satisfactions, si bien que, lorsque je me
suis intéressé à quelqu'un comme ta mère, il y avait de quoi
être… Pourquoi est-ce que ce machin ne fonctionne pas ?

– Papa, tu mets le mauvais ticket. Il faut que tu en prennes
un nouveau. Vas-y, réessaye.

– Le point commun que nous avions au départ, ta mère et
moi, c'était le mouvement contre la guerre. *Voilà, comme ça c'est
mieux.* Nous étions dans un groupe socialiste qui vendait des
journaux militants. Ta mère chapeautait l'équipe des vendeurs !»

J'ai hoché la tête. Souri. Et, regardant autour de moi, me
suis sentie gênée. Les Français ont l'habitude de fixer du regard
quiconque se fait remarquer, et papa se faisait manifestement
remarquer. J'avais envie d'expliquer son comportement, mais
je le comprenais à peine moi-même. On aurait dit que sa vie
défilait sous ses yeux et qu'il voulait décrire tout ce qu'il voyait,
maintenant, avant que la démence ne le dépouille de ses souvenirs. Moi, je n'avais pas de magnétophone et ne m'étais pas
encore faite à l'idée – l'idée de *sa fin.*

En mettant de côté son épuisement, la glacière remplie de
médicaments que nous avons transportée de l'aéroport à son
hôtel et ses radotages, j'ai été frappée par une certaine douceur
dans son visage. Cela m'interpelle encore sur l'une des photos
que nous avons prises l'après-midi suivant avec Théophile au
Jardin des Plantes. Papa se tient derrière une vitrine inondée

de soleil, il porte un tee-shirt R. Crumb et une chemise en blue-jean déboutonnée, manches remontées. Il me regarde à travers l'œil de l'appareil photo, la tête légèrement penchée en arrière, à la fois étonné et ravi que je le capture sur la pellicule. Et puis on devine cette gentillesse. Comme si tous ses mauvais côtés avaient été rabotés – toute la noirceur, le côté irascible, son côté monsieur-je-sais-tout qui m'agaçait tant quand j'étais adolescente. Comme si le sida avait réduit papa à son noyau essentiel, à sa gentillesse et sa générosité.

Lorsque je contemple cette photo aujourd'hui, je suis prise d'une irrépressible envie de descendre en piqué pour protéger cette gentillesse. J'ai envie d'envelopper mon père dans une couverture et de lui donner du thé chaud. J'ai envie de lui présenter des excuses aussi, pour tous les ennuis que je lui ai causés : mon manque de respect, la mesquinerie à laquelle j'avais parfois recours, animée que j'étais de l'envie de lui faire mal parce que j'avais mal. Je souhaitais qu'il soit heureux.

Toutefois, je n'étais pas encore capable de ces sentiments. À cette époque, je voulais que lui s'arrange pour que *moi* je sois heureuse, que lui *me* tienne chaud et *me* protège. J'étais persuadée qu'il me devait cette sécurité. Et sa venue à Paris, dans ces circonstances, à se trimbaler sa glacière remplie de médicaments et ainsi disposé à me dire toutes les choses qu'il avait prévu de me dire, avait un goût de trahison.

Après notre promenade au Jardin des Plantes, papa, Théo et moi sommes allés dîner tôt dans un restaurant grec. Il faisait chaud, il y avait encore du soleil et nous nous sommes installés en terrasse. Nous avons bu du vin blanc moelleux en carafe, avons écouté la musique qui se déversait d'une fenêtre proche et observé les employés des autres restaurants du coin aborder les clients potentiels qui passaient dans la rue. Le dialogue entre Théo et papa manquait un peu de naturel mais était néanmoins amical. S'ils s'intéressaient tous deux à l'histoire et à Baudelaire, le niveau de papa en français et celui de Théo en anglais empêchaient une conversation autre que superficielle. Lorsque Théo est allé aux toilettes, je me suis tournée vers papa pour savoir ce qu'il pensait de mon premier véritable petit copain. Son regard s'est perdu dans le vague puis il m'a répondu : «Bourgeois. Vous êtes tous les deux bien plus bourgeois que je ne l'étais à vingt ans. Mais ça ne me pose pas de problème.»

Je me suis décomposée, toute déçue, avant qu'il n'ajoute en gloussant : «Non, non. Théo m'a l'air très gentil. Mais tu ne crois pas qu'il est difficile d'épouser quelqu'un issu d'une autre culture ?»

Attends, quoi ? À vingt ans, je ne savais même pas ce que j'allais faire de mon été, et encore moins de mon petit ami français. Mais avant que je puisse répondre, Théo a réapparu et nous avons changé de sujet. Plus tard, après le dîner, nous avons raccompagné mon père à la station de taxis la plus proche, et, alors que nous traversions le boulevard Saint-Germain très encombré, mon père s'est tourné vers moi, m'a regardée dans les yeux et m'a dit : «Si seulement je pouvais te voir en maman soucieuse.»

Théo était au travail quand papa et moi avons pris le train pour visiter le château de Fontainebleau. Nous étions assis en extérieur, à proximité de là où l'empereur Napoléon avait fait ses adieux à sa garde avant de s'exiler, en 1814, lorsque mon père m'a finalement révélé la nouvelle : «En novembre dernier, on m'a diagnostiqué une pneumocystose.

– Je sais, papa. Tu me l'as écrit. C'est comme un gros rhume. Ç'a l'air très moche. Je suis désolée.

– La pneumocystose est une forme de pneumonie. La pneumonie PCP. Jusqu'alors, j'avais la LGP – le syndrome pré-sida – mais ce diagnostic signifie maintenant que le sida est déclaré.»

J'ai contemplé autour de moi le splendide parc du château de Fontainebleau s'étendant jusqu'à l'horizon. L'ordonnancement parfait du paysage était seulement troublé par un petit groupe de touristes qui déambulaient ; les gens prenaient des photos, se protégeaient de l'ardent soleil de midi en se mettant les mains en visière. Je me suis tournée pour faire face à papa. Il me fixait avec intensité de ses doux yeux verts. Ses mains s'agitaient dans le vide pour accompagner son explication. J'avais beau savoir qu'il s'adressait à moi, j'avais l'impression d'être très loin. Je me suis imaginé rejoignant ce petit groupe qui regagnait cahin-caha son autocar. Je me suis vue monter avec eux puis observer le père et la fille occupés à discuter ensemble sur le banc tandis que le car s'en allait.

« La pneumocystose signifie que le sida est déclaré », a-t-il répété. Peut-être ne lui restait-il plus qu'une année à vivre. Ou six mois. « Il faut que tu t'organises pour obtenir ton diplôme plus vite que prévu et rentrer à la maison, maintenant que le sida est déclaré. »

Quelle drôle d'expression, « sida déclaré ». Pourquoi « déclaré » ? J'ai imaginé un passage à la douane : « Rien à déclarer ? » Ou lorsque l'on parle d'une guerre et qu'on dit qu'elle est déclarée. Maintenant, la guerre est déclarée…

Avant ce séjour à Paris, la maladie de mon père n'était qu'une série de formules – séropositif, LGP, sida – et les lettres qu'il m'envoyait décrivaient les affections auxquelles correspondaient des acronymes. *CMV-bla-bla-tinite. Pneumo-bla-bla.* Il pouvait bien m'abreuver de détails concernant son état de santé, il ne s'agissait jamais que de concepts abstraits gribouillés sur une page. Je remettais les lettres dans leurs enveloppes, de même que je repoussais les sentiments que m'inspiraient ces nouvelles. Je tenais à distance les maux de papa, considérant qu'il avait de toute façon toujours tendance à se plaindre.

Après tout, nous étions effectivement l'un comme l'autre du genre à nous plaindre en permanence. À San Francisco, je lui avais acheté une carte d'anniversaire pour ses quarante ans, qui reproduisait la couverture d'un magazine imaginaire, *Mauvaise humeur*, avec des gros titres tels que « 143 manières de dire "J'aime pas" », « Mille astuces pour que les êtres qui vous sont chers se sentent super mal » et « Gros plan sur le Lamentin ». Nous avons conservé cette carte sur notre frigo pendant des années. C'était une façon de rappeler avec facétie que nous étions grincheux de nature. Quand j'appelais papa de ma résidence universitaire de NYU, je l'amusais en lui racontant mes histoires larmoyantes de virées au supermarché A&P et de retour à la maison dans le crachin, les bras douloureux à cause du poids des sacs à provisions. Il riait toujours au moment où il fallait. Se plaindre, c'était notre petite plaisanterie à nous.

C'est seulement lors de son séjour à Paris que je me suis rendu compte que les multiples désagréments dont il souffrait étaient bien réels et que, étant sa fille, j'étais moi aussi concernée. Chaque affection était comme un lourd pavé placé sur une route menant à sa mort inévitable.

La conversation qui avait commencé à Fontainebleau s'est poursuivie plus tard ce soir-là, en terrasse d'une brasserie luxueuse de Montmartre. Papa et moi flânions après le repas et il s'est mis à dresser la liste de ce qu'il comptait me laisser : un vieux PC qui fonctionnait à peine, sa table d'ordinateur, ses rayonnages de livres cornés et poussiéreux et, bien entendu, les droits d'auteur de son œuvre.

« J'ai fait de Kevin Killian mon exécuteur littéraire. Il s'assurera que tous les revenus liés à mes livres te reviennent. Les papiers sont en règle.

– D'accord. »

J'ai plissé les yeux face aux immeubles et aux gens qui grouillaient autour de nous. Le souffle court, j'évitais de croiser le regard de papa. J'ai éprouvé un sentiment d'étouffement.

« Plus important encore, quand peux-tu obtenir ton diplôme ? m'a-t-il demandé. Est-ce que tu as de l'argent de côté au cas où tu devrais partir au pied levé ? »

Tais-toi, ne cessais-je de me répéter intérieurement. « Je ne sais pas, ai-je calmement répondu, les dents serrées. Il faut que je voie. »

Mon moi de vingt ans explosait. Testaments, exécuteur, table d'ordinateur – et mon diplôme par anticipation ? Pendant des mois, papa m'avait dit de ne pas m'inquiéter pour sa maladie, de ne pas pleurer. Ce qui importe, c'est le moment présent, m'assurait-il. Et puis il débarque à Paris, dans *mon* Paris, où j'avais, il y a quelques jours à peine, fait cuire de la rhubarbe de la maison de campagne de Théo. Avec juste un peu d'eau et du sucre, c'était tellement délicieux. J'attendais depuis des mois la visite de papa. Je voulais partager avec lui ces découvertes, le présenter à Théo et lui montrer la vie que nous vivions. Et soudain je devais rentrer au pays ; l'heure était venue de s'inquiéter. Parce que son sida est *déclaré*.

Papa était implacable. Évitant les touristes qui se dirigeaient vers le Sacré-Cœur, il me pourchassait dans les étroites rues pavées, tâchant de m'imposer le plan fou qu'il avait fomenté. Je sentais un poids terrible sur moi, qui pesait sur mes épaules et ma poitrine, comme le tablier plombé que les dentistes vous font porter avant de vous faire une radio. Je n'avais qu'une envie, m'allonger, me libérer du fardeau de cette conversation et flotter dans le ciel de Paris. Mais mon père ne lâchait pas le morceau, sa détermination était telle qu'il en avait un regain d'énergie.

« Il faut que tu t'occupes de ça, a-t-il dit en m'arrêtant pour me regarder droit dans les yeux. Je pense que tu devrais prévoir

302

de rentrer à la maison pour Noël. Est-ce que tu pourras revenir t'installer à la maison à partir de Noël ?

– D'accord ! » Il n'y avait pas à discuter ; bien sûr que j'allais revenir m'installer à la maison. Si ce n'était pas moi, qui donc le ferait ? J'en avais la tête qui tournait : elle refusait, ou était incapable, d'absorber les implications de ce qui venait d'être dit.

Avant que les inhibiteurs de protéase ne soient mis en circulation, au milieu des années 1990, le sida était considéré comme une maladie incurable, qui causait invariablement la mort. Et cette mort était une mort dure, précédée soit d'une dégradation physique (lésions pourpres, syndrome de dénutrition), soit d'une dégradation mentale, soit des deux. Mais si le sida était terriblement anxiogène, la maladie, par sa nature, prêtait à confusion – en particulier parce qu'elle était diagnostiquée par étapes. On pouvait être séropositif sans avoir de symptômes. On pouvait être malade à cause du syndrome pré-sida (lymphadénopathie généralisée persistante, LGP) sans pour autant « avoir le sida ». C'est uniquement lorsqu'on diagnostiquait certaines maladies spécifiques – la pneumocystose, par exemple – que le sida était « déclaré ». À ce moment-là, oui, la mort était proche.

Avant que papa ne vienne à Paris, j'avais cherché refuge dans mon ignorance concernant ces étapes, dans l'épais fourré du jargon médical qui séparait deux réalités : vivre en étant séropositif et mourir du sida. Papa avait contribué à entretenir le flou – il évoquait très rarement sa séropositivité tant qu'aucun symptôme n'apparaissait. Il insistait sur le fait qu'il n'avait pas le sida quand il souffrait juste du syndrome pré-sida. Puis il ne révéla son sida que lorsqu'il l'a estimé nécessaire, afin que je me prépare pour revenir m'installer à la maison.

Il voulait que je profite au mieux de mon expérience universitaire, et le plus longtemps possible. Le problème de cette stratégie – au demeurant sensée – c'est que, au moment de me dire qu'il était vraiment malade et en train de mourir, je n'étais pas préparée à affronter la réalité.

J'ai essayé de raconter ma soirée à Théo. Il savait déjà que papa était atteint du syndrome pré-sida, mais, comme moi, avait du mal à saisir la distinction que papa avait explicitée. Je me suis mise en rage contre sa «stupidité» avant de fondre en larmes dans la salle de bains.

En annonçant finalement à Munca que papa avait le sida, j'ai eu envie de vomir. J'étais assise par terre dans notre cuisine, le dos contre la porte fermée, en une parodie d'intimité. Munca a réagi à ce que je lui disais comme si elle s'était attendue à mon coup de fil.

«Oui, d'accord, a-t-elle calmement répondu. Qu'est-ce que tu veux de nous?»

Ravalant mes pleurs, je n'ai tout d'abord pas pu répondre. «Rien, je crois.»

Plus tard dans l'après-midi, Théo n'a pas eu le bon sens de comprendre pourquoi je m'effondrais dans la section surgelés de notre épicerie de quartier, éclatant en sanglots à cause d'une dispute à propos de moussaka surgelée. Et il n'a pas non plus compris pourquoi je me suis mise à pleurer le lendemain, quand, en retard pour retrouver mon père, je n'ai pas eu le temps d'acheter des fruits frais au marché.

«Mais j'ai besoin de manger un fruit frais par jour, me suis-je écriée.

– Qu'est-ce qui ne va pas, Alysia?

– Je mange toujours des fruits frais. Tu ne comprends donc pas? C'est *ça* que je veux. Je ne veux pas de cette *autre* vie.»

Le 2 juillet 1991

Alysia, ma chérie,
Je viens juste de rentrer à la maison. Il est 23 h 20 à San Francisco.
À Paris, il doit être 8 h 20 du matin, le 3 juillet.

304

Va savoir, je me sens triste maintenant — je vais reprendre la même vieille routine des rendez-vous médicaux & je vais aller dans les mêmes vieux cafés fatigués. C'était chouette d'être à Paris, même si je pense que, en vivant longtemps là-bas, on tombe aussi dans des routines — ne même plus faire attention à toute cette formidable architecture, comme tu le disais.

Si j'essayais de me représenter une «fille parfaite», je ne pourrais rien imaginer de mieux que toi. J'ai bien vu que toi et Théo avez fait beaucoup d'efforts pour rendre mon séjour agréable — pas seulement en me dénichant ce bel hôtel, mais aussi grâce aux endroits où nous sommes allés manger, au fait que tu aies cuisiné pour moi, que tu m'aies trimbalé à la fête du Centre Pompidou & au Jardin des Plantes. Je veux que tu saches combien j'apprécie ton amour.

Je suis navré que mon état de santé soit, ce qui se comprend, source de tristesse pour toi. Tes irritations passagères étaient sans doute dues au fait que tu compatis pour moi & que ça te met en colère que je sois dans cette situation — notre situation. Mais il serait probablement préférable de savoir que tu es en colère parce que j'ai le sida et que les médecins n'ont pas encore trouvé de remède, plutôt que de déplacer ta colère sur toutes sortes d'autres choses — ne pas avoir le temps d'acheter des fruits ou je ne sais quoi.

Il m'arrive aussi de me mettre très en colère. J'ai été particulièrement furax quand j'ai dû annuler le voyage en Europe prévu ce printemps — finalement, j'ai probablement disposé de plus de temps cette fois-ci que je n'en aurais eu au départ. Ou alors je pique une crise parce que je ne vois pas aussi bien que j'aimerais. Donc je me mets en rogne & je ressens des choses & alors je me rends compte — vu qu'il n'y a rien que je puisse véritablement faire — que je ferais tout aussi bien d'accepter la vie comme elle est. S'accrocher à la colère ne fait que t'user, et c'est dur pour ton entourage. Et je reste conscient qu'il y a encore plein de choses à apprécier dans la vie. En fait, le sida est devenu mon professeur spirituel, il m'apprend ce qui est important & ce qui ne l'est pas

& à laisser tomber les habitudes mentales improductives qui sont superflues.

Ça me plaît vraiment de pouvoir maintenant t'imaginer plus précisément dans ton environnement – dans la cuisine de Théo en train de préparer à manger, ou assise à lire, ou à marcher dans la rue ou dans le métro.

Je vais filer de ce pas au bureau de poste.

Je t'aime de tout mon cœur,

Ton papa

20

Une fois papa reparti, je ne tenais plus en place. Je n'en pouvais plus d'attendre le retour de Théo en fin de journée, après le travail, dans son appartement vide. Je ne voulais pas non plus vivre sur sa modeste paye jusqu'à la fin de l'été. J'aurais pu rentrer à New York, mais rien ne m'obligeait à y être avant septembre et je ne souhaitais pas quitter Théo ; nous étions encore amoureux. Aussi me suis-je mise en quête d'un job : j'ai déposé avec zèle des CV, je me suis inscrite dans des agences de travail temporaire, j'ai épluché les offres d'emploi et sollicité tous les contacts de Théo. Mais les opportunités de travail à Paris étaient rares, en particulier pour une jeune Américaine n'ayant qu'un visa étudiant. Personne ne répondait à mes candidatures, et mes coups de fil de relance demeuraient sans réponse.

Lorsque j'ai franchi le seuil de La Criée, cela faisait déjà trois semaines que je cherchais. Je me suis retrouvée assise en face de Véronique, une petite brune toute maigre qui gérait ce restaurant de fruits de mer de Neuilly-sur-Seine, dans la banlieue chic de Paris, réputée, entre autres, pour son maire, le futur président de la République, Nicolas Sarkozy. Le service du déjeuner venait de s'achever et elle m'a fait passer un entretien. « La Criée embauche des serveuses chaque été, m'a-t-elle expliqué en croisant à peine mon regard. Comme la terrasse est ouverte, c'est pour nous la plus grosse période de l'année. » Elle a dit tout cela en français, tandis que je hochais la tête avec empressement, espérant faire naître chez elle un sourire qui n'est jamais venu. «Nous cherchons quelqu'un qui a déjà une expérience dans le domaine de la restauration. Est-ce votre cas?»

Tout chez Véronique était austère, de la queue-de-cheval sévère qui lui tendait la peau du visage à ses fines lèvres grimaçantes, en passant par son maquillage impeccable et ses ongles manucurés. Véronique était la première à répondre à une de mes candidatures (et peut-être la dernière), aussi ai-je effrontément menti en lui affirmant que j'avais déjà travaillé dans un restaurant (ce n'était pas vrai) et que j'avais l'intention de rester à Paris tout le mois de septembre (en fait, je repartais fin août).

Après m'avoir posé quelques questions au sujet de mes études, elle m'a toisé de pied en cap et, en faisant la moue, m'a annoncé qu'elle m'embauchait sur-le-champ; elle m'a alors remis mon uniforme – une robe plissée bleu marine, une chemise rayée assortie blanc et bleu, et un petit tire-bouchon pliant que je devais garder accroché à la ceinture élastique de ma jupe.

Le premier jour, j'ai été formée par Maggie, dix-huit ans, fille d'immigrés marocains. Elle était partie de chez elle à seize ans, avait arrêté l'école parce que ça la barbait, et subvenait depuis à ses besoins. Elle avait beau avoir deux ans de moins que moi, elle était très dure et, manifestement, ça ne lui plaisait pas d'avoir à former cette Américaine privilégiée qui ne connaissait rien à rien. Elle grimaçait à chacune de mes questions, levait les yeux au ciel à chacune de mes erreurs. Et des erreurs, j'en ai commis.

La Criée était un restaurant de poissons et de fruits de mer. Ce qui signifiait que chaque entrée et chaque plat exigeait l'utilisation d'une fourchette différente qu'on devait placer d'un côté précis de l'assiette. Pour les huîtres, par exemple, il fallait une petite fourchette que l'on disposait à la gauche de la fourchette à salade, et également un ramequin rempli de vinaigrette à l'échalote (une «mignonnette»). Le homard, lui, réclamait tout un ensemble d'assiettes et de couverts spéciaux, dont un pic à homard et un casse-noisettes. En plus de devoir maîtriser ces histoires de couverts et de droite ou de gauche de l'assiette, il y avait le défi consistant à servir tout cela. La terrasse de La Criée se trouvait au niveau inférieur par rapport au restaurant principal. Les serveuses récupéraient donc les commandes à la cuisine et il leur fallait ensuite se faufiler entre les tables en portant par exemple un assortiment de fruits de mer présenté sur un lit de glace, franchir la porte principale devant les gens qui faisaient la queue en attendant qu'une table se libère, puis descendre avec précaution une volée de marches en béton pour servir les clients qui se trouvaient en terrasse. L'escalier était raide. Le premier jour, j'ai vu une serveuse renverser un plateau de cocktails en descendant puis fondre en larmes. J'ai appris par la suite que le prix des boissons et des verres était déduit de son salaire.

Véronique était la seule de l'équipe dont la langue maternelle était le français. Les serveuses constituaient un panel digne des Nation unies ; il y en avait en effet qui venaient d'Espagne, de Pologne, d'Autriche, d'Allemagne, de Tunisie et de Thaïlande, en plus de Maggie la Franco-Marocaine et de moi, l'Américaine. Au bout de quelques jours de travail, j'ai compris pourquoi on nous faisait bosser comme des chiens : seules des jeunes femmes contraintes d'être payées au noir pouvaient accepter de telles conditions de travail.

Nous travaillions toutes quatre heures au déjeuner en plus du service du dîner, et cela quatre jours sur sept. Un jour par semaine, l'une d'entre nous faisait uniquement le déjeuner, mais, ce jour-là, cela représentait sept heures de boulot, à polir les barres en cuivre, à passer la serpillière par terre. On devait retirer le revêtement en caoutchouc pour nettoyer à grande eau tout le premier étage, et il fallait également descendre dans la cave à vin froide et humide pour réapprovisionner les stocks de vin et d'alcool fort. Ces corvées étaient certes pénibles, mais c'était de la rigolade comparé au service du soir.

Il n'y avait pas d'aides-serveurs à La Criée. Chaque serveuse devait elle-même dresser ses tables, apporter de l'eau, prendre les commandes, servir, débarrasser les plats pendant et à la fin du repas, alors qu'il faisait dans les trente-cinq degrés. C'est le travail le plus dur que j'ai eu à faire de toute ma vie. Contrainte de soulever les plateaux chargés de boissons et de victuailles, de les porter en prenant soin de ne pas perdre l'équilibre et de les rapporter ensuite en cuisine, mon uniforme était trempé de sueur dès vingt-deux heures.

La barmaid, une Tunisienne aux cheveux frisés, préparait de grands verres de menthe à l'eau à base de sirop Torani, que les serveuses avalaient à la volée entre la cuisine et la terrasse située à l'étage inférieur. Elle nous tendait les boissons tandis que nous passions en trombe, telles des marathoniennes dans la dernière ligne droite.

J'appréciais tout particulièrement cette initiative, car, à part ça, la barmaid ne m'avait pas à la bonne. L'«idiote d'Américaine», comme elle m'appelait, ne savait même pas déboucher correctement une bouteille de vin. Et comme quatre-vingt-dix-neuf virgule cinq pour cent de mes tables commandaient une bouteille de vin pour accompagner leur dîner (nous étions en France, n'est-ce pas!), mon incapacité à les ouvrir devenait un véritable handicap. J'essayais de me tirer de cette épreuve en jouant de mon sourire. Pendant que mes clients discutaient aimablement entre eux, je leur tournais le dos et me bagarrais avec le tire-bouchon. À force de planter la pointe de travers et de devoir réenfoncer le tire-bouchon, j'ai dû, au cours de la première semaine, saccager un bouchon sur cinq. Je me précipitais chaque fois vers la barmaid pour qu'elle répare le grabuge que j'avais fait. Alors elle émettait un bruit de bouche qui traduisait son agacement et soufflait à voix basse: «Quelle conne!»

Tout le personnel, à l'exception de la direction, mangeait de simples pâtes avant l'arrivée des clients et, en fin de service, nous crevions toutes de faim. Parfois nous débarrassions une table et, debout ensemble devant la poubelle de la cuisine, nous ingurgitions goulûment les crustacés que les clients avaient pu laisser. Mais la journée de travail n'était pas tout à fait terminée. Une fois les portes du restaurant fermées à clé, une fois les tables débarrassées et nettoyées, il fallait encore vider les poubelles. Sauf que les sacs-poubelle bon marché, remplis de carcasses de homards et de coquilles d'huîtres, de bouteilles de vin vides et de baguettes de pain dures comme pierre, se déchiraient facilement ; suintait alors sur nos jambes nues une sorte de liquide visqueux, macéré dans la chaleur de l'été. Afin d'éviter un tel carnage, il fallait se mettre à deux ou trois pour hisser et transporter chaque sac jusqu'à la grande benne à ordures. Quand nous en avions terminé avec les poubelles, nous entassions les tables et les chaises, et lavions la terrasse au jet d'eau. Nous nous acquittions de ces tâches avec le plus d'efficacité possible. Personne en effet ne voulait manquer le dernier métro à une heure du matin.

Comble du comble, nous n'empochions même pas nos pourboires. Ce n'était pas seulement blessant, c'était insultant. En France, le service est «compris», ce qui signifie que les quinze pour cent que les Américains laissent habituellement en plus du montant de l'addition sont déjà inclus dans la note finale. La Criée mettait en commun tous les pourboires et les redistribuait au personnel selon un système de points. Si vous étiez nouvelle, comme moi, vous aviez trois points. Les serveuses plus expérimentées avaient quatre ou cinq points. La directrice de salle, Véronique en l'occurrence, avait huit points. Quand une table était tout particulièrement satisfaite du service, les clients pouvaient laisser de l'argent liquide en plus – ça, vous pouviez le garder pour vous.

Au bout de deux semaines, je me demandais si la colossale charge de travail et le stress du boulot valaient la maigre paye que je recevais en fin de mois. Maintenant que je travaillais quatre soirs par semaine, je voyais à peine Théo. On se serrait fort pendant ces quelques heures passées ensemble au lit, mais il partait travailler le matin à 7 h 30. Il me manquait, surtout les jours où je faisais le ménage après déjeuner. La barmaid, occupée à laver ses verres, réglait la radio sur une station pop – Oüi FM – et toutes les chansons sentimentales me rappelaient Théo et la tendresse qui me faisait défaut.

Mon estomac se nouait chaque jour au moment de partir pour La Criée. Pour me calmer durant le long trajet en métro depuis chez Théo, dans le centre de Paris, jusqu'à Neuilly-sur-Seine, je lisais un livre que mon père m'avait acheté avant de repartir pour San Francisco : *L'Écume des jours*, de Boris Vian. En plus du roman de Vian, il m'avait offert *Histoire de l'œil*, de Georges Bataille (au moment où il commençait justement à perdre la vue). Mon père adorait Bataille et Vian, et il était ravi que je puisse les lire en français, lui qui n'avait lu que leurs traductions.

Dans l'histoire de Vian, initialement publiée en 1947, la petite amie du personnage principal souffre d'un mal rare et fatal : un nénuphar pousse à l'intérieur de sa poitrine. Elle a chaque jour un peu plus de mal à respirer, et le personnage principal doit s'arranger pour que sa chambre soit à la même température que celle d'une serre, et qu'elle soit toujours remplie de fleurs, afin de prolonger la vie de sa bien-aimée. En lisant *L'Écume des jours*, j'avais l'impression d'être plus près de mon père. En progressant dans ma lecture, je pensais à lui malade dans son lit. Qu'est-ce qui poussait dans sa poitrine à lui ? Et puis je pensais à mon année à venir à San Francisco. Que pouvais-je faire pour prolonger sa vie ?

En fait, mon père n'était pas malade dans sa chambre : il passait deux semaines à l'université Naropa de Boulder, dans le Colorado, à la Jack Kerouac School of Disembodied Poetics.

Il y était invité pendant l'été pour donner un cours intitulé «Écrire contre la mort». Cette semaine s'était extrêmement bien passée pour lui. Il avait retrouvé plusieurs de ses anciens amis, dont Allen Ginsberg qui, en apprenant que papa était malade, lui avait personnellement préparé un dîner macro-biotique. Il m'a écrit une lettre à ce sujet dans l'avion qui le ramenait à la maison :

> *Un des aspects que j'apprécie particulièrement dans le fait d'appar-*
> *tenir à la scène poétique, c'est d'avoir rencontré tous ces gens intéres-*
> *sants, merveilleux. J'espère que ta vie te permettra de faire autant*
> *de rencontres formidables...*
> *Mon atelier et mes lectures se sont bien passés. J'ai lu «Élégie»,*
> *puis un poème à propos de quelqu'un atteint du sida, et également*
> *de la prose écrite par quelqu'un atteint du sida. À peu près soixante-*
> *quinze personnes ont assisté au cours & on a vraiment tapé dans les*
> *émotions, surtout quand j'ai demandé aux étudiants d'écrire sur la*
> *mort & de lire leur travail. Après coup, plusieurs personnes ont dit*
> *que c'était mon cours qu'ils avaient préféré, que j'étais un vraiment*
> *bon prof, et sacrément courageux. (Parce que, j'imagine, je me suis*
> *laissé gagner par l'émotion & que j'ai pleuré quelques fois – ce qui*
> *a permis à d'autres d'en faire de même.)*

Malheureusement, papa ne m'avait pas transmis cela. Tout comme le métier de serveuse, les émotions étaient un domaine dont je savais très peu de chose.

Au bout de quatre semaines à La Criée, j'avais perdu cinq kilos et pris des muscles dont j'ignorais même l'existence. J'avais aussi réussi à trouver un rythme de croisière au travail, je connaissais l'emplacement des différents couverts allant avec tel ou tel plat, et je réussissais à mieux m'organiser. J'étais même parvenue à gagner le respect bougon de mes collègues, dont Maggie, qui m'emmenait jusqu'à la place de Clichy à l'arrière de son scooter quand je loupais le dernier métro. Dans le barème, j'étais passée de trois à cinq points, si bien que ma paye avait augmenté. À la fin de chaque soirée, mon verre à pourboires était rempli de pièces. Seule l'Allemande, Hilde, en récoltait autant – elle se faisait d'incroyables pourboires grâce à ses compétences de serveuse. Je crois que, moi, je faisais impression grâce à un certain style de service à l'américaine, les discussions amicales avec les clients étant parfois rares dans les restaurants français.

Et puis un soir de canicule, en plein coup de feu pendant le service du soir, une de mes tablées est partie sans payer. J'avais gentiment souhaité une bonne fin de soirée au jeune couple bien habillé, convaincue qu'ils m'avaient laissé un pourboire sur la table. Quand j'ai découvert qu'ils n'avaient pas réglé l'addition, je me suis dit que j'allais leur courir après dans la rue. Je me suis donc mise à les pourchasser dans mon uniforme bleu et blanc La Criée. J'en ai oublié de lâcher mon tire-bouchon et j'ai eu ensuite des marques profondes au creux de ma paume.

«Attendez! ai-je crié. S'il vous PLAÎT, atten-DEZ !!! »

Je les ai finalement rattrapés, j'ai saisi l'homme par l'épaule. C'est seulement quand il s'est retourné que je me suis rendu compte que j'avais pris en chasse un autre couple.

«Je suis désolée, ai-je susurré. Bonne soirée.»

Je suis retournée au restaurant, déprimée. J'ai expliqué à tout le monde ce qui s'était passé, espérant susciter un brin de compassion. Véronique m'a rappelé que la note serait défalquée de ma paye. C'était la politique de la maison. Les autres serveuses n'ont eu pour moi que dédain. «Quelle conne, ai-je entendu dans mon dos. Quelle conne.»

L'après-midi suivant, j'étais en train de laver le sol à la serpillière, après le service de midi. Oüi-FM diffusait «Losing My Religion», de REM. J'ai immédiatement éprouvé un profond réconfort en entendant cette chanson et j'ai senti que le mal du pays me rongeait de l'intérieur. Le riff à la mandoline associé aux paroles plaintives de Michael Stipe – il ne savait pas s'il pouvait « le faire » – m'a permis une brève échappée de cette prison sordide que constituait ce job. Comme si le son de quelque chose de ma vie d'antan pouvait être un portail pour revenir à cette vie. Quand la chanson s'est achevée, j'ai su qu'il fallait que je m'en aille de La Criée. Il ne me restait plus que deux semaines à Paris et je ne voyais pas l'intérêt de les passer dans la souffrance.

Le lendemain, je suis allée parler à Véronique. C'était la fin du service de midi, et elle était assise dans un box du haut, se régalait de saumon fumé, un mets auquel n'avait pas droit le reste du personnel. Elle lisait son journal, ignorant toutes les serveuses qui s'activaient autour d'elle, débarrassaient les tables et balayaient par terre.

« Il faut qu'on parle », ai-je dit en m'installant à sa table, face à elle.

J'ai vu ses yeux se plisser et ses lèvres se tordre en un petit sourire narquois et, à ce moment précis, j'ai pris la décision de jouer la seule carte dont je savais qu'elle me permettrait de m'échapper de ce boulot en limitant la casse.

« Mon papa, il est malade. Il va mourir », ai-je expliqué en français.

Dans d'autres circonstances, « mon père est à l'agonie » aurait constitué un épouvantable mensonge pour mettre un terme à un engagement professionnel. Et comme j'utilisais cet alibi pour faciliter mon départ, cela ressemblait à un beau mensonge. Les larmes qui ont ensuite jailli auraient aussi pu faire penser que j'avais préparé mon numéro. Mais ce n'était pas le cas. J'étais vraiment triste. Tellement, tellement triste. Ce fut comme si, à cet instant, je prenais finalement conscience de la profondeur de ma tristesse.

Elle a regardé autour d'elle en se levant, m'a demandé de la suivre dans son bureau, à côté du bar. Je me suis essuyé les yeux en lui bredouillant en français : «Je suis désolée. Il faut que je parte.» Et je me suis remise à pleurer.

Le plus étrange dans tout ça, c'est que c'était la première fois que je m'autorisais à pleurer devant quelqu'un à propos de mon père. Avec Théo, je me cachais derrière la porte des toilettes. Au téléphone avec mes grands-parents, j'essayais de ravaler mes larmes. Avec mon père, je ne ressentais que de la colère ; j'étais absolument incapable de pleurer. La profondeur des sentiments déclenchés par sa maladie m'effrayait. Je l'imaginais comme un grand trou noir redoutable qui avalerait tout ce qui se trouvait sur son chemin. Et donc je redoublais d'efforts pour dissimuler mon chagrin. Était-ce par manque de confiance en mes amis, les jugeant incapables de recevoir ma tristesse, ou par manque de confiance en moi pour proprement la révéler ? Tout ce que je sais, c'est que ces émotions me paraissaient dangereuses.

Mais là, dans le bureau de cette Française toute maigre à la queue-de-cheval sévère et à l'attitude glaciale, face à cette femme que je n'aimais pas du tout, j'ai ouvert les vannes en grand. Mes larmes ayant un objectif clair – quitter ce satané boulot –, j'ai finalement pu laisser libre cours à mon chagrin, ressentir tout le poids que mon père avait lâché sur moi avant d'embarquer pour les États-Unis. Il était en train de mourir. Il était en train de mourir. Il était en train de mourir. Et il n'y avait pas moyen d'y couper.

«Je suis désolée», a-t-elle dit en prenant mes mains dans les siennes. Elle était terriblement navrée pour moi. Soudain, elle tenait compte de la fillette que j'étais. Elle m'a ainsi autorisée à partir le jour même et m'a assuré que, si je voulais revenir une fois que mon père irait mieux, je le pouvais, qu'il y aurait toujours un poste pour moi. Je l'ai remerciée, lui ai dit combien j'avais apprécié ce travail (c'était faux), que j'appellerais et écrirais (je n'en avais nullement l'intention). En attendant le métro pour rentrer chez Théo, je me suis sentie incroyablement légère, l'esprit libre. Je savais ce qu'il me restait à faire : finir mon été, terminer mon semestre à New York, et retourner à San Francisco.

21

«Il lui a donné un boulot. Elle lui a donné une... *raisin* de vivre!» Brad et moi rigolions si fort que notre souffle faisait voler des miettes sur toute la table à Bruno's, le café où nous nous arrêtions chaque jour près du campus de NYU. Nous avions encore une vingtaine de minutes avant notre premier cours, et nous terminions notre troisième tasse de café. (Café à volonté et *sfogliatelles* farcies à la ricotta... autant de bonnes raisons de venir à Bruno's.) Brad venait de proposer la dernière réplique pour un film que nous avions concocté, *The Sun-Maid*, inspiré d'une petite boîte de raisins secs que j'avais dans mon sac. Question casting, nous aurions, dans le rôle du propriétaire de la vigne, Sean Connery et son regard d'acier, et Winona Ryder dans le rôle de la gouvernante coiffée d'un bonnet, la *sun-maid* qu'il emploie et qui finit par conquérir son cœur.

Brad et moi avions fait connaissance durant mon second semestre à Paris, alors qu'il revenait de l'antenne de NYU en Allemagne. Il ressemblait à Hugh Grant en blond, dont il avait d'ailleurs la même coiffure «fente au milieu comme un cul», ainsi qu'il avait baptisé la coupe ondulée avec la raie centrale que Grant arborerait plus tard dans *Quatre mariages et un enterrement*. Fils cadet d'un avocat du Midwest qui avait eu trois enfants, Brad avait connu une enfance bien différente de la mienne. Mais nous étions très complices et sommes vite devenus amis. J'éprouvais avec lui le même genre de décontraction affectueuse et la même espièglerie qu'avec papa. Théo a tout d'abord été jaloux du temps que je passais avec Brad. Il ignorait, tout comme je l'ai ignoré pendant des années, qu'il était gay.

Grâce à Brad, la ville de New York que j'ai retrouvée à l'automne 1991 était bien différente de celle que j'avais quittée au printemps précédent. Déroutante et froide alors, elle me paraissait à présent électrique, riche en potentialités multiples.

Ma priorité absolue était de trouver un endroit où vivre. Après avoir étudié les petites annonces du *Village Voice*, j'ai opté pour un appartement à partager sur Lafayette Street, juste au sud de Cooper Union. L'immeuble sentait fort l'eau de Javel et les pesticides, mais le logement y était bon marché. Pour cent vingt-cinq dollars seulement, je dormais dans «l'espace principal», sur un futon caché derrière un paravent. À côté de moi, derrière le paravent, était installé un grand aquarium circulaire dans lequel les habitants évoluaient derrière une épaisse pellicule de crasse et d'algues. Au fil des semaines, personne ne se souciait manifestement de cet aquarium. Cela m'était égal car j'étais rarement à la maison.

Brad était ma constante. En semaine, nous nous retrouvions pour dîner à la cafétéria Weinstein de NYU, où Brad était inscrit. Contrairement à lui, je n'avais pas la carte, et nous devions recourir à des stratagèmes élaborés pour que j'arrive à entrer. Un jour, nous cherchions une «amie» qui s'appelait Jennifer. Un autre jour, j'annonçais en pleurs au gardien qu'on venait de me voler mon portefeuille. Après quoi nous allions nous empiffrer aux différents buffets, la nourriture médiocre étant d'autant plus appétissante qu'elle était gratuite. Je suis certaine que le gardien n'était pas dupe de nos combines, ou, plus probablement, il s'en fichait, mais nous étions stimulés par la finesse de nos entourloupes. Nous nous sommes autoproclamés «les Bonnie and Clyde de la cantoche».

Et un soir, alors que j'étais euphorique, au retour d'une soirée passée à traîner dans les bars de l'East Village avec Brad et nos amis, j'ai ouvert ma boîte aux lettres pour y trouver une missive envoyée par papa :

Le 15 septembre 1991

Chère Alysia,

Je viens juste d'envoyer une courte lettre à Théo. Ma vue est si basse que je ne peux plus lire le journal ni même écrire une lettre, sauf à cacher les lignes du dessus en mettant une feuille blanche dessus. Avec les problèmes que j'ai aux yeux, les lignes se mélangent les unes aux autres — si bien que je peux lire la ligne du haut, mais ensuite les lignes suivantes se télescopent, ou alors certaines lignes sont énormes, d'autres minuscules.

Je pourrais sans doute lire mieux si je me mettais un bandeau sur l'œil droit, comme un pirate. J'ai reçu ta lettre aujourd'hui & même en me servant d'une loupe & en plaçant du papier au-dessus de chaque ligne que je lisais j'ai quand même eu du mal à la déchiffrer. Ça m'aiderait si tu pouvais taper tes lettres à la machine (& double interligne). Sinon, il me faudra toujours l'aide de quelqu'un pour te lire.

« Pigeons sur l'herbe, hélas ! » pour citer Gertrude Stein.

Tu me manques mais je ne veux pas être un boulet pour toi. J'estime que c'est une période où tu devrais pouvoir te consacrer à tes études, etc. — ET NON PAS te retrouver coincée à devoir t'occuper de moi. Je crois bien que je m'inquiète à la perspective d'être invalide & dépendant de quelqu'un. Tu vois, moi aussi je suis capable de me faire du mouron. En réalité, je ne m'en fais pas trop car tout ce qui existe c'est l'instant présent & pour l'instant je vais bien. J'espère que toi aussi. Et que tu peux accepter ce que tu es.

Je t'aime,

Papa

Mon père ne voulait pas être un «boulet» pour moi, pourtant, inévitablement, à cause de lettres comme celle-ci, c'est bel et bien le rôle qu'il jouait. J'aimerais pouvoir dire que j'ai été une bonne fille, attentionnée, à l'écoute de ses besoins, assumant mes responsabilités et entièrement dévouée, prête à m'occuper de lui. Mais j'étais jeune et inexpérimentée, encore avide de goûter aux fruits que New York avait à offrir. Brad avait trouvé un stage dans une émission de télé nationale et j'étais moi aussi bien décidée à décrocher un stage de ce genre. Quand je ne travaillais pas pour la fac, je passais mes après-midi à feuilleter les offres d'emploi répertoriées au service étudiants. L'état de santé de papa, tel qu'il m'en faisait part dans ses lettres, me donnait l'impression d'une intrusion dans la vie que j'essayais de me construire. Malheureusement, je me sentais suffisamment proche de lui pour le lui dire.

Le 21/9/1991

Cher papa,

J'ai reçu ta lettre hier. C'est parfois déprimant de lire tes lettres. Tu te plains constamment de ta mauvaise santé et de ta malchance ! Je ne te demande pas de masquer ces aspects de ta vie. Mais si tu mettais moins l'accent sur le négatif, j'apprécierais davantage tes lettres.

Ma vie est souvent frustrante aussi. Pour décrocher un stage, il faut que j'envoie mon C.V. et je n'ai pas encore trouvé le temps de le taper à la machine. Ça me stresse quand je sais qu'à cause de ça je risque de passer à côté d'une opportunité.

… J'ai vraiment apprécié notre conversation l'autre soir. Que nous puissions rire de ce qu'on fera de tes cendres, c'est un cap important pour moi. J'ai beaucoup plus de mal que toi à accepter ton état physique. J'imagine que les parents endossent un statut héroïque aux yeux de l'enfant. Pour un caneton, le papa canard est omniscient et, comme Dieu, ne meurt jamais. Je suis habituée à t'avoir dans ma vie. Tu me connais bien.

Parfois, j'ai l'impression que tu me procures une sécurité et un soutien qui ne pourront jamais être égalés. Je commence à apprendre que ce n'est pas vrai. Que ma relation amoureuse avec Théo atteste du fait que ma vie est en expansion, s'ouvre dans de nouvelles directions.
Faut que je file.

Je t'aime, Alysia

En octobre, j'ai dégoté un stage chez Columbia Records. Je passais trois après-midi par semaine au fameux Blackrock, à envoyer aux stations de radio de tout le pays des enveloppes remplies de CD et de dossiers de presse de tous les groupes que le label voulait mettre en avant. Quand j'avais du temps libre, je glissais ma tête à la porte des bureaux et saluais tous ceux qui s'y trouvaient, sans tenir compte de leur rang hiérarchique. Qu'avais-je à perdre ? Et chaque semaine je rentrais à la maison avec des CD que m'avaient donnés mes nouveaux amis cadres dans l'industrie du disque, et que je partageais de bon cœur avec Brad.

Par l'intermédiaire d'une fille de mon cours de français, j'ai également trouvé pour les week-ends un job d'hôtesse à La Brasserie, un restaurant français de Midtown, qui diffusait en boucle les grands succès de Jacques Brel et d'Édith Piaf. Après mes expériences en France, je n'ai pas eu de mal à obtenir le poste, qui consistait à accueillir les clients à l'entrée et à les placer de manière à ce que le restaurant paraisse toujours plein.

En me rendant à pied de mon appartement dans l'East Village à chez Brad, dans le West Village, je me sentais jeune, libre et pleine d'allant. J'avais travaillé à Paris et y avais vécu avec un Parisien aux yeux bleus qui me déclarait son amour à l'encre fraîche. Rigoureusement concentrée sur mes études, j'obtenais des A et faisais partie des meilleurs étudiants. L'air de l'automne était frais et mordant, il aiguisait mes sens.

Je traversais les avenues à grandes enjambées. J'allais vite, j'avais l'impression de voler.

Au fur et à mesure de l'année, papa a continué à m'envoyer des rapports sur sa santé déclinante, mais, prévenant, il faisait précéder ces paragraphes d'un gros titre, au cas où j'aurais voulu ne pas les lire. Bien évidemment, cela m'était impossible, et l'effet n'en était pas moins douloureux :

Plaintes (je souligne pour que tu puisses sauter ce passage) :
1/ Maux de tête, diarrhée ces deux derniers jours (suffisamment moche pour que je ne sorte pas de la maison), safaris médicaux qui me bouffent la moitié de mon temps, je me sens lessivé, Kaiser ne m'envoie jamais ce qu'il faut, si bien que je devrai rester à la maison pour les deux jours à venir.
2/ Solitude – mon colocataire est souvent absent & je passe le plus clair de mon temps tout seul. J'avais l'habitude d'aller dans certains clubs & cafés mais mon manque d'énergie, mes problèmes de santé m'ont fait tirer un trait sur tout ça. J'aimais aussi aller au sauna du Kabuki avec des amis, ce que je ne peux plus faire. Je me trouve donc de plus en plus isolé, ce qui est en soi déprimant, aliénant, & pas bon pour le système immunitaire. J'ai toujours été un peu solitaire, mais on dirait que le sida amplifie le phénomène.
3/ Carrière. Je n'arrive pas à joindre cette femme à NYC que je voudrais avoir pour agent. Elle est toujours par monts et par vaux, au téléphone, etc. Pas bon signe. D'une certaine manière, je me sens même abandonné par le groupe d'écrivains de la New Narrative, que j'ai fondé, que j'ai été le premier à publier et à chroniquer. Ils ne m'invitent plus à leurs séances de lectures.
Je me demande si c'est en partie dû à ma maladie. Je me rappelle ma réticence à rendre visite à Sam D'Allesandro quand il était malade. Le sida est source d'angoisse, les gens se sentent mal à l'aise & ils veulent éviter d'être dans les parages. Peut-être pensent-ils que je préfère rester seul – ou que je suis trop malade pour faire quoi que ce soit.
OK – j'arrête de me plaindre !

Dans une autre lettre, papa considère sans détour que, dans un avenir proche, c'est moi qui m'occuperai de lui :

Je joins quelques articles découpés dans les journaux pour ton bon plaisir (enfin j'espère). Également un prospectus sur les soins à domicile (non pas pour te casser le moral, mais pour que tu constates qu'il y a moyen de se faire aider dans ce domaine). Je pense qu'une des choses essentielles en matière de soins à domicile est de ne pas s'abîmer la santé. En l'occurrence (quand le moment sera venu), j'essaierai de m'organiser de manière à ce que mes amis disposent d'un agenda pour déterminer quand ils me donneront un coup de main, pour que tu aies un peu de temps libre et puisses t'échapper & faire autre chose. Aussi, ils ont chez Kaiser des infirmières qui viendront quelques jours par semaine. Donc tu n'auras pas non plus tout à faire tout le temps.

Papa était convaincu qu'il faisait preuve de prévenance en m'envoyant ces messages, me fournissant des éléments pour que je sache ce que me réservait l'année à venir. Au contraire, j'avais l'impression d'être harcelée. Ne s'en rendait-il pas compte ? À New York, j'étais en train de tout mettre en place : un appartement, un stage, un boulot, des amis ! Je m'étais convaincue que si suffisamment de moteurs tournaient en même temps, cela noierait l'appel de sirène de papa à San Francisco. Il y aurait trop de choses à quitter. Papa comprendrait et me laisserait rester.

Donc, au lieu de me préparer à obtenir mon diplôme en avance et finalement rentrer sur la côte Ouest, ainsi que j'en avais décidé lorsque j'étais à Paris, j'ai couru après encore plus de travail et d'activités. Brad et moi étions parfois embauchés chez les Weiksner pour assurer le service quand ils organisaient des dîners, ce qui nous faisait de l'argent en plus. J'avais beau prévoir la visite de Théo à Noël, cela ne m'empêchait pas de

324

chercher à attirer l'attention de beaux garçons : j'ai flirté avec un aide-serveur de La Brasserie, qui était à fond dans la *rave-music*, et avec un serveur du Dojo's, qui me donnait gratuitement des tranches de gâteau à la carotte chaque fois que je venais.

Plus tôt à l'automne, papa et moi avions discuté au téléphone sur le ton de la plaisanterie de ce que nous ferions de sa dépouille après sa mort. Nous avions imaginé le bazar que feraient mes enfants en renversant accidentellement l'urne qui contiendrait ses cendres («Billy, arrête de jouer avec grand-père ! »). Mais, tandis que l'inévitable approchait, j'ai commencé à freiner des quatre fers par rapport à notre accord : « Ce serait peut-être quand même bien que je termine l'année scolaire, papa. C'est juste quelques mois de plus.

— Je veux que tu rentres à la maison, m'a-t-il rétorqué.

— Mais je n'en suis qu'à un mois et demi de stage. Et je rencontre tellement de gens ! Je pourrais décrocher un job à Columbia Records ! » Mon père n'a pas flanché une seule fois. Il a continué à m'envoyer des lettres, se présentant comme le père aimant mais souffrant. Et il s'est arrangé pour que jamais je n'oublie ma promesse.

Le 20/11/1991

Chère Alysia,

Suis allé voir le médecin hier. Il ignore ce qu'est cette éruption cutanée. Il a dit que ça ressemblait à la gale, sauf que normalement on n'attrape pas ça sur le cou et le front. Donc il m'a donné des antibiotiques, qui m'ont rendu un peu fébrile la nuit dernière. Pendant ce temps, les démangeaisons me rendent fou.

Encore dix jours et mon colocataire sera parti. Quiconque reste-rait à l'appartement toute la journée et tous les jours me rendrait dingue... Vu mes difficultés à habiter avec un coloc, comment vais-je réussir à vivre dans un établissement de soins palliatifs avec une dizaine d'autres personnes ? Sans intimité du tout !

Il est l'heure que je me fasse mon infusion. Et ensuite Larry le liquidateur, *avec Danny DeVito. Un film léger, histoire de m'évader un peu, voilà exactement ce qu'il me faut dans l'immédiat.*

Me revoici après le film — je bois un thé à la menthe dans un café à l'angle de Fillmore & Haight. Plein de superbes clichés de NYC. Vu du haut depuis des bureaux dans les gratte-ciel & depuis des appartements de luxe, sûr que c'est beau. Si tu habites dans un chouette appartement, que tu apprécies ton boulot et tes amis, je comprends bien pourquoi tu as envie de rester. Il y a trois ans & demi, tu ne voulais pas partir de la maison, & il a plus ou moins fallu que je te pousse hors du nid. Maintenant, tu ne veux plus revenir...

Ma foi, New York sera encore là dans un an, or il est bien possible que ce ne soit pas mon cas. Si tu restais là-bas & ne venais pas auprès de moi, tu risquerais donc de te sentir encore plus mal, de culpabiliser encore plus...

Un soir, tandis que Brad me raccompagnait chez moi, je lui ai dit que je ne passerais plus que quelques mois à New York.

« Quoi ? C'est de la folie. Tu ne peux pas me laisser tomber maintenant.

— Je suis obligée, ai-je répondu. C'est mon père. » Je suis devenue écarlate. J'ai été prise d'un vertige, submergée par mes émotions à en avoir la nausée, comme si je confessais je ne sais quel crime, comme si, en annonçant à voix haute la maladie de mon père, d'une certaine manière, je la rendais plus réelle. « Il est... en train de perdre la vue. »

Je ne me souviens plus si j'ai utilisé le mot « sida ». Brad pense que oui. Nous n'en avons pas reparlé. Nous n'avons pas non plus évoqué mon retour. Ni la santé de papa. Brad et moi avons repris nos escapades new-yorkaises, comme si rien ne devait changer. Et j'ai tranquillement préparé mon départ.

J'ai eu vingt et un ans en décembre. Le soir de mon anniversaire, les Weiksner m'ont invitée avec Brad et un autre ami au Gotham Bar, un restaurant d'Union Square aux lignes épurées, célèbre pour ses plats ultra-copieux. Éclairée par-dessous, chaque assiette évoquait un numéro d'équilibriste défiant la mort. Sandra et George étaient assis à leur propre table, dans un coin du restaurant, mais visibles. Ils nous laissaient ainsi discuter entre nous. En fin de soirée, les Weiksner ont payé l'addition. Ils ont même commandé pour nous une bouteille de très bon cognac.

Puis est arrivé le moment d'ouvrir mes cadeaux. J'ai eu un réveil de voyage, manière de commenter mes retards systématiques. Brad m'a offert un mug Bruno's et une cassette du *Nevermind* de Nirvana, qui était sorti à l'automne. À Paris, Brad et moi avions sympathisé en écoutant les Pixies. Tout nous plaisait chez ce groupe *power-punk* – les paroles inspirées par l'œuvre cinématographique surréaliste de Luis Buñuel, la super bassiste Kim Deal, et surtout le chaos contrôlé de leur musique. Nous étions allés les voir à Paris et avions joyeusement pogoté dans la fosse. En me heurtant à des inconnus de toutes mes forces, je m'étais sentie légère comme une plume et solide comme une brique.

Comme les Pixies, Nirvana faisait naître la beauté au cœur de la pagaille, juxtaposant guitares lancinantes, larsens et vulnérabilité de la voix cassée de Kurt Cobain qui, dans ses paroles, aspirait à un «Leonard Cohen afterworld». *Nevermind* était une bande-son qui collait bien aux sentiments mitigés que m'inspirait mon départ de New York. En déblayant mon appartement en vue de mon retour à San Francisco, j'ai écouté en boucle la cassette, m'accrochant à la rage poétique de Kurt Cobain comme s'il s'agissait de la mienne.

La veille de mon départ, j'ai oublié de régler mon réveil, et je me suis levée en retard le lendemain matin. Je suis sortie en trombe de l'appartement, et j'ai hélé un taxi pour m'emmener à LaGuardia. Arrivée à mon terminal, il y avait un monde fou, entre les familles et les solitaires soucieux, Walkman sur les oreilles, tous chargés de valises remplies de cadeaux. J'ai attendu presque une heure dans la queue pour l'enregistrement de mes bagages. Quand mon tour est enfin venu, j'ai tendu mon billet et ma pièce d'identité.

La dame a regardé mon billet et froncé les sourcils.

« Votre avion décolle de l'aéroport *Kennedy*. Dans environ – elle a consulté sa montre – quarante minutes. Si vous partez tout de suite, vous pourrez peut-être l'avoir. » Elle a repoussé vers moi le billet sur le comptoir. Déjà épuisée et affolée, je me suis mise à sangloter en hoquetant.

« Kennedy ? »

J'ai essayé de sécher mes larmes, mais de nouvelles ne cessaient d'apparaître. Je m'essuyais le visage, m'attirant le regard curieux des voyageurs mal à l'aise.

« Ça va aller, m'a dit l'hôtesse au guichet. Ça va aller !

– Vous ne comprenez pas… Je dois… je dois rentrer à la maison voir mon père ! Il faut… je vais… *Je ne serai jamais à Kennedy dans une demi-heure !* »

Elle s'est mise à taper furieusement sur son clavier.

« OK. Je vous ai trouvé une place pour San Francisco, avec une escale à Denver. Mais l'embarquement est immédiat. Prenez vos bagages. Il va falloir courir. »

Elle m'a prise par la main, m'a confiée à une collègue qui m'a fait passer en vitesse la sécurité, m'a dit de foncer jusqu'à ma porte d'embarquement, et j'ai couru le plus vite possible. En nage, tout essoufflée, le cœur battant la chamade, je me suis glissée entre deux inconnus qui n'avaient pas l'air contents. J'ai fermé les yeux pour sombrer dans un brouillard d'épuisement. Je rentrais à la maison.

SIXIÈME PARTIE

LE RETOUR

Le petit capitaine garde toute sa sérénité,
Il ne se hâte pas, sa voix n'est ni haute ni basse,
Ses yeux nous donnent plus de lumière que nos
lanternes de combats.

Walt WHITMAN,
in «Chant de moi-même»*

* Traduction de Roger Asselineau (Aubier, 1972).

22

Je ne sais pas ce qui s'est passé entre Théo et moi. J'attendais sa visite à San Francisco pour Noël avec impatience, mais, dès l'instant où il a atterri, tout est allé de travers. Dans son regard, le 545 Ashbury apparaissait crasseux et minuscule. J'ai tout de suite été sur la défensive quand il s'est moqué du caviar bon marché que nous avons servi pour le réveillon de Noël, et du vin pétillant que papa a qualifié à tort de « champagne ». Les cadeaux que Théo m'a faits – un petit flacon de parfum Chanel et une paire de gants vert pistache doublés en fourrure – paraissaient frivoles et idiots, appartenant à une autre vie, à une autre personne. Nous nous sommes disputés à ce sujet et à propos d'autres choses stupides, et Théo a dit que j'avais mauvais caractère. Mon agacement me semblait légitime. Comment pouvait-il ne pas voir mon chagrin ? Comment pouvait-il ne pas comprendre ce dont j'avais besoin ? Il n'y avait tout simplement aucune place pour Théo dans le tumulte des émotions confuses associées à mon retour à San Francisco. Nous n'avons pas officiellement rompu jusqu'à ce qu'il embarque dans l'avion pour Paris, cependant, je savais que c'était terminé entre nous. Ses lettres ont continué à arriver pendant des mois. Elles se sont entassées sur la grande table sans que je les ouvre, comme autant de billets à ordre d'un rêve inaccompli.

Après son départ, j'ai essayé de me lancer à la recherche d'un emploi, mais le pays était embourbé en pleine récession.

En attendant d'hypothétiques réponses à mes candidatures, je n'avais rien d'autre à faire que traînasser à côté du lit de papa, à le regarder compter ses cachets dans le creux de sa main, et l'accompagner à de déprimantes visites chez le médecin. Mes camarades étant encore à l'université et les distractions se faisant bien rares, j'ai sombré dans le désespoir.

Puis je me suis activée. J'ai commencé à prendre des cours hebdomadaires de préparation au Graduate Record Examination (GRE), afin d'améliorer mes chances d'intégrer un troisième cycle universitaire, et je me suis mise en quête de la moindre opportunité de boulot. En mars, j'ai trouvé un plein-temps à trois cents dollars la semaine – il s'agissait de vendre des cassettes vidéo d'information aux sociétés locales faisant partie des cinq cents premières entreprises américaines –, ainsi qu'un stage à «Movie Magazine», une émission diffusée par KUSF, la radio étudiante qui se trouvait près de chez nous.

Au printemps, je marchais d'un pas assuré devant les magasins du Lower Height et de la section centrale de Mission Street. Je portais de grands anneaux d'argent en guise de boucles d'oreilles, un tee-shirt blanc au col en V, la veste noire du costume de papa (vintage juste comme il fallait) et un jean moulant. J'avais l'impression d'appartenir à la scène des tatoués à tendance grunge, qui s'infiltrait désormais dans des cafés tels que The Horseshoe et Café Macondo, alors même que je n'étais pas tatouée et n'avais pas de piercing bizarre. Ma génération se délectait de ce qui était fruste et authentique, et rien ne paraissait plus vrai que ma vie avec papa.

En entrant un après-midi au Horseshoe, j'étais prête à oublier un moment la raison pour laquelle j'étais à San Francisco et non pas à New York. J'ai repéré derrière le bar un gars aux yeux bleus. Je lui ai adressé un regard sombre, puis j'ai baissé la tête en souriant sagement. Après avoir trouvé une chaise dans un coin miteux et commandé un mug d'Earl Grey, j'ai observé le serveur qui passait devant ma table. Un haut-parleur suspendu crachait les tourbillons fuzz de «Freak Scene», de Dinosaur Jr. Tout en continuant de reluquer le gars qui débarrassait les tables, j'ai ramené mes cheveux derrière mes oreilles. J'ai ajusté ma casquette de vendeur de journaux en velours côtelé; je me sentais mince, jeune, mignonne – j'avais vingt et un ans.

Le serveur, Scott, m'a demandé s'il pouvait s'asseoir à ma table. Il tirait énergiquement sur sa cigarette. Une fois les présentations faites, nous avons bavardé. Il venait du New Jersey et avait bien l'intention de se faire une place au sein de la scène musicale de San Francisco. Il fallait juste qu'il monte un groupe. J'ai remarqué que Scott portait une bague tête de mort, et, avec son tablier de barman, sa stature plutôt chétive et son chapeau mou acheté aux puces, il était mignon et avait un côté petit garçon. Quand j'ai annoncé que je devais y aller, je lui ai demandé si ce n'était pas trop culotté de ma part de lui demander son numéro de téléphone.

Scott et moi n'avons pas tardé à sortir ensemble. Certes, notre aventure n'a duré que six mois – il m'a larguée quand son groupe a pris de l'ampleur et que ça commençait à devenir trop sérieux avec moi –, il n'empêche, allongée sur le lit défait de Scott, dans son appartement de Mission, dans des draps qui sentaient la cigarette, le sol encombré de canettes de bière vides, de carnets et de CD, j'aspirais à m'effacer, à faire disparaître toute trace de ma vie présente et passée. Mais, même après une nuit passionnée avec Scott, il m'arrivait d'éclater en sanglots et de serrer fort ses bras épais, tandis qu'il me berçait, sans rien dire.

Chaque fois que je rentrais au 545 Ashbury, j'étais frappée par une chaleur lourde et oppressante. Un filet de sueur dégoulinait dans mon dos. Impossible d'oublier quoi que ce soit dans une telle atmosphère. À la maison, j'étais de nouveau, et pour toujours, la fille de mon père. Je faisais aussi office d'infirmière, en l'aidant à compter ses cachets, à les trier dans les nombreux flacons disposés sur la table basse proche du canapé. Et de bonne, aussi, à nettoyer le sol autour des toilettes, à ramasser les mouchoirs en papier froissés et rêches qui s'accumulaient autour de son lit. Chaque semaine, j'achetais du jus de fruits par bidons de quatre litres afin qu'il se réhydrate après des nuits entières passées à transpirer. Au réveil, on aurait dit qu'il avait été aspergé de seaux d'eau.

Certains week-ends, papa m'accompagnait au Café Flore. Il fallait que je ralentisse le pas pour qu'il puisse marcher avec moi, mais nous aimions toujours nous asseoir à notre table préférée, dans un coin de la terrasse, boire des café *latte* et admirer les super beaux gars autour de nous.

Au fur et à mesure que sa maladie progressait, sa vue empirait et, bientôt, il n'a plus pu faire le trajet. «Ça me fend le cœur, ai-je écrit dans mon journal. À quoi bon aller dans un café si on ne peut voir personne?»

C'est à ce moment-là que les jeunes hommes ont commencé à venir chez nous. Ceux dont papa m'avait parlé dans ses lettres. Alex, Larry-Bob, Olivier et Dan venaient maintenant chaque semaine donner un coup de main à papa ou le distraire. Dan apportait des films des Marx Brothers pour lui remonter le moral. Alex et Larry-Bob ramenaient des livres de Philip K. Dick, et des numéros du *Bay Area Reporter*, dont ils faisaient la lecture à haute voix, puisque papa ne pouvait plus les lire tout seul. Olivier m'a aidée une fois ou deux à porter les courses, et même à laver les vitres.

D'autres jours, papa restait allongé au lit à regarder la télévision. Il avait à présent de violentes quintes de toux. Il toussait parfois si fort et ses quintes étaient si prolongées que ça couvrait le son de la télévision et me déconcentrait de mes tests préparatoires au Graduate Record Examination. Sa maladie refaisait alors son entrée dans le monde «sain» que j'essayais tant de bâtir.

Utiliser les mots suivants dans une phrase : aberrant, facultés, assidu :

*Pour beaucoup de gens, le mode de vie de mon père était **aberrant**.*

*Chaque jour mon père perd un peu plus de ses **facultés**.*

*Tâchant d'oublier sa tristesse bien réelle, elle était **assidue** dans tout ce qu'elle entreprenait.*

J'ai très peu tenu mon journal à cette période, mais j'ai conservé ces listes de phrases d'exercices pour le GRE.

Par moments, la toux de papa était tout simplement insupportable. «Tais-toi!» me suis-je une fois écriée depuis mon bureau. Sa quinte s'était arrêtée, mais je pensais qu'il ne m'avait pas entendue à travers la porte-fenêtre. Plus tard, il est néanmoins revenu sur l'incident, et j'ai eu honte. «Je tousse parfois tellement que j'ai l'impression que je vais vomir, a-t-il dit. Je n'y peux rien.» Je ne savais plus où me mettre.

M'occuper de mon père m'engloutissait, mais je l'aimais et je voulais tout faire pour le réconforter. Il me demandait d'allumer l'aspirateur au moins une fois par semaine, non pas pour nettoyer, mais parce qu'il aimait le son tamisé du moteur. Il m'a expliqué que ça lui rappelait l'époque où il était petit à Lincoln, dans le Nebraska. Le son de l'aspirateur de sa mère lui donnait l'impression d'être à l'abri, et aimé. Il se blottissait sous le dessus-de-lit et le Hoover, posé à la verticale, bourdonnait à côté de lui. Pendant ce temps, je m'allongeais sur le canapé, tout près, les yeux rivés au plafond.

Le matin, nous nous installions ensemble à la grande table. Je lui préparais un bol de céréales, puis déposais une bise rapide sur son front avant d'enfiler mes mitaines pour le vélo, de mettre mon casque et de porter mon VTT dans l'escalier et de sortir de l'immeuble. Dans l'air frais du matin, je dévalais Haight Street, passais les collines de Divisadero et de Laguna, et filais jusqu'à South of Market et Video Monitoring Services, où je travaillais.

Je me faufilais entre les voitures, sans toujours respecter le code de la route, brûlant parfois des feux rouges.

Plus vite. Plus vite. *Plus vite.*

Video Monitoring Services a été ma seule échappatoire fiable durant les premiers mois qui ont suivi mon retour à San Francisco. Ça me plaisait de jouer à la petite vendeuse empressée, de composer tous les numéros qui figuraient sur ma liste d'appels, de livrer des clients tels que Gap, Levi's et Nike. En m'immergeant dans leurs campagnes de relations publiques, en leur vendant nos vidéos récentes et leurs transcriptions, j'arrivais enfin à compartimenter mes sentiments pour papa.

Il y avait trois départements chez VMS : le suivi des programmes, la production, la vente. Le département des ventes ayant besoin de créer cette magie susceptible de convaincre les clients de dépenser cent dollars en échange de deux minutes d'enregistrement, nous avions toute latitude pour décider de notre environnement de travail. Nous passions de la musique sur un gros ghetto-blaster et nos choix vestimentaires ne regardaient que nous. Lorsque les choses devenaient trop stressantes – en cas de déversement accidentel de pétrole chez Chevron par exemple –, nous nous allongions chacun notre tour sur la moquette, une balle lestée en soie parfumée à la lavande posée sur les yeux. Nous l'appelions le «coussin cosmique pour les yeux».

Au début des années 1990, Video Monitoring Services était un point de passage pour des vagues de diplômés en arts et autres créatifs anticonformistes en quête d'un job dans les médias, mais qui ne pouvaient cependant pas vivre avec un salaire de libraire. Via VMS, j'allais rencontrer de futurs colocataires, éditeurs et petits amis. J'ai tout d'abord été proche de Jon, un amateur de vélo ultra-relax qui m'a convertie aux cale-pieds et aux mitaines, puis de Karin Demarest, au sourire chaleureux et aux grands yeux bleus, qui m'avait embauchée pour la remplacer quand elle avait été nommée directrice générale.

Pendant mon entretien d'embauche avec Karin, j'ai décidé de faire ce que je n'avais jamais fait en entretien jusqu'alors : je lui ai dit la vérité. Je lui ai appris que mon père était atteint du sida, que j'avais obtenu mon diplôme plus vite que prévu pour pouvoir revenir à la maison afin de m'occuper de lui. Ce parti pris de jouer franc-jeu allait caractériser ma relation avec Karin, qui serait pour moi comme une grande sœur – Jon deviendrait quant à lui mon mentor. Au tout début chez VMS, alors que j'avais les doigts immobiles sur le vieux Rolodex de Karin et que j'étais pétrifiée à l'idée de passer mon premier coup de fil, celle-ci m'a fait parvenir un message, jusque-là resté sur son bureau, et que j'ai ensuite scotché sur le mien :

« Sois courageuse. Si tu ne l'es pas, fais comme si. Personne ne fait la différence. »

En réalité, nous faisions tous semblant, nous étions tous des gamins qui jouaient aux adultes. Nous organisions des conférences de vente durant lesquelles nous vantions les mérites des relations publiques « proactives » par opposition aux « réactives ». Nous avions des écrans d'ordinateur tellement énormes qu'ils prenaient toute la place sur nos bureaux. Nous passions des commandes « urgentes » à d'autres bureaux et faisions livrer des stocks de cassettes VHS dans le pays entier pour que les gens des relations publiques puissent montrer au patron qu'ils avaient fait du bon boulot. À force de vendre des infos tous les jours, nous apprenions que l'essentiel de ce qui était diffusé relevait moins de l'information que d'une gigantesque opération de relations publiques. Chaque déversement de pétrole malencontreux, chaque accident d'avion et chaque rappel de produit signifiait que nous avions atteint notre objectif mensuel. Nous regardions tellement la télé que l'absurdité de l'entreprise prenait le pas sur la tragédie.

Il était plus facile pour moi de gérer les crises de mes clients que la crise à laquelle j'étais confrontée à la maison, si bien que je me lançais à corps perdu dans le boulot et le monde de Karin et Jon, une sorte de *Melrose Place* version San Francisco. À la fin de chaque journée, je me rendais à vélo avec eux jusqu'à Rosement Estates, la résidence où ils habitaient avec une demi-douzaine de leurs amis de Rosemont Street. Dans leur jardin collectif, lieu de futures soirées costumées à base d'ecstasy, j'ai fait la connaissance des voisins de Karin et Jon qui se détendaient dans un Jacuzzi sous un grand écriteau peint à la main et sur lequel on pouvait lire : «George Clinton, pas Bill Clinton.»

J'observais Karin et Jon enlever leurs chaussures d'un coup de talon et se rouler un joint ou bien ouvrir une bière, m'invitant à faire de même. Ce n'était certes pas l'envie qui me manquait, mais j'ai rarement pu me joindre à eux. Il fallait systématiquement que je retourne auprès de papa.

Cet été-là, je me souviens d'un soir où je suis rentrée du travail : la simple présence de papa sur le lit, devant la télévision, dans la même position que huit heures plus tôt quand je l'avais laissé, m'a arraché un soupir peiné. Si, lorsque j'étais enfant, papa se plaignait avec véhémence de la télé qu'il qualifiait de «boîte qui rend bête», c'était désormais à moi que revenait ce rôle. «Faut-il *toujours* que la télé soit allumée ?» Comme mon père ne pouvait plus lire, la télévision lui procurait à la fois de la compagnie et une matière culturelle. N'ayant plus de livres à analyser, il usait de son esprit critique sur de vieilles rediffusions : *Burns and Allen*, *Perry Mason* et *Ma sorcière bien-aimée*.

«Tu ne vois donc pas, m'interrogeait-il, que *Ma sorcière bien-aimée* traite du conflit entre la spiritualité anarchique, Samantha, et l'aspiration à l'ordre du patriarcat répressif, Jean-Pierre ?

– Non, je n'avais jamais remarqué, papa.»

Dans d'autres circonstances, j'aurais adoré discuter avec lui du contexte sous-jacent de la télé des années 1960, mais je n'arrivais pas à voir au-delà de la tristesse intrinsèque de notre situation. Au bout de sept mois de vie à la maison, j'avais depuis belle lurette troqué mes fantasmes inspirés de *Harold et Maude* (l'intrépidité face à la maladie ou à la mort : voler des voitures ! fuir la police ! ils n'avaient plus rien à perdre, le monde était à leur disposition, ils n'avaient qu'à se servir !) contre la réalité épuisante des visites des infirmières, des flacons de comprimés et des repas Open Hand livrés chaque soir par un inconnu différent, au visage bienveillant. (Le projet Open Hand, créé à l'initiative de la retraitée Ruth Brinker, de San Francisco, fournissait à l'époque des repas chauds gratuits à plus de deux mille trois cents malades du sida dans toute la ville.)

« Comment s'est passée ta journée ? m'a demandé mon père tandis que je traversais maladroitement la salle de séjour en portant mon vélo.

— Bien », ai-je grommelé en posant mon vélo contre le gros cylindre recyclé en table. Puis j'ai défait mon casque et je lui ai demandé : « Et toi ?

— Eh bien, a-t-il gloussé, j'étais en train de faire réchauffer mon dîner Open Hand, et, ma foi… je me suis endormi et ça a brûlé.

— Du coup, tu n'as pas mangé ?

— Non. »

En entendant le déplorable « non » de mon père, j'ai eu envie de m'éjecter de la pièce, de remonter sur mon vélo et de filer à Rosemont Street, ou bien chez Scott, ou n'importe où ailleurs. J'ai alors lutté avec ma conscience, et je lutte encore aujourd'hui. Si je ne l'avais pas laissé seul, peut-être n'aurait-il pas brûlé son repas Open Hand et aurait-il mangé. Peut-être n'aurait-il pas essayé de changer lui-même l'ampoule de la salle à manger : du coup, l'abat-jour en verre ne serait pas tombé et mon père ne se serait pas coupé le doigt.

Certains jours, Karin et moi faisions nos visites commerciales à San Jose ou Palo Alto, et je prenais le bus et non pas mon vélo pour m'y rendre. En rentrant à la maison dans mon tailleur Ann Taylor vert menthe, je me faufilais parmi la foule nauséabonde qui s'agglutinait à l'angle de Haight et d'Ashbury Street, des gamins blancs maigrichons à dreadlocks, tatouages et piercings. Ils me demandaient une petite pièce quand je tournais au coin de la rue et je les observais tous autant qu'ils étaient. Au milieu de leurs tapis de sol et de leurs sacs en papier abîmés, ils se préparaient des tas de sandwichs au beurre de cacahuète et jouaient mal de la guitare. Une adolescente avec un anneau dans le nez se cramponnait à un chiot qui avait de grands yeux. Un jeune gars au visage cramé par le soleil buvait une gorgée d'une bouteille cachée dans un emballage papier.

Haight Ashbury avait été une Mecque pour les fugitifs et vagabonds épris de liberté depuis la fin des années 1960, mais les hippies étaient désormais rejoints par les «punks à chiens» qui, contrairement à leurs homologues issus de la classe moyenne quelques décennies auparavant, s'étaient souvent enfuis de foyers où on les maltraitait. Ils ne chantaient pas des chansons d'amour et de paix; ils préféraient l'héroïne, la meth et le crack au LSD et à l'herbe. Le nombre croissant de ces gamins – qui bivouaquaient au coin des rues et devant les magasins, faisaient la manche, se shootaient dans les buissons, ou buvaient jusqu'à perdre connaissance – s'imposait à moi comme un rappel sordide de tous les changements que le quartier avait connus, de toute la beauté et la magie qui appartenaient déjà au passé et qui me filaient à présent douloureusement entre les doigts. À la fin de l'automne 1992, jamais l'énergie de Haight Street n'avait été aussi mauvaise, comme en écho à ma propre colère floue, ce qui ne faisait qu'empirer les choses.

Mes voisins, parmi lesquels de nombreux hippies, étaient en colère eux aussi. Je les regardais patrouiller dans le quartier en soirée, arborant des tee-shirts fluo avec l'insigne «RAD : Residents Against Gruggies », les résidents contre les drogués. Des pancartes en réaction à cette initiative ont surgi en l'espace d'une semaine : «DAMN : Druggies Against Mad Neighboors », les drogués contre les voisins en colère. Pour beaucoup, les drogues étaient partie intégrante de la culture locale – sauf que la criminalité apparaissait aussi avec les drogues dures…

Les mômes sans domicile se faisaient parfois braquer ou attaquer dans le parc où ils dormaient. Au mois de novembre, il y a eu une fusillade dans Haight Street. Un deal avait dégénéré. Un autre soir, une alarme s'est déclenchée à Coffee Tea & Spice où j'achetais mes oursons à la gélatine quand j'étais petite. En arrivant sur les lieux, la police a trouvé la devanture défoncée. Au milieu des éclats de verre, un gamin dépenaillé s'empiffrait de bonbons. Plusieurs propriétaires de magasins avaient embauché des gardes chargés de la sécurité et de la surveillance d'une partie de Haight Street, mais cela n'a fait qu'accroître le malaise collectif dans le quartier.

Les toilettes publiques du Panhandle se sont transformées en salle de shoot. Le terrain de jeu de mon enfance était jonché de bouteilles vides et de seringues. Dans l'entrée de notre immeuble régnait une puanteur d'urine quasi constante. Je ne pouvais pas aller faire mes courses bihebdomadaires pour acheter les jus de fruits de papa sans devoir enjamber ces mômes ou prendre le risque de marcher sur la chaussée, en pleine circulation, si je voulais les éviter. On me demandait une «petite pièce» chaque fois que je passais. C'était épuisant et déprimant.

«Yuppie», sifflait-on dans mon dos, ou – et ça m'a *vraiment* mise hors de moi – «Au moins un petit sourire?»

«Je ne crois pas que je vais pouvoir continuer beaucoup plus longtemps», ai-je annoncé à mon père un soir après le travail, juchée sur le bord de son lit.

Il m'a écoutée calmement, calé sur tout un tas d'oreillers et de coussins bosselés. Et il a souri. La lumière de ses yeux s'est posée sereinement sur moi, quand bien même son vaisseau coulait alors que le mien était encore jeune et robuste.

«Mais si, tu peux. Tu peux faire tout ce que tu veux si tu le décides.»

Il m'a regardée paisiblement. La télévision braillait, mais on aurait dit que j'étais la seule à l'entendre. Le bruit intrusif déferlait sur papa comme une vague apaisante.

J'ai détourné le regard. Me balançant d'avant en arrière, j'ai poursuivi sur ma lancée : «J'ai besoin d'une limite. Un an. Je suis revenue pour Noël, l'année dernière et, après Noël qui vient, je veux déménager, peut-être même retourner à New York.»

Il n'a rien dit.

«Je crois que je ne vais pas pouvoir faire ça, ai-je répété. Je ne suis pas *prête*.»

Alors il m'a répondu et ses paroles m'ont fait l'effet d'une gifle : «Moi, je n'étais pas prêt à m'occuper de toi quand ta mère est morte. Mais je l'ai fait.»

Je n'avais aucune réponse à cela.

Lorsque j'étais petite, mon père ne mettait jamais ma parole en doute si je disais que j'étais malade et que je voulais rester à la maison. Il ne posait jamais sa main sur mon front ni ne regardait le fond de mes yeux d'un air soupçonneux, dans l'espoir de me prendre en flagrant délit de mensonge. Il répondait : «D'accord» chaque fois que je lui assurais que je ne me sentais pas bien, et me renvoyait dans ma mezzanine en bois. Allongée sous les couvertures, j'écoutais mon père dans la cuisine : il faisait de la Jell-O parfum cerise, arrêtant de temps à autre de battre la gelée pour tirer une bouffée de sa Carlton Regular. Je l'entendais couper les bananes qui flotteraient dans les eaux peu profondes du moule à gelée. C'était la première phase de notre rituel des jours où j'étais malade. Pendant que la gelée refroidissait au frigo, il allait me chercher des illustrés – le magazine *Mad* et *Betty and Veronica* – à lire au lit. Et, à midi, il me servait de la soupe Campbell aux nouilles et aux morceaux de poulet assaisonnée au poivre, que nous adorions l'un et l'autre.

Maintenant que lui était malade, j'aurais pu appeler les bureaux d'Open Hand et leur déclarer : « Merci, mais nous n'avons plus besoin de vous. Je me consacre à mon père. » J'aurais pu démissionner de mon boulot ; j'aurais pu ignorer les jeunes hommes aux hanches fines qui me tapaient dans l'œil ; j'aurais pu laisser tomber mon stage à la radio qui n'était même pas rémunéré, ainsi que mes cours de préparation au GRE. De toute façon, aucune de ces activités n'a duré. Chaque histoire d'amour se finissait en queue de poisson. Et je n'ai jamais posté mes demandes d'inscriptions en troisième cycle.

Je craignais en stoppant net ma trajectoire – la vision de moi comme corps en mouvement – que ma vie adulte bourgeonnante ne soit complètement absorbée par papa et tout ce dont il avait besoin. Et, de plus en plus, ses besoins m'effrayaient. Ce n'est pas seulement qu'il était insupportablement triste de voir mon père perdre du poids et s'affaiblir : c'était déjà très moche, mais de plus je me sentais tellement seule là-dedans, tellement en colère quand je voyais ce qu'était devenue ma vie... La seule façon de continuer sur ma lancée était de cultiver un moi débordant d'activités, séparé de mon statut de « fille de » – de même que mon père avait eu besoin d'être autre chose qu'un « papa » à l'époque où il s'était occupé de moi après la mort de ma mère.

Petite, j'avais rêvé d'une famille plus grande. Et maintenant, j'avais tout particulièrement besoin d'aide pour le travail quotidien que représentaient les soins de papa. Cependant, sur un autre plan non moins important, j'appréciais énormément l'intimité de notre relation exclusive.

Les repas que papa préparait pour nous deux quand j'étais enfant semblaient taillés sur mesure pour notre famille à un enfant et un parent. Il achetait une cuisse de poulet que nous nous partagions. Il la faisait cuire jusqu'à ce que la peau soit d'un jaune doré bien croustillant ; le jus et le beurre se mélangeaient sur le papier d'alu disposé au fond de la casserole ; il coupait alors la cuisse en deux, gardait la partie charnue pour lui et me donnait le pilon à la taille parfaite. En dessert, nous ouvrions un paquet de Hostess Cupcakes qui étaient vendus par deux. J'avais mis au point une méthode pour les manger en prolongeant l'expérience ; je tenais le gâteau à l'envers au creux de la main, grignotais d'abord la partie spongieuse du biscuit, puis le blanc du milieu, j'attaquais ensuite le glaçage chocolaté pour finir par l'entortillement de sucre blanc.

Le fait d'en avoir juste assez pour deux − et pas davantage pour quelque hypothétique amant, mère, frère ou sœur − ne faisait qu'intensifier le côté romantique de notre relation.

Toutefois, je n'étais pas infirmière. À partir d'octobre, il est devenu évident que je ne pouvais pas apporter à papa les soins dont il avait besoin sans quitter mon boulot. Il ne pouvait plus se préparer à manger et parvenait à peine à aller de son lit aux toilettes. Comme il s'était impliqué pendant de nombreuses années dans la vie du dojo de Hartford Street et dans l'espace de soins palliatifs de Maitri House, l'administration avait annoncé qu'elle aurait un lit pour lui quand il serait prêt. Et maintenant, il l'était.

Par une froide matinée, en pleine semaine, mon père était allongé sur son futon pendant que je m'activais à la table de la salle à manger, empilant des exemplaires du *San Francisco Chronicle*, triant le courrier. J'avais posé une journée de congé. Camille, ma copine de lycée, revenue de l'université de Santa Cruz, passerait nous prendre à midi avec la voiture de sa mère.

À travers l'épaisse tenture qui séparait la chambre de mon père de la salle de séjour, j'entendais papa se racler la gorge.

«Je ne vois pas comment on pourra être prêts à midi, a-t-il lancé.

– Midi ? C'est dans quatre heures, ai-je répondu. On a tout notre temps.

– Parfois, je ne me lève que dans l'après-midi. Ça me paraît précipité. Rien que de me rendre à la salle de bains m'épuise.

– Je vais m'occuper des valises. Je m'occuperai de tout porter. Tu n'auras pas à t'occuper de quoi que ce soit.» J'ai continué à trier le courrier. «Reste où tu es. Je suis là pour toi. Tu comprends ça, hein ? C'est pour ça que je suis née.

– Ils appellent ça des "soins au malade" alors qu'ils ne font que s'immiscer dans ma vie. Ils vous poussent, vous secouent en disant : "Maintenant, va falloir prendre ce médicament… ces cachets."

– C'est comme ça que sont les gens dans les établissements de soins palliatifs ?

– C'est comme ça qu'ils sont à l'hôpital, a-t-il dit.

– Toi, tu vas dans un établissement de soins palliatifs. Tu ne sais pas comment ce sera. Est-ce que tu sais au moins où on t'emmène, papa ?»

Pas de réponse.

Trois heures plus tard.

«Tu veux un sandwich œuf-salade avant qu'on y aille ? lui ai-je demandé.

– Une moitié, a répondu papa.

– Il reste une moitié de sandwich au poulet dans le frigo, non ?

– C'est un sandwich au poulet, et je ne veux pas de sandwich au poulet.

– C'est assez dur de préparer juste un demi-sandwich, ai-je dit, la main sur la porte du réfrigérateur. Tu es sûr que tu ne veux pas un sandwich entier, et garder l'autre moitié pour plus tard si tu ne peux pas le finir?

– Tout ce que je veux, c'est un demi-sandwich à l'œuf, a-t-il répondu en se relevant de l'oreiller sur lequel il était appuyé. Je te l'ai déjà dit. Faut-il que je te fasse un dessin?

– Est-ce qu'au moins tu apprécies que j'aie posé une journée de congé?

– Je suis désolé. Je crois que je suis un peu bougon aujourd'hui.»

Papa était assez petit, minuscule même tant il avait perdu de poids, pourtant, c'était encore lui le capitaine – silencieusement, ingénieusement aux commandes. Il était la pierre. Et moi la sauvageonne volant aux quatre vents. Il connaissait bien la force que pouvaient atteindre ceux qui étaient justement dénués de pouvoir, l'acier de leur colonne vertébrale en caoutchouc. Il pouvait refuser de manger mes repas. Et même si le centre qui l'accueillait fournissait des télés à tous les résidents, il a refusé de quitter la maison sans prendre la sienne. «Je vais faire un tel tapage qu'ils ne voudront pas de moi!» a-t-il déclamé. Je me suis ainsi fait une élongation musculaire en montant son poste dans sa nouvelle chambre.

Évidemment, je comprends aujourd'hui pourquoi il était si en colère ce jour-là. Les gens n'emménagent pas dans les centres de soins palliatifs pour vivre mais pour mourir. Et ce demi-sandwich à l'œuf que j'ai fini par lui préparer est le dernier repas qu'il a mangé dans notre appartement de Haight-Ashbury, notre unique véritable maison.

23

Un soir en semaine, l'air fraîchissait rapidement tandis que le brouillard descendait les collines de la 18e Rue, dans le Castro. J'ai ouvert le portail en fer forgé du centre de soins palliatifs de Maitri House, traversé le petit jardin et franchi le seuil de l'édifice victorien à deux étages. Dans la première salle, des hommes frêles, qui semblaient âgés, regardaient la télévision, accompagnés d'infirmières en civil et de bénévoles. J'ai fait signe à l'infirmière dans la cuisine et lui ai annoncé que je venais voir mon père, Steve Abbott.

En montant les marches d'un bon pas, deux par deux, j'ai aperçu la lumière bleutée de sa télé, qui tremblotait sur le sol devant sa chambre. La porte était ouverte.

« Salut », ai-je lancé avant d'entrer.

Papa s'est tourné vers moi et m'a fait un grand sourire. Un bref instant, il a ressemblé à un petit garçon écervelé. En fait, il n'avait jamais cessé d'être un petit garçon. L'attention qu'il m'a portée m'a mise mal à l'aise. Il était trop gentil, trop bon.

« Salut, papa. »

Sa chambre était décorée chichement. Un petit bouddha en fer-blanc, qu'il avait acheté lors de son voyage à Kyoto, trônait sur la table de chevet, contre laquelle était posé un portrait d'Issan. À côté de la statuette se trouvait une photo encadrée de moi devant une ancienne Rolls Royce décapotable beige et marron dans une rue de Paris. Mes grands-parents avaient pris ce cliché à l'occasion de leur visite en France, durant ma troisième année d'université là-bas. Au pied du lit de papa gisait le téléviseur que j'avais trimballé de chez nous. Il était presque constamment allumé. Et à côté de son lit se dressait un grand caoutchouc en pot.

J'arrivais juste avant le dîner. Il y avait parmi le personnel de Maitri House des nutritionnistes qui préparaient des repas végétariens pour tous les résidents : burritos aux haricots noirs, ragoûts de courges d'hiver, légumes bio et riz pilaf. Papa finissait par détester ces repas «diététiques», et ne manquait pas de me le rappeler à chacune de mes visites. Il rêvait de manger des petits plats du genre ragoûts gratinés aux patates et thon baignant dans la mayonnaise que sa mère lui préparait quand il était petit. Voler à sa rescousse était devenu ma mission. Je me souviens d'un samedi où il m'a annoncé qu'il avait envie d'un sandwich poulet-salade, et je lui en ai facilement trouvé un à l'épicerie du coin. Une autre fois, il m'a demandé si je pouvais lui ramener un cornet de glace. J'ai foncé dans Castro Street et j'ai acheté deux cônes, chocolat-amandes grillées pour lui, menthe-pépites de chocolat pour moi. C'était un après-midi étonnamment chaud pour la saison et, en fondant, la crème glacée coulait sur l'extérieur de mes mains serrées. J'ai envisagé de courir mais j'avais peur que ce soit un coup à ce que les boules tombent par terre dans la rue. Je suis donc retournée auprès de mon père en marchant le plus vite possible : on aurait dit un de ces adeptes ridicules de la «marche rapide». Pendant tout le trajet, j'ai léché alternativement la glace au chocolat et celle à la menthe qui dégoulinaient respectivement sur mes poings gauche et droit.

Le soir, je me suis arrêtée au restaurant de sushis du coin et nous ai acheté à chacun une soupe miso et ce que nous appelions des sushis «sans danger» – c'est-à-dire sans poisson cru, potentiellement fatal pour un malade du sida. Papa a aspiré sa soupe bruyamment.

Lorsque j'étais plus jeune, je braquais mon regard noir sur papa chaque fois qu'il mangeait de la soupe ou des céréales en ma présence. Les bruits qu'il faisait en mangeant, les sons d'aspiration et de déglutition qu'il produisait quand il avalait le lait de ses céréales me tapaient systématiquement sur les nerfs. Mais, à présent, je le regardais, installé à côté de moi dans le lit en faisant tous ses bruits de bouche avec sa soupe miso, et je me délectais de ces sons. J'aurais voulu que jamais ils ne s'arrêtent.

Hormis les bruits émis par papa en mangeant et le raclement de nos cuillères en plastique sur le fond des récipients en polystyrène, c'était le silence. Papa m'a confié qu'il appréciait mes visites plus que celles de quiconque, car les autres, m'a-t-il expliqué, «ont besoin qu'on s'occupe d'eux, il faut les distraire. Et je n'ai pas toujours l'énergie pour ça», a-t-il ajouté.

J'ai pris sa main dans la mienne.

Je me sentais mieux maintenant que papa n'était plus à la maison, sachant qu'il était correctement nourri et qu'on s'occupait bien de lui. Pour la première fois depuis mon retour à San Francisco, j'avais l'impression de pouvoir respirer. Et puis la maison était calme. Mais d'un calme perturbant.

Un soir, quelques semaines après que mon père avait déménagé, j'ai décidé de dormir sur son futon, pour changer. Je suis allée me coucher après avoir pris un bain, les cheveux encore mouillés. Toute tremblante, me cramponnant de toutes mes forces à une unique couverture, je me suis imaginé ce que cela avait dû être pour lui, si malade et si faible durant tous ces mois dans notre appartement victorien. Je me suis mise à sa place et me suis sentie glacée jusqu'à l'os. Je n'arrivais pas à me réchauffer. J'avais beau me frotter les mains et les jambes, j'avais beau m'entortiller dans la couverture, je n'arrivais pas à repousser le froid. J'ai soudain eu le sentiment que c'est moi qui étais malade, que j'*étais* mon père, et, là, j'ai commencé à paniquer.

Même en regagnant mon lit-mezzanine, je n'ai pas réussi à me détendre. De ma fenêtre, j'ai aperçu une bagarre atroce entre des mômes et un dealer sur le trottoir d'en face. Je me suis retournée et j'ai fermé les yeux, mais je ne suis pas parvenue à chasser cette scène de mon esprit. Ils étaient tellement furieux et bruyants qu'on aurait dit qu'ils étaient avec moi dans la chambre.

J'ai descendu l'échelle et appelé Karin. Elle était avec un ami, mais, quand je lui ai expliqué ce qui se passait, elle a immédiatement sauté dans sa voiture pour venir à ma rescousse. Elle a emprunté l'échelle à ma suite pour monter dans mon lit perché. Elle s'est blottie contre moi et m'a caressé les cheveux jusqu'à ce que je finisse par m'endormir.

J'avais de plus en plus d'activités. Je faisais des chroniques de films pour *Movie Magazine* et travaillais tard à Video Monitoring Services. Comme Scott le musicien et moi ne sortions plus ensemble, je recherchais la compagnie de jeunes hommes rencontrés à VMS ou KUSF – tout ce qui pouvait être susceptible de me distraire du calme de la maison, et du grand calme qui m'attendait.

J'allais au centre de soins palliatifs plusieurs soirs par semaine. Mais, durant une soirée de novembre, j'ai trouvé mon père perturbé. Il était tellement remonté que j'ai eu un mal fou à le comprendre.

«On me les prend, m'a-t-il dit.

– Qui te prend quoi ?

– Les infirmières. Elles me prennent mes tee-shirts.

– Les infirmières ? Je suis certaine qu'elles ne te prennent pas tes tee-shirts», ai-je répondu.

Je ne voyais pas en quel honneur quelqu'un voudrait des habits de papa. Si ses tee-shirts Queer Nation et Boy with Arms Akimbo avaient pour lui une valeur sentimentale, ils étaient usés jusqu'à la corde, avaient de drôles de taches jaunes et leurs bords s'effilochaient. Je me suis demandé si sa paranoïa était la conséquence de sa maladie ou s'il était encore contrarié par la liberté qu'il avait perdue en emménageant ici.

«Eh bien, ils disparaissent. Au départ, j'en avais sept, maintenant, je n'en ai plus que quatre.

— Peut-être… peut-être qu'ils se perdent.

— J'en avais sept, et maintenant plus que *quatre*!

— D'accord, papa. Je vais t'en acheter d'autres.»

Je me suis promise de profiter de mon séjour chez mes grands-parents, à Thanksgiving, pour lui trouver des tee-shirts que personne ne pourrait lui perdre ni lui voler. Chaque visite à Kewanee impliquait un passage à Breedlove's, le magasin de sport qui fournissait les maillots floqués des équipes scolaires locales : les Kewanee Boilermakers, les Wethersfield Geese. Dans notre famille, on adorait Breedlove's parce que les maillots n'y étaient pas chers et qu'on en trouvait de toutes les couleurs de l'arc-en-ciel.

Dès mon arrivée, le premier jour, mon oncle David m'a conduite en ville au magasin. J'ai fouillé dans les piles de tee-shirts et choisi les couleurs les plus vives possibles : vert pomme, bleu royal, rouge pompier et orange pimpant. Tous en taille médium. Je me disais que papa serait trop mignon dans ces maillots – le coton aux coloris flashy saturés compenserait sa peau de plus en plus pâle, presque diaphane. J'ai demandé à ce que le prénom de mon père, «Steve», soit imprimé en petites lettres capitales sur la partie supérieure gauche du tee-shirt, juste au-dessus du cœur.

En venant les récupérer le samedi matin, je rayonnais de satisfaction. Personne ne pourrait égarer des tee-shirts aux couleurs à ce point pétantes. Personne ne penserait non plus à les voler, car qui irait mettre un haut floqué du prénom «Steve», hormis un Steve? Il ne pourrait y avoir la moindre hésitation quant au propriétaire du maillot.

Plus tard dans l'après-midi, mon oncle et moi nous promenions avec Munca dans les rues verglacées près de la maison. Au moment de passer devant Windmont Park, j'ai décidé de leur fausser compagnie.

Je me suis engagée dans le parc, et c'est alors qu'il s'est mis à pleuvoir. Au lieu de me diriger vers la maison de mes grands-parents, je me suis enfoncée davantage, en suivant le pourtour pavé du lac que j'avais si souvent parcouru enfant et adolescente. L'eau reflétait le ciel gris, et Windmont Park était vide comme jamais je ne l'avais vu. J'ai effectué un tour complet du lac et, toute trempée, je me suis arrêtée au grand érable, à côté des courts de tennis où Munca jouait encore peu de temps auparavant. Les feuilles les plus imposantes ressemblaient à des paumes de main ouvertes. Je les ai observées se gorger d'eau jusqu'à ce que la charge soit trop importante et qu'elles ploient, projetant l'eau par terre en une grande gerbe.

En marchant dans Windmont Park par cette journée de grisaille hivernale, je me suis entraînée à prononcer ces mots à haute voix : «Mon père est mort.» J'ai refait un tour du parc, puis encore un autre en répétant ces mots, consciente que le moment allait bientôt venir. Je savais qu'il fallait que j'habitue ma bouche à ces voyelles et ces consonnes. «Mon pèèè... Mon père est mort. Mon père *est* mort. *Mon* père est mort. Mon père est *mort*.» En scandant ces mots sans serrement de gorge, en faisant en sorte que la phrase passe pour normale et naturelle, je me suis sentie coupable, comme si je commettais une trahison. Tout semblait conspirer, le paysage gris et blanc me chuchotait : embrasse la mort. Alors que je contemplais l'horizon délavé au loin, ma tristesse m'a paru normale. Dans ce parc, trempée, seule, je me suis sentie moi-même comme jamais, pour la première fois de tout le week-end.

Je suis rentrée à San Francisco le dimanche soir. Ayant été absente pour Thanksgiving, je devais rendre visite à papa au centre le lundi. J'avais prévu de lui offrir ses tee-shirts à ce moment-là. Mais, le lendemain, je l'ai appelé du travail :

« Papa, je ne vais pas pouvoir venir ce soir. Il faut que je prépare mon émission de radio.

– Ah...

– Je ne pourrai pas passer avant mercredi. Je suis vraiment désolée.

– Ce n'est pas grave, a-t-il dit. Je sais que tu es très occupée. »

Mardi après-midi, le centre de soins palliatifs m'a contactée au boulot. Les bureaux du département commercial de ma boîte surplombaient le vaste jardin d'un foyer pour personnes âgées. J'observais une vieille Asiatique au dos tellement voûté qu'elle ressemblait à une apostrophe arrosant un luxuriant buisson d'hortensia, quand l'infirmière m'a annoncé d'une voix plate, égale, que les poumons de mon père avaient lâché.

Sans me fournir davantage d'explications et sans que je sache comment prendre la nouvelle.

« Nous avons placé votre père sous morphine », a-t-elle poursuivi d'un ton neutre. Elle ne semblait pas alarmée. Elle n'a pas dit : « Vous devriez venir sur-le-champ. » Elle n'a pas dit : « Vous ne le reverrez peut-être plus jamais vivant. » Il m'a semblé que c'était uniquement quelque chose dont il fallait qu'elle m'informe, au même titre qu'elle aurait pu me dire : « Votre père s'est fait une coupure au doigt alors nous lui avons mis un pansement. »

« D'accord », ai-je répondu avant de raccrocher.

Juste avant l'appel du centre de soins palliatifs, j'avais reçu un coup de fil d'un client important qui avait besoin d'images du tremblement de terre de 1989. Il s'agissait d'une urgence. Ça m'est revenu à l'esprit et je me suis dirigée vers les armoires dans un coin de la pièce. J'étais en train de consulter des listings en guettant la lettre « V » que nos transcripteurs utilisaient pour désigner les «images vidéo». Hypnotisée par le défilement des pages, je n'arrêtais pas de perdre le fil et d'oublier ce que je cherchais. J'étais systématiquement obligée de reprendre au début de cette gigantesque liasse de feuilles à la recherche de «V tremblement de terre. V tremblement de terre».

J'ai repensé au tee-shirt du tremblement de terre que papa m'avait envoyé par la poste quand j'étais à l'université. Et je faisais défiler toutes ces pages, je les faisais défiler. L'image sur le devant du tee-shirt : le Bay Bridge, dont la chaussée supérieure s'était effondrée. J'étais à genoux dans le bureau, la moquette m'irritait la peau, et de nouveau j'ai oublié ce que je cherchais : «V tremblement de terre. V tremblement de terre.»

Karin est entrée. «Qui est-ce qui a téléphoné ?

– Une infirmière du centre de soins palliatifs. Les poumons de mon père ont lâché. Ils l'ont mis sous morphine.» De la même intonation neutre, j'ai répété comme un perroquet ce que l'infirmière m'avait annoncé, et j'ai regardé Karin pour voir sa réaction.

Elle a cligné des yeux en prenant conscience de la situation, et je me suis replongée dans ma recherche, par terre, le listing sur mes genoux.

«Qu'est-ce que tu fais ?

– Il faut que je trouve des images pour J. Walter Thompson. C'est urgent.» Il n'était pas encore dix-sept heures et je pensais pouvoir terminer de m'occuper de ça avant la fin de la journée. «Ils cherchent des images du tremblement de terre de 1989.

– Ça peut attendre», a dit Karin.

Elle m'a demandé si j'avais besoin qu'elle m'accompagne en voiture au centre de soins palliatifs. J'ai répondu que oui, ne sachant toujours pas pourquoi je devais y aller. Ne comprenant toujours pas la signification de tout ça.

En arrivant, nous sommes montées directement dans la chambre de mon père. J'ai senti la chaleur et l'odeur fétide de son corps statique enraciné dans les draps humides. Je me suis approchée de lui.

«Papa?»

Il était assis bien droit dans le lit et regardait devant lui. Je me suis avancée tout près de son visage. Mais, à cause de la morphine, son regard me transperçait – on aurait dit qu'il fixait la grande plante qui se trouvait derrière moi.

«Papa!» ai-je répété un peu plus fort. Puis j'ai eu un mouvement de recul et je me suis recroquevillée.

Karin était à côté de moi, et je me suis soudain sentie mal à l'aise, gênée. Il fallait qu'elle sache que ce n'était pas la tonalité habituelle de notre relation. En temps normal, mon père n'était pas comme ça.

«Ce n'est pas mon père», lui ai-je dit.

Et nous sommes parties. En descendant l'escalier, je me suis arrêtée, je me suis tournée vers Karin, je l'ai regardée droit dans les yeux et j'ai répété : «Ce n'était pas mon père.» Je voulais prendre mes distances avec le souvenir de cette personne qui avait enfilé les habits de mon père, et qui était allongée dans son lit.

«Ce n'était pas ton père», a-t-elle répondu.

Le lendemain, je suis retournée au bureau. J'ignore pourquoi. Ça me faisait un endroit où aller. Je voulais être avec des gens. Je me suis assise à mon bureau, à côté de la vitre qui donnait sur le jardin.

Et puis j'ai reçu un coup de fil de l'infirmière du centre de soins palliatifs. «Ça y est», je me rappelle l'avoir entendue dire ça. Il est impossible qu'elle ait prononcé ces mots, et, pourtant, le sens de sa phrase était clair.

Cette fois-ci, c'est Jon qui m'a accompagnée en voiture. Nous sommes arrivés peu après dix-sept heures. La chambre était déjà pleine de gens. Je n'ai pas souvenir d'avoir parlé à qui que ce soit – j'étais juste consciente de leur présence à tous. Sam, l'ancien colocataire de papa, se tenait debout et lisait, appuyé contre le mur. Son visage m'a semblé être encore plus rose que d'habitude, mais il avait soigneusement peigné ses cheveux blonds sur le côté. Bruce Boone était sur une chaise ; il portait ses petites lunettes rondes, et paraissait avoir de longues jambes et être très loin de nous. Dan Fine, avec ses grands yeux, était assis contre le mur, et je crois qu'il m'a fait un signe de la main. Nous étions très près les uns des autres, sans pour autant qu'il y ait d'interaction entre nous. Chacun était dans sa propre réalité, chacun faisait l'expérience de sa propre version de la mort de mon père.

La seule force qui nous réunissait était le ronflement rythmé de l'appareil d'assistance respiratoire auquel mon père était relié : une inspiration bruyante, suivie d'une brève expiration. Il avait un masque collé sur la bouche et le nez. Je me souviens qu'il faisait désagréablement chaud dans la chambre. Il régnait une odeur légèrement âcre, celle des sueurs nocturnes de papa. Ses cheveux, habituellement dressés en touffes vivaces, étaient aplatis, si bien que la forme de son crâne était visible. Sa peau paraissait cireuse, elle ne ressemblait pas du tout à de la peau. Sa carcasse frêle, d'apparence bien ratatinée en comparaison de la grosse machine qui le jouxtait, était mue par le mouvement de l'air propulsé dans ses poumons puis aspiré. *Inspiration, expiration. Montée, descente.* Voilà pourquoi nous étions rassemblés ici. Ce son et ce mouvement nous rappelaient que papa était encore vivant.

Cela faisait peut-être une demi-heure que Jon et moi étions dans la pièce quand j'ai dit que j'avais faim. Nous avons parcouru deux pâtés de maisons et j'ai commandé un burrito, que je n'ai pas pu manger entièrement tant j'avais mal au ventre.

Puis nous y sommes retournés. Tout le monde était toujours dans la même position, contre le mur. Du personnel médical entrait et sortait de la chambre, comme pour s'enquérir de la santé de mon père, dont l'état demeurait néanmoins inchangé. Sur une petite table à côté de son lit, j'ai alors remarqué une pile de lettres et un gros magnétophone. J'avais l'idée que mon père, incapable de voir ou de parler, pouvait encore entendre. Certes, il ne pouvait pas m'atteindre, mais je n'étais pas convaincue que lui ne pouvait pas être atteint.

J'ai passé une cassette audio de son frère pianiste, mon autre oncle David, qui jouait un concerto de Mozart sur cet enregistrement qu'il avait envoyé à mon père par la poste. Je me suis mise à lire à papa des lettres d'amis qui étaient arrivées à l'appartement. Je ne pouvais pas m'arrêter de lui parler. « Maintenant, on va écouter une cassette d'oncle David. Maintenant, je vais te lire une lettre de… Diamanda Galas ! C'est rudement gentil de sa part, de t'écrire, non ? » Je commentais mes actes un peu comme je le faisais autrefois avec mes peluches et mes jouets.

Quand j'en ai eu marre, j'ai approché une chaise du côté gauche de son lit. Et j'ai fini par oublier toutes les autres personnes présentes dans la chambre. J'ai pris la main gauche de mon père dans la mienne, et je l'ai regardée fixement. Je ne pouvais regarder que ses mains tant le reste de son corps était méconnaissable. Je connaissais ses phalanges tachées de nicotine, et je les ai pressées contre mes lèvres. Sur ses poignets, des poils semblaient être descendus du haut de ses bras. De petites veines bleues formaient un réseau routier menant à chacun de ses doigts et à son pouce.

Ses mains étaient douces comme de la soie. Je me suis dit qu'elles risquaient de fondre sous la chaleur de mes paumes, bien qu'elles m'aient paru encore robustes. Je me rappelais qu'elles étaient gentilles, aimantes quand papa me tenait sur ses genoux. Je me souvenais d'avoir tiré sur ces mains quand j'étais fatiguée, au retour de nos promenades au Golden Gate Park. Je me souvenais des double nœuds qu'elles faisaient à mes lacets quand j'étais en retard pour l'école, ou quand elles tenaient le protège-volant de notre Coccinelle Volkswagen. Je les revoyais ouvrir des boîtes de soupe Campbell, préparer le dîner tandis que la télé braillait en fond sonore, et reposer la casserole pour porter une cigarette à la bouche de mon père.

J'étais en train d'étudier les doigts de papa lorsque le rythme mécanisé de sa respiration, qui était jusqu'alors régulier – et d'une régularité apaisante –, s'est soudain interrompu. Tout le monde dans la pièce a bougé, la tension s'est accrue et nous attendions tous la prochaine inhalation qui lui soulèverait la poitrine.

Elle n'est jamais venue. Il n'y avait plus un son.

Alors les voix de chacun se sont élevées en un chant unique : «On t'aime, Steve. On t'aime, Steve. On t'aime…»

Je me suis effondrée sur les mains de mon père mort et j'ai pleuré. Épuisée et soulagée.

Mon père est mort le 2 décembre 1992, deux mois après avoir emménagé au centre de soins palliatifs, quatre jours avant mon vingt-deuxième anniversaire et trois semaines avant Noël, date à laquelle j'avais dit que je voulais m'en aller.

Le lendemain de sa mort, j'ai vidé son compte en banque à un distributeur du quartier. Neuf cent quatre-vingts dollars en trois retraits séparés. En retirant l'argent en trois salves distinctes, j'ai regardé autour de moi, craignant d'avoir des problèmes si quelqu'un me voyait, comme si je volais l'argent de mon père. Je suis ensuite allée dans un magasin de chaussures de Haight Street, j'ai sorti un billet de cent et un autre de cinquante de la liasse et je me suis acheté une paire de grosses chaussures à bouts coqués.

Je les ai portées tous les jours. J'aimais la sensation du cuir épais autour de mes tibias et de mes mollets. J'adorais le poids de mes pieds quand j'arpentais Haight Street à longues enjambées. J'avais l'impression d'être soutenue par ces grosses chaussures. Certes, les chaussures militaires étaient omniprésentes à San Francisco au début des années 1990, mais j'estimais que les miennes me convenaient tout particulièrement. Elles me retenaient au sol dans la rue, dans la ville, dans l'instant présent.

J'aimais leur poids, de même que j'aimais le poids du blouson de moto en cuir de mon père, que je portais désormais partout, car le soir, quand je les enlevais, je me sentais dangereusement légère. Je craignais de m'envoler. Mon père n'était plus là désormais, et je ne savais plus vraiment qui j'étais. Je ne savais pas quoi faire maintenant que je n'avais plus à m'occuper de lui ou à m'inquiéter pour lui. Je ne lui ai même pas offert ses tee-shirts, qui, jamais lavés ni portés, sont restés dans mon armoire pendant des mois jusqu'à ce que je les donne à un Goodwill local. J'avais l'impression d'avoir largué les amarres, de ne pas être loin de m'éparpiller complètement aux quatre vents. Peu de choses avaient encore un sens.

La seule chose qui avait un sens était mon chagrin. Alors je m'en suis enivrée, littéralement. Je me suis mise à boire du single malt, sec. J'aimais le sentiment qu'il me procurait d'adoucir mes bords à vif. J'aimais le regard des gens quand j'en commandais dans les bars et je les fixais à mon tour, sans ciller. Chaque soir, j'allumais des bougies dans tout l'appartement. J'éteignais les lumières et je me repassais en boucle les musiques les plus tristes de ma collection : le *Requiem* de Mozart, *Carmina Burana* et *Automatic for the People* de REM.

« Souviens-toi de moi ! » ordonne le spectre du père de Hamlet, et, tel le Danois dévoué, je me suis souvenu. J'ai exposé de délicates photographies et des portraits encadrés de mon père dans tout notre appartement, qui paraissait désormais incroyablement spacieux. Avec Karin et Jon, j'ai lu à voix haute des lettres de papa ; sa voix vivante et drôle emplissait la pièce. J'ai roulé à bicyclette sur les étroits sentiers du Golden Gate Park, je suis passée devant Hippie Hill où nous avions l'habitude de jouer à cache-cache, et suis allée jusqu'à Lloyd Lake où nous avions posé pour la couverture de son livre *Stretching the Agape Bra*. J'ai contemplé les nombreuses pièces d'identité dans son portefeuille, sur lesquelles il était coiffé de sa casquette en cuir de guingois – un couvre-chef dont il savait qu'il me déplaisait, mais qu'il persistait à mettre. J'ai caressé ses lunettes à écaille aux verres rayés, naguère si importantes et qui à présent n'avaient de valeur que pour moi.

Dans la période de l'immédiat après-mort de mon père, je me suis délectée de ma solitude et me suis cramponnée à mon chagrin comme s'il s'agissait d'un droit inaliénable. Peut-être que les membres de la famille de mon père, qui habitaient tous dans le Nebraska, seraient venus à la rescousse si j'avais insisté. Peut-être aussi que les amis de mon père auraient pu m'aider à trier les objets divers que papa avait accumulés pendant vingt ans dans notre appartement, que j'ai triés dans les mois qui ont suivi sa mort. Cependant, si quiconque avait été disponible, si quiconque avait pénétré dans le délicat pas de deux que fut notre année finale, alors il aurait fallu que je partage la noble lumière que me procurait le fait de lui prodiguer des soins. J'avais souffert de la mort de mon père, aussi n'était-il pas question que je partage cette noble lumière avec qui que ce soit.

C'est seulement après le décès de papa que je me suis rendu compte d'une chose : s'il n'avait pas eu de petit ami à long terme c'était, du moins en partie, à cause de ma présence constante à l'appartement à l'époque de mon adolescence. J'étais de mauvaise humeur. J'étais impolie. J'oubliais de lui transmettre les messages téléphoniques et je protestais quand il voulait me faire sortir de notre salle de séjour qui était aussi sa chambre. Si j'avais été proche des deux premiers petits amis de papa, dans l'ensemble, les hommes qui s'étaient ensuite succédé dans notre vie étaient inutiles à mes yeux. En aucun cas ils n'auraient pu remplacer ma maman. Ils ne faisaient que me prendre mon père, diviser son amour précieux en deux.

Il y a eu deux messes du souvenir pour mon père : une organisée par sa famille dans le Nebraska et une à San Francisco à laquelle a assisté sa famille d'adoption, sa communauté de poètes, d'étudiants, d'intellectuels et de dingues. Au sein de ce deuxième rassemblement bouddhiste au sous-sol du dojo de Hartford Street, en tant qu'unique membre de la famille de mon père, j'ai eu un statut à part. J'ai choisi une grande photo de lui à montrer lors de la cérémonie. Un imposant portrait en noir et blanc pris par Robert Giard, qui avait été longtemps accroché chez nous. J'ai sélectionné un extrait d'un des essais de mon père – l'épilogue de *View Askew* –, que j'ai photocopié et distribué sur place. Et, pour clore la cérémonie, j'ai lu l'un de ses poèmes.

Les funérailles se sont tenues le 11 décembre 1992. Je portais un jean, un tee-shirt noir et le blouson en cuir de mon père. Je paraissais toute petite dans cette veste, le corps tassé par la tension des derniers mois. Mais le cuir sur mes épaules, si épais et si raide qu'il craquait à chacun de mes mouvements, me donnait un sentiment de sécurité, la sensation d'être proche de papa, comme si je portais sa peau.

C'est le poète Phil Whalen, grand, chauve et corpulent, qui, en tant que moine résident, a célébré la cérémonie en psalmodiant les soutras et en faisant brûler l'encens. De la fumée ondulait dans l'air. Les plafonds étaient bas. La salle m'a paru petite. Et, dans le blouson en cuir, j'avais chaud. Je me suis tout d'abord tenue avec le reste des gens dans ce petit espace confiné où mon père et d'autres membres du dojo avaient pratiqué la méditation zazen au fil des semaines. Un filet de sueur me coulait dans la nuque et le dos. Quand Whalen a eu terminé la cérémonie, je me suis emparée de la scène.

J'ai scruté la masse des corps debout qui se tenaient au garde-à-vous, dans l'attente des mots que j'allais prononcer. Je reconnaissais Kush et David Moe, tous deux grisonnants. Joyce Jenkins et ses grosses lunettes. Kevin Killian, Dodie Bellamy, Bruce Boone et Bob Glück, tous rassemblés. J'ai repéré le père Al Huerta dans un coin, Karin et Jon dans un autre, ainsi que Yayne avec son père Mengeshe, qui m'a vue et a souri. Il y avait des visages datant du Café Flore dont je me rappelais, d'autres de Haight Street, et beaucoup que je n'avais pas croisés depuis des années.

Je tenais entre mes mains *Streching the Agape Bra*, le livre de mon père. Sur la couverture, nous posons ensemble : un père gothique qui ne sourit pas et sa fille de dix ans qui ne sourit pas non plus. Il porte un costume rayé, des chaussures oxford deux tons, et tient un chrysanthème araignée. Je pose derrière lui dans une robe blanche à col haut, un bras le long du corps et l'autre dans le dos. Il m'avait fait rater l'école pour que je sois sur la photo avec lui, ce jour-là, au Golden Gate Park. Nous nous étions rendus devant un grand portique à colonnes en marbre, les ruines d'une bâtisse de Nob Hill détruite par le tremblement de terre de 1906, qui a été transformée en monument dédié à cette catastrophe et baptisée «les Portails du passé».

J'ai ouvert le livre à la page du dernier poème, «Élégie». Dans ce poème, mon père imagine ce que ça fait de mourir. Il imagine la perte de ses cinq sens, d'abord la vue, puis l'ouïe, le toucher, le goût et, finalement, l'odorat. Il se plaît à imaginer ses vies passées dans l'histoire antique, il voit son esprit s'envoler après avoir, au XVIᵉ siècle, échappé au bûcher. En prononçant les mots de mon père, je me suis mise à imiter sa façon de déclamer, que j'avais apprise à force de l'avoir accompagné à des dizaines et des dizaines de lectures, seule enfant de tout l'auditoire. En ordonnant à ce public de m'écouter, je me suis sentie puissante. Pas une seule fois ma voix n'a flanché, même lorsque j'ai lu ce passage écrit à mon sujet :

«La maman de Babar a été tuée par un méchant chasseur & aujourd'hui encore ça fait de la peine à Alysia.»

Mon père, quelque part derrière moi, dans son incarnation en noir et blanc, toise l'assemblée. Sur la photo, il est très bel homme – il a encore le visage bien ferme en 1989. Il porte sa chemise noire boutonnée et sa cravate-lacet. Il ne sourit pas mais fixe sereinement l'objectif de l'appareil photo de ses yeux humides. Son regard, léger, témoigne de son affection et de sa bienveillance. Je poursuis ma lecture, je ressens sa présence, qui me souffle à l'oreille :

«Toi. Oui, toi. Qui d'autre que toi pourrait lire ça ?»

ÉLÉGIE

Les premières horloges étaient enchâssées dans de délicates
    têtes de mort en argent
Memento mori. On peut rire en entendant cela
car l'essentiel de ce qu'on dit est humour macabre. On
    pourrait mourir
en riant
mais le temps nous enchâsse tous les deux, nous, jeunes et
    en bonne santé.
Il n'en a pas toujours été ainsi. Je me revois m'élever
au-dessus d'un cadavre fripé avec un délice total. C'est
    peut-être
le XVIe siècle & je m'enfuyais en exil pour échapper au
    bûcher.
D'abord on perd la vue, puis l'ouïe, le toucher, le goût et
    enfin l'odorat :
c'est ce que disent les moines tibétains qui ont écrit leur
    Livre des Morts.
Le feu, la solitude ou l'amour brûlent-ils plus que la mort,
    je ne le
sais, mais je me revois faire 14 heures de voiture jusqu'à
    Key West
& être allongé à côté de toi pour halluciner ton visage
    magnifique
tête de mort grimaçante. J'ai égaré le poème qui en parlait.

Quand j'ai perdu mon premier amant, assassiné par un
     marine en cavale
J'ai roulé toute la nuit en hurlant désespérément
mais personne ne pouvait m'entendre. Les vitres étaient
     remontées. Avant de
mourir, ma femme a rêvé que notre aquarium se brisait &
     que tous les poissons
gigotaient par terre dans la rue. Personne ne voulait l'aider
     à les sauver.
Elle était psychologue & est tombée amoureuse d'un patient
     psychotique,
un gamin qui voulait tuer tout le monde dans une petite
     ville. Il était
fantastique au lit. Il avait beau détester les pédés, il avait un
     jour rêvé que
je venais à lui tel Jésus avec une guirlande de roses ceinte
     autour de la tête.
Je savais que cela était de mauvais augure.

Les morts
communiquent avec nous d'étrange façon, ou bien est-ce
     juste parce que
c'est si ordinaire qu'on trouve ça étrange. Je porte un
     costume noir & arbore un voile blanc,
me déclare préfet d'un monastère lisant le Nuage de
     l'Inconnaissance.
Le dessus de ma tête flotte sans effort jusque dans le passé
     et le futur antérieur.
Un certain James Pattle, ancêtre de Virginia Woolf, fut mis
     dans une barrique remplie d'alcool fort
à sa mort & ainsi renvoyé auprès de sa femme. Elle est
     devenue folle. Il est difficile
de concevoir ce qu'a pu signifier la mort noire en Europe
     au XIVᵉ siècle. Que des tribus d'Hébreux & des légions

romaines aient massacré des villes entières, cela est généralement oublié

mais c'est aussi le cas d'Auschwitz. La vie est déjà bien assez terne

dans les meilleures conditions. Je me demande si l'on a jamais écrit un recueil de poèmes sur des assassins. Si ce n'est pas le cas, j'aimerais en écrire un.

Caligula, Justinien – on pourrait faire des volumes rien que sur les derniers empereurs romains.

Mais qu'y a-t-il de plus terrible que la mort d'un enfant?

Le dernier poème porterait sur Dan White, le tueur aux Twinkies,

& son amour pour la verte Irlande, à la beauté terrible.

Quand j'ai appris que le crâne de ma femme avait été écrasé par un camion, ma tête

a nagé comme un sablier percutant un téléviseur. Toutes les chaînes ont disjoncté.

Les grillons faisaient un raffut digne de Halloween & je me souviens avoir expliqué l'événement

à notre fille de deux ans à l'aide d'un livre de Babar.

La maman de Babar a été tuée par un méchant chasseur & aujourd'hui encore ça fait de la peine à Alysia.

Nous prenons nos distances pour nous protéger, portons des écharpes quand il fait froid.

Ce qui paraît le plus saugrenu dans notre autobiographie est ce qui s'est vraiment passé.

Seules les circonstances font de la mort un événement terrible.

Elle a rêvé que notre aquarium se brisait & que tous les poissons…

On ne devrait pas être obligé de se brûler la main chaque jour pour sentir le mystère du feu.

ÉPILOGUE

Après la mort de mon père, il y a de cela un peu plus de vingt ans, les lumières de *Fairyland* se sont éteintes. J'ai quitté San Francisco pour New York, dans l'espoir de ranimer la vie adulte à laquelle j'avais dû renoncer quand papa était tombé malade, mais le monde que j'ai rejoint là-bas était pour l'essentiel jeune et hétéro. Je pouvais compter sur un seul et unique doigt le nombre de mes amis qui avaient ne serait-ce que rencontré mon père. Cela a tout d'abord été une libération. Je pouvais me réinventer. Je pouvais être quelqu'un d'autre et pas seulement la « fille de ». Mais j'ai également éprouvé un sentiment durable de dislocation. Comme je n'avais presque personne avec qui partager les souvenirs de mon père, je n'avais pas moyen d'évacuer mon chagrin. Je me suis mise à avoir l'impression que la vie que nous avions partagée n'existait que dans ma tête et dans les pages des livres de mon père désormais épuisés, dans ses journaux et dans ses lettres, que je relisais rituellement pour l'anniversaire de sa naissance et celui de sa mort. Cette déconnexion s'est intensifiée avec l'arrivée des inhibiteurs de protéases au milieu des années 1990 : le sida, qui était jusqu'alors synonyme de sentence de mort, est devenu une maladie surmontable. Ceux qui n'avaient pas directement vécu l'épidémie n'en sauraient presque rien, et une sorte d'amnésie culturelle s'est installée. Les lourdes pertes causées par le sida, dignes des temps de guerre, n'étaient mentionnées que dans le cadre des « *queer studies* ». L'étude de l'épidémie du sida était donc reléguée aux seules classes qui enseignaient l'histoire des homosexuels.

Les souvenirs de ces années m'ont suivie, ainsi que les papiers de mon père, d'un appartement du Lower East Side à un loft à Brooklyn, et finalement à une maison à Cambridge, dans le Massachusetts, où j'habite désormais avec mon mari et mes deux jeunes enfants. Pendant tout ce temps, ils m'ont parlé, je leur ai parlé aussi, et ce livre a émergé au fil de la conversation davantage par à-coups que de manière chronologique. Finalement, aujourd'hui, presque vingt ans après que je me suis assise pour la première fois dans cette pièce minuscule où j'ai accumulé plein de notes, le livre est écrit.

Mais quelque chose s'est produit chemin faisant. Au cours de mes recherches sur la vie de papa, j'ai noué contact avec d'anciens collègues et amis à lui, et avec d'autres personnes que nous connaissions – des gens comme Joyce Jenkins de *Poetry Flash*; Jimmy Siegel, le propriétaire de Distractions; Sean, Sudiste souriant qui travaillait à Coffee Tea & Spice. En parlant avec eux, j'ai été amenée à entendre une petite phrase puissante, quelques mots dont j'ignorais avoir tant besoin : «Je me souviens de toi.»

Avec ces mots, une lumière s'allume. La musique se met en marche. Le manège redémarre et les chevaux étincelants et bigarrés se mettent à tourner, montent et descendent, pour le plus grand plaisir de tous mes sens. L'espace d'un instant, je redeviens enfant. Je me sens pleinement moi-même.

Un soir que je travaillais tard, mes enfants et mon mari dormaient paisiblement à l'étage, j'ai décidé pour la première fois d'aller voir la banque de données nécrologiques du *Bay Area Reporter*, où papa publiait parfois des critiques de livres ou

d'expositions d'art : ce fut un important baromètre de l'épidémie du sida, l'épaisseur des journaux augmentant de manière
spectaculaire avec le nombre de morts. On peut désormais
consulter ces documents en ligne, par nom ou par année, grâce
à la GLBT Historical Society.

Assise seule dans le noir, j'ai facilement trouvé les nécrolo-
gies d'amis tels que Robert (« un ardent wagnérien »), Tommy
(« Teddy et Cuddles étaient à son chevet »), Jono (« Il embrassait
divinement, un auditeur remarquable ») et Sam (« Au revoir, mon
mystère »). Puis j'ai repéré des noms dans le journal intime de
papa, des hommes que je ne connaissais pas, mais qui faisaient
partie de ses amis. Et j'ai alors commencé à chercher un peu au
hasard, en cliquant sur des noms ; j'ai lu des articles, contemplé
des photos et des photos de morts. Tous ces Peter Pan, ces jeunes
hommes figés dans le temps avec leurs coupes de cheveux et
leurs pulls des années 1980, qui n'auraient jamais l'occasion
d'exprimer pleinement leur potentiel contenu dans tel premier
recueil de poèmes, dans telle pièce qui reçut un bon accueil ou
bien dans tel cœur généreux (« Ses amis étaient toute sa vie »).
Bientôt je sanglotais, j'ai sangloté jusqu'à avoir des yeux aussi
gonflés que ceux d'un boxeur. Je me suis sentie abattue par le
chagrin. Comme c'est étrange, me suis-je dit quand les pleurs
se sont finalement dissipés. Je ne suis pas homo. Je n'appartiens
pas à cette génération d'hommes qui ont perdu tellement d'amis
qu'il leur a fallu jeter des répertoires entiers. Ce chagrin, je m'en
rends compte à présent, m'a toujours accompagnée. C'est juste
que je ne l'avais jamais situé.

Cet endroit où papa et moi avons vécu ensemble, notre *Fairyland*, ce royaume des fées, n'était pas factice ; il s'agissait d'un
endroit bien réel peuplé de gens tout aussi bien réels et j'y étais.
Et si je n'ai plus habité à San Francisco depuis 1994, et si ma vie
aujourd'hui est très différente de notre vie à l'époque – papa la
qualifierait certainement de « bourgeoise » –, je suis pleinement

un produit de ce monde. J'ai beau être hétéro et ne plus avoir de parent homo depuis plus de vingt ans, j'ai toujours le sentiment de faire partie de cette communauté *queer*. Cette histoire des gays est mon histoire des gays. Cette histoire gay est notre histoire gay à tous.

LISTE DES SOURCES

PREMIÈRE PARTIE : CONTES DE FÉES

Bronski, Michael. *A Queer History of the United States*. Boston : Beacon Press, 2011.

Shannon, Margaret. «College Politics and the New Left.» *Atlanta Journal and Constitution Magazine*, le 27 octobre 1968.

«Former Kewaneean Killed in Accident.» *Kewanee Star Courier*, le 29 août 1973.

«Two Killed in Highway 11 Wreck.» *Sweetwater Valley News*, le 30 août 1973.

DEUXIÈME PARTIE : SANS MÈRE

Hatfield, Larry D. «Love and Haight.» *San Francisco Examiner*, le 17 août 1997.

James, Scott. «A Near-Forgotten Casualty of AIDS : The Haight's Gay Identity. *New York Times*, le 24 novembre 2010.

Pennington, Greg L. «Mirrors of Our Community : a History of the Gay Pride Parades in San Francisco.» *San Francisco Bay Area Gay and Lesbian Historical Society Newsletter 1*, n° 4, juin 1986.

Shilts, Randy. *The Mayor of Castro Street : The Life and Times of Harvey Milk*. New York : St. Martin's Press, 1982.

Sides, Josh. *Erotic City : Sexual Revolutions and the Making of Modern San Francisco*. New York : Oxford University Press, 2009.

Left/Write. Retranscriptions éditées du congrès Left/Write de 1981. Sous la direction de Steve Abbott. 1982.

Note : les citations des poètes à la fête Cloud House sont extraites de retranscriptions de la table ronde aux rencontres Left/Write des mêmes membres de Cloud House en 1981.

373

TROISIÈME PARTIE : MÈRES D'EMPRUNT

Abbott, Steve. «10 Years of Poetry Flash.» *Poetry Flash*, avril 1983.

Clendinen, Dudley. «Anita Bryant, Singer and Crusader.» *Saint Petersburg Times*, le 28 novembre 1999.

Fetner, Tina. *How the Religious Right Shaped Lesbian and Gay Activism.* Minneapolis: University of Minnesota Press, 2008.

Gold, Herbert. «A Walk on San Francisco's Gay Side.» *New York Times*, le 6 novembre 1977.

Left/Write. Retranscriptions éditées des rencontres Left/Write de 1981. Sous la direction de Steve Abbott. 1982.

Mathews, Tom. «The Battle over Gay Rights.» *Newsweek*, le 6 juin 1977.

Shilts, Randy. *The Mayor of Castro Street: The Life and Times of Harvey Milk.* New York: St. Martin's Press, 1982.

QUATRIÈME PARTIE : LE SÉISME

Abbott, Steve. «Gossip and Scandal: Poetry Newsletter & Reviews.» *Poetry Flash*, février 1983.

Abbott, Steve. «10 Years of Poetry Flash.» *Poetry Flash*, avril 1983.

Adler, Jerry. «The AIDS Conflict.» *Newsweek*, le 23 septembre 1985.

Clark, Matt. «AIDS.» *Newsweek*, le 12 août 1985.

Fetner, Tina. *How the Religious Right Shaped Lesbian and Gay Activism.* Minneapolis: University of Minnesota Press, 2008.

Harris, Kaplan. «Causes, Movements, Poets.» Manuscrit inédit.

Harris, Kaplan. «New Narrative and the Making of Language Poetry.» *American Literature 81*, n° 4, décembre 2009: 805-32.

Lindsey, Robert. «20 Years after the Sumer of Love, Haight-Ashbury Looks Back.» *New York Times*, le 7 juillet 1987.

Roy, Camille, Mary Burger, Gail Scott, et Bob Glück. *Biting the Error: Writers on Narrative.* Toronto: Coach House Press, 2004.

Seligman, Jean. «The AIDS Epidemic, The Search for a Cure.» *Newsweek*, le 18 avril 1983.

Snyder, Ruth. «Gay Bashing» – AIDS Fear Cited as Attacks on Male Homosexuals Grow.» *Los Angeles Times*, le 10 avril 1986.

Tremblay-McGaw, Robin. «New Narrative: a Queer Economy of Insufficiencies & Excess.» Manuscrit inédit.

We Were Here. Film documentaire. Réalisation David Weissman et Bill Weber. Red Flag Releasing, 2011.

CINQUIÈME PARTIE : DÉPARTS

Bronski, Michael. *A Queer History of the United States*. Boston : Beacon Press, 2011.

D'Allesandro, Sam. *The Zombie Pit*. Avant-propos de Steve Abbott. San Francisco : Crossing Press, 1989.

Leerhsen, Charles. « Hard Times Ahead. » *Newsweek*, le 12 août 1985.

Schneider, David. Street Zen : *The Life and Work of Issan Dorsey*. Cambridge, MA : DaCapo Press, 2000.

Schulman, Sarah. *Stagestruck : Theater, AIDS, and the Marketing of Gay America*. Durham, NC : Duke University Press, 1998.

White, Edmund. « Out of the Closet, Onto the Bookshelf. » *New York Times*, le 16 juin 1991. Réédité dans White, Edmund. *The Burning Library : Essays*, édité par David Bergman. New York : Knopf, 1994.

We Were Here. Film documentaire réalisé par David Weissman et Bill Weber. Red Flag Releasing, 2011.

SIXIÈME PARTIE : LE RETOUR

Irvine, Martha. « Teenage Runaways Find an Alcoholic Haze in Haight Ashbury. » Associated Press, le 15 septembre 1996.

Marine, Craig. « Streets of Their Dreams Surrounded by Madness. » *San Francisco Examiner*, le 20 février 1994.

Walker, Thaal. « The Haight Getting Dangerous, Residents and Cops Say. » *San Francisco Chronicle*, le 10 mai 1993.

OUVRAGES DE STEVE ABBOTT

Transmuting Gold. San Francisco : Androgyne Books, 1978

Wrecked Hearts. San Francisco : Dancing Rock Press, 1978.

Stretching the Agape Bra. San Francisco : Androgyne Books, 1981.

The Lives of Poets. San Francisco : Black Star Series, 1987.

Skinny Trip to a Far Place. San Francisco : e.g. Press, 1988.

Holy Terror. San Francisco : Crossing Press, 1989.

View Askew : Postmodern Investigation. San Francisco : Androgyne Books, 1989

Lizard Club. San Francisco : Autonomedia, 1993.

Lost Causes. Inédit.

REMERCIEMENTS

Les bibliothèques sont des trésors en péril. Je me suis énormément appuyée, durant mes recherches, sur le personnel infiniment compétent et motivé du Centre d'histoire de la San Francisco Public Library, tout particulièrement Susan Goldstein et Tim Wilson, ainsi que sur la GLBT Historical Society. Les équipes de la Bobst Library de NYU et de la Woodberry Poetry Room m'ont aidée à localiser des lettres et des livres importants. J'ai passé la plus grande partie de mon temps d'écriture dans les bibliothèques Widener et Lamont de Harvard et à la magique bibliothèque Collins Branch, où l'on vous sert des cookies au beurre et du thé chaud tous les jeudis après-midi.

L'activité d'écriture requiert de disposer d'un lieu et de calme. Je remercie grandement la Fondation Ragdale de m'avoir accordé trois semaines dans la Prairie ; les chers amis qui m'ont hébergée lors de mes voyages de recherche à San Francisco, en particulier Roger, Mishiara, et la petite Elodie ; Maggie et Joe, qui m'ont proposé leur somptueuse demeure pour les étapes finales du manuscrit.

Je me dois de remercier les nombreux amis, membres de la famille, mes collègues et ceux de mon père, qui ont accepté de partager leurs histoires et ont patiemment répondu à mes questions répétées. Parmis eux : Elaine Abbott, Niki Berkowitz, David Binder, Bruce Boone, Anne-Marie Burger, John Dale, Karin Demarest, Dede Donovan, Dan Fine, Camille Floquet, Jon Fox, la French American International School, Nina Friedman du Cradle, Farris Garcia, Bob Glück, William B. Hampton, Kaplan Harris, Joyce Jenkins, Kevin Killian, Lara Klemens, Gerard Koskovich, Ginny Lloyd, Sean Monahan, John Norton, Andrea Richardson, Larry-Bob Roberts, Jim Siegel, Ron Silliman, Janet Smith, Robin Tremblay-McGaw, Ken Weichel, Sandra Weiksner, et Yayne Wondafarow.

Je tiens à remercier les lecteurs aux différentes étapes de l'écriture de ce livre, plus particulièrement Martha Bebinger, Noel Black, Michael Bronski, Nazila Farhi, Andrea Meyer, Vanessa Mobley, Honor Moore, Rose Moss, Miranda Purves, Beena Sarwar, la bande de la Nouvelle École (dont LL, Lisa et Nancy), Kate Tuttle, AQ, et le méticuleux Kris Wilton. Le brillant Alexander Chee m'a aussi donné une perspective qui me faisait défaut et m'a délivré de nombreuses remarques à un moment critique.

Je suis si contente que Brad, la chère et tendre moitié de «Hambutt Productions», existe. Son humour teinté de calembours m'a permis de rester à flot ces dernières années, et davantage. J'ai tellement de chance de connaître la petite p. Sa foi dans ce projet est demeurée inébranlable pendant presque deux décennies.

Merci à ma formidable secrétaire d'édition, Allegra Huston, et à toute la talentueuse équipe de chez W.W. Norton, à commencer par Elizabeth Riley, Anna Mageras et Amy Cherry, mon éditrice. Amy m'a guidée pendant toute la rédaction de *Fairyland* avec générosité, intelligence et grâce. Je me considère comme extrêmement chanceuse de t'avoir rencontrée, Amy.

Si j'ai écrit ce livre dans ma tête pendant presque vingt ans, je ne me suis véritablement concentrée sur le projet qu'à partir du moment où j'ai été intégrée au programme Nieman. Je souhaite remercier la Fondation Nieman, qui a réussi à créer une atmosphère qui encourage la curiosité intellectuelle et l'épanouissement. Sans cet espace, je n'aurais jamais rencontré David Patterson, l'éditeur-devenu-agent qui m'a aidée à trouver une bonne maison pour *Fairyland*. Merci, David, pour tes manières de gentleman et ton oreille compatissante.

Et puis il y a Jeff. Bien que souvent occupé à soutenir notre couvée avec ses propres projets variés, il a pris le temps de lire mes brouillons cradingues et m'a prodigué des conseils cruciaux quand j'en avais le plus besoin. Ce fut une longue odyssée avant la publication de *Fairyland*. Je ne me voyais partager cet accomplissement avec nul autre.

Le traducteur tient à remercier Jim Carroll (librairie San Francisco Books, Paris) pour son aide sympathique.

CRÉDITS

Extrait de «Night Fever», de *Saturday Night Fever*. Paroles et musique Barry Gibb, Robin Gibb et Maurice Gibb. Copyright 1978 Universal Music Publishing International MGB Ltd., Warner-Tamerlane Publishing Corp., et Crompton Songs LLC. Aux États-Unis et au Canada (gestion des droits Universal Music-Careers). Avec l'aimable autorisation de Hal Leonard Corporation.

Extrait de «Night Fever». Paroles et musique Barry Gibb, Maurice Gibb et Robin Gibb. Copyright 1977 (renouvelé) Crompton Songs LLC et Gibb Brothers Music. Tous droits de Crompton Songs LLC sont administrés par Warner-Tamerlane Publishing Corp. Tous droits réservés. Avec l'aimable autorisation de Hal Leonard Corporation.

Extrait de poème avec l'autorisation de David Moe.

Extrait de «Silver Spoons Theme» (aka «Together»). Paroles et musique Ricky Howard et Robert Wirth. Copyright 1982, EMI Belfast Music, Inc. Tous droits réservés. Avec l'aimable autorisation d'Alfred Music Publishing. Extrait de «Without Us.» Auteurs-compositeurs Jeff Barry et Thomas Wright Scott. Copyright 1982 Bruin Music Company (BMI). Gestion des droits Sony/ATV Songs LLC (BMI), 8 Music Sq. W., Nashville, TN 37203. Tous droits réservés. Avec aimable autorisation.

Extrait de «Making Our Dreams Come True». Auteurs-compositeurs Charles Fox et Norman Gimbel. Copyright 1976 Bruin Music Company (BMI). Gestion des droits Sony/ ATV Songs LLC (BMI), 8 Music Sq. W., Nashville, TN 37203. Tous droits réservés. Avec aimable autorisation.

TABLE DES MATIÈRES

Cet ouvrage a été achevé d'imprimer
sur Roto-Page
par l'Imprimerie Floch à Mayenne
en avril 2015

N° d'impression : 88294
Imprimé en France